Provence

Côte d'Azur

Table des matières

Bonnes vacances en Provence !

Vous trouverez sur les pages suivantes du chapitre Partir, les clés de la découverte de la région en fonction du temps dont vous disposez : un week-end, une semaine, dix jours ou davantage. La Provence à la carte !
Sur la page de garde, au début de ce guide, vous trouverez une carte de la région sur laquelle figurent toutes les localités décrites ainsi que le réseau routier principal.

Partir

Six idées de week-end en Provence-Côte d'Azur

Un week-end à Nice

Pour prendre le pouls de la capitale de la Côte d'Azur, marchez dans les ruelles de la vieille ville, autour de la cathédrale Sainte-Réparate (voir p. 225) : les artisans y proposent le meilleur de l'âme niçoise. Ne ratez surtout pas, le matin, le marché du cours Saleya (voir p. 225), grand-messe en couleurs autour des fleurs, des légumes et des fruits du cru.

L'après-midi, découvrez le musée Masséna (voir p. 226) et ses splendides salons Empire, puis arpentez la promenade des Anglais jusqu'au parc Phoenix, monde merveilleux où sont reconstitués, sous une serre géante, sept climats tropicaux différents. Le lendemain, journée consacrée à la peinture ; commencez par l'extraordinaire musée Marc-Chagall (voir p. 228), qui abrite une stupéfiante œuvre monumentale : *Le Message Biblique*… Puis vérifiez au musée Matisse (voir p. 228) l'effet qu'a produit la lumière niçoise sur cet autre très grand peintre, qui a vécu près de 40 ans à Nice. Avant de repartir, montez au site splendide du monastère de Cimiez (voir p. 228), en haut de la ville, et admirez les jardins et leurs roseraies exceptionnelles. Au menu gastronomique de ce week-end : salade, ratatouille niçoises et pissaladière, tarte garnie d'oignons cuits à l'huile d'olive.

Un week-end dans le pays de Grasse

À Grasse, capitale mondiale des parfums, impossible de ne pas visiter l'une des trois

grandes parfumeries qui élaborent à longueur d'année les senteurs les plus subtiles de France (voir p. 156). Vous pourrez même y créer votre propre parfum. En plein air, contemplez, dans les environs, les champs odorants du domaine de Manon, où les roses et les jasmins sont cueillis devant vous de mai à novembre. Les fleurs du pays de Grasse se dégustent également sous forme de bonbons à Tourrettes-sur-Loup, cité de la violette (voir p. 175) et dans la charmante confiserie des gorges du Loup, où vous goûterez à l'étrange saveur du confit de pétales de rose...

Au même endroit, arpentez longuement le prodigieux couloir des gorges du Loup (voir p. 175), très impressionnant, et visitez le château de Gourdon (voir p. 176), dont les jardins haut perchés ont été dessinés par Le Nôtre au bord du précipice... Les amoureux de la préhistoire rejoindront les grottes de la Baume obscure ou le domaine des Audides (voir p. 246), où vécurent il y a quelques milliers d'années les tout premiers provençaux. Pour les sportifs, canyoning ou parapente compléteront ce programme.

Un week-end à Cannes et aux environs

Dans la ville du Festival (voir p. 122), faites-vous photographier sur les marches du Palais (le tapis rouge y trône toute l'année), et contemplez la luxueuse enfilade des palaces en arpentant, le soir, la Croisette (ambiance très sympathique). Puis faites un tour « sur les îles », comme on dit ici... Les îles de Lérins (voir p. 170) sont à 15 min en bateau : Sainte-Marguerite, où fut enfermé le mystérieux Masque de Fer dans un fort toujours debout... et l'île Saint-Honorat, où de

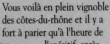

paisibles moines vivent dans un petit paradis rempli de fleurs aromatiques, dont ils font une liqueur sanctifiante. Superbes promenades. Passez ensuite une journée à Mougins (voir p. 220), sur une colline qui domine

en retrait la baie de Cannes : le vieux village autrefois fortifié accueille d'innombrables artistes dans des ruelles qui s'enroulent en spirale... Ne manquez surtout pas, un peu à l'écart, le quartier où Pablo Picasso passa les dernières années de sa vie, juste à côté de la charmante chapelle Notre-Dame de Vie (voir p. 221), où Winston Churchill en personne venait taquiner le pinceau... Lumière splendide. Pour les plaisirs de la table, l'ancien moulin à huile de Mougins possède l'une des très grandes tables de la région...où accourent les stars lors du Festival de Cannes (voir p. 221).

Vous voilà en plein vignoble des côtes-du-rhône et il y a fort à parier qu'à l'heure de l'apéritif, après avoir traversé tant de paysages de vignes, l'envie vous viendra de goûter l'un des merveilleux crus de la région. La seconde journée sera encore placée sous le signe de Rome : rendez-vous de bon matin à Orange, où commence la Provence (voir p. 232). Une grande matinée ne sera pas de trop pour découvrir les beaux monuments antiques de la ville (théâtre et arc de triomphe) et flâner dans ses rues. L'après-midi, nouveau

Un week-end entre Vaison-la-Romaine et Orange

Commencez votre escapade par une visite de la ville et de ses trésors avant de poursuivre par la découverte du magnifique site antique de Puymin et de la Villasse (voir p. 278). L'après-midi, offrez-vous une charmante promenade dans les villages environnants de Seguret, Sablet, Gigondas et Vacqueyras (voir p. 279).

rendez-vous avec les vins du Rhône en filant sur le très réputé vignoble de châteauneuf-du-pape (voir p. 233), à goûter absolument.

Un week-end dans la région de Carpentras

La première matinée de ce week-end détente sera consacrée à l'ancienne capitale de Comtat Venaissin (voir p. 124). Ses beaux monuments marquent les influences nombreuses qui ont marqué cette ville, aujourd'hui toujours très animée et très ouverte.

Profitez de votre séjour pour déguster les gourmandises locales, les célèbres berlingots et les fruits confits. L'après-midi, dirigez-vous doucement vers l'Isle-sur-la-Sorgue, où vous dormirez le soir. En chemin, flânez dans la charmante petite cité de Pernes-les-Fontaine (voir p. 236) et cherchez les joyeuses cascadelles qui lui ont donné son nom. Un petit détour par Venasque (voir p. 237) avant de filer vers la Sorgue. Le lendemain, soyez matinal

si vous voulez faire des affaires au marché au puce dominical. Les chineurs trouverons certainement leur bonheur tout en levant le nez sur les jolies maisons de L'Isle (voir p. 164). L'après-midi, rendez-vous au très beau village de Gordes (voir p. 154) en faisant une petite halte à Fontaine-de-Vaucluse, où la Sorgue prend sa source d'une façon bien mystérieuse (voir p. 165). Près de Gordes, ne manquez pas la très belle abbaye de Senanque (voir p. 155), une des joyaux de l'art roman provençal.

Un week-end à Avignon et aux environs

Pourquoi ne pas profiter du festival pour s'arrêter à Avignon (voir p. 98)? Après avoir pris la pré-

caution de réserver (longtemps à l'avance), laissez-vous aller au charme de cette ville très provençale. Il vous faudra une bonne journée pour découvrir toutes les merveilles du lieu, de l'incontournable palais des Papes au légendaire pont Saint-Bénezet, sans oublier les nombreux musées de la ville. Flânez dans les vieilles rues ou, pour ceux que l'envie de se dégourdir hors de la ville tenaillerait, allez faire un tour jusqu'à la chartreuse du Val-de-Bénédiction (voir p. 101). Le lendemain, partez à l'assaut d'un haut lieu de la culture

provençale : Tarascon (voir p. 274), que l'inénarrable Tartarin, personnage né sous la plume d'Alphonse Daudet, continue de hanter, faisant gravement concurrence à l'autre vedette locale, la Tarasque. En chemin, découvrez la Montagnette et ses charmants villages de Graveson et Boulbon, et arrêtez-vous dans la très belle abbaye de Saint-Michel-de-Frigolet (voir p. 275).

Quatre idées de séjour d'une semaine en Provence

Une semaine sur la Côte d'Azur

En partant de Menton (voir p. 204), rejoignez Roquebrune, petite cité préservée accrochée à la falaise, à 300 m d'altitude. Visitez sa forteresse carolingienne (pièce unique) qui domine le cap Martin, et faites le tour de cette presqu'île truffée de somptueuses propriétés (voir p. 244). Sur le mont Gros, initiez-vous au parapente.

Montez ensuite dans l'arrière-pays niçois, et admirez les villages perchés du bassin des Paillons (voir p. 234) : de Coaraze, village le plus ensoleillé de France, à Lucéram et à Peillon, souvenirs intacts de l'ancien comté de Nice. Puis retour sur la grande corniche par La Turbie, où vous attend son étonnant trophée romain (voir p. 142) ; jetez un coup d'œil sur la principauté de Monaco du haut de la Tête de chien et descendez visiter le Rocher princier (voir p. 212) et son célébrissime Musée océanographique. Le soir, n'oubliez pas de remonter vers Astrorama, près d'Èze (voir p. 143), pour toucher des yeux le ciel le plus pur de France... Le lendemain, faites le tour du cap Ferrat (voir p. 146) et extasiez-vous devant les trésors des richissimes villas Kérylos et Ephrussi de Rothschild, incontournables. Au-delà de Nice, entrez dans la maison du peintre Renoir, à Cagnes-sur-Mer (voir p. 114) et, pour la détente en famille, amusez-vous dans l'immense parc de loisirs Marineland (voir p. 41). Dernier détour par Vence (voir p. 292), puis Saint-Paul-de-Vence (voir p. 252), haut-lieu de l'art contemporain, avant de rejoindre le cap d'Antibes (voir p. 82) et Juan-les-Pins (voir p. 80), où se concentrent les milliardaires dans un décor de rêve...

Une semaine sur la côte provençale

En partant de Cannes (voir p. 120), longez vers le sud la côte de l'Estérel (voir p. 140), lumineuse et rougeoyante, et montez à pied au pic du cap Roux, haut lieu de cette « corniche

d'or ». Plus loin, les plages de sable de Saint-Raphaël et de Fréjus (voir p. 254) sont idéales pour la baignade en famille, et Sainte-Maxime possède un étonnant Aquascope, qui permet de découvrir (à pieds secs) les fonds marins (voir p. 264). Pour les amateurs, les pêcheurs vous emmène au grand large pêcher à la palangrotte. Arrêtez-vous ensuite une demi-journée à Port-Grimaud (voir p. 160), petite

Venise locale que l'on croirait tout droit sortie du XVIe s. alors qu'elle date de 1962 ! Puis faites (bien sûr) un tour à Saint-Tropez (voir p. 260), ne serait-ce que pour prendre un café glacé chez Sénéquier... Le lendemain, entrez dans le pays du mimosa : Bormes-les-Mimosas et Le Lavandou (voir

p. 112), station aux 12 plages, et arpentez le domaine du Rayol, témoin de la vie fastueuse sur la côte provençale à la Belle Époque. Pour terminer votre séjour, filez sur la presqu'île de Giens (voir p. 152),

qui, paraît-il, se détache lentement du continent... et découvrez son double tombolo (rareté mondiale). À proximité, le célèbre parc des oiseaux de La Londe (voir p. 153) ajoute encore quelques couleurs (et quelques sons) au paysage. A 5 km dans les terres, Hyères (voir p. 162) vous offrira le charme suranné de ses rues bordées de palmiers : la Côte d'Azur au début du siècle avait des allures de grande dame...

Une semaine entre Marseille et Toulon

La grande vedette de ce séjour sera Marseille (voir p. 188), aux multiples facettes. Restez-y au moins 2 jours, le temps de flâner sur le Vieux-Port et dans les environs. La seconde journée ne sera pas de trop pour découvrir Marseille tous azimuts… Le troisième jour, rien de tel qu'une promenade en mer pour goûter aux charmes de la Méditerranée. Embarquez pour les îles du Frioul et vers le légendaire château d'If. L'après-midi, farniente sur l'une des plages de la Corniche : bains de mer, plages de sables, lectures au soleil… Les joies des vacances ! Pour la fin de votre séjour, partez excursionner dans la région. Réservez toute une journée pour découvrir les charmes de la Côte bleue. De Marseille à Martigues (voir p. 199), sur les bords de l'étang de Berre, 24 km de falaises vous offre de très beaux paysages : Carro, Carry-le-Rouet, Sausset-les-Pins. À Martigues, arrêtez-vous au musée Ziem : un moyen de contempler comment nombre de peintres se sont laissés séduire par la lumière du Midi. Le jour suivant, filez dans la direction opposée, vers les Calanques : Morgiou, Sormiou (voir p. 197)… Des paysages à vous couper le souffle. Vous pourrez pousser jusqu'au très charmant petit port de Cassis (voir p. 126). Dégustez sans faute le vin du cru, un blanc inoubliable aux arômes de romarin, de bruyère et de myrte. De Cassis à Toulon, les cités balnéaires se succèdent et vous offrent leurs plages et leurs jolies rues : La Ciotat (voir p. 168), Bandol et Sanary-sur-Mer (voir p. 102). Enfin, Toulon (voir p. 276), qui marque la fin de votre séjour mérite une visite pour ses vieilles ruelles et le gigantesque belvédère du mont Faron. Sans oublier le marché du matin sur le cours Lafayette, un des grands charmes de la ville.

Une semaine en pays d'Arles

P our votre petit périple, Arles est un lieu de résidence idéal, au cœur d'une très jolie région. À Arles, offrez-vous un voyage

dans le temps en découvrant les monuments antiques de la ville (voir p. 92). Puis laissez-vous séduire par la Provence éternelle en découvrant le Museon Arlaten ou

en assistant à quelque féria dans les arènes de la ville. En juillet, les Rencontres internationales de la photographie seront un bon prétexte à flâner sans limite dans les petites rues de la cité. Quittez ensuite Arles pour les rivages marins. La Camargue vous attend, immense espace sauvage, paradis des taureaux, des chevaux et des flamants roses (voir p. 118). Descendez d'abord aux Saintes-Maries-de-la-Mer, le pays des gitans. Visite de la ville (voir p. 266), farniente sur les plages ou excursion en bateau à l'intérieur de delta du Rhône, promenade en vélo sur la Digue à la mer, tout est possible. Regagnez alors Arles en excursionnant à l'intérieur du delta. Puis dirigez-vous vers les

Alpilles (voir p. 76). Retrouvez la trace de Van Gogh à Montmajour avant de vous rendre à Fontvieille, au pays des Lettres de mon moulin. Arrêtez-vous ensuite une demi-journée sur le très beau

promontoire des Baux-de-Provence (voir p. 106), pour y déguster le vin local et découvrir les impressionnantes carrières du val d'Enfer. Enfin, rejoignez Salon-de-Provence (voir p. 270) et la rive nord de l'étang de Berre, où vous pourrez faire provision de l'incontournable savon de Marseille ou honorer la mémoire du célèbre Nostradamus. . .

Deux idées de séjour de deux semaines en Provence

Quinze jours dans les reliefs de l'arrière-pays

À l'est de Marseille, le massif de la Sainte-Baume (voir p. 268) attire tous les regards : commencez votre périple par un pélerinage sur la crête de ce rocher, où se réfugia sainte Marie-Madeleine, et admirez la basilique et le couvent royal de Saint-Maximin. Vers le nord, enfoncez-vous dans l'arrière-pays et faites le plein de faïences à Moustiers-Sainte-Marie (voir p. 296), avant de plonger au fond du grand canyon du Verdon. Restez-y au moins 2 jours... le temps de savourer à pied le sentier Martel puis de suivre en voiture la route des Crêtes et la corniche Sublime. Assurément sublime. Via Castellane, rejoignez ensuite la haute vallée du Verdon (voir p. 286) et visitez, à Colmars, l'incroyable fort de Savoie, qui protégeait la région des attaques piémontaises au XVIIe siècle. Juste à côté, tentez votre baptême en parapente, à Allos (voir p. 289), à 1 500 m d'altitude... Plus à l'est, dans les gorges de Daluis, le spectacle des schistes rouges qui tapissent le couloir du Var est également somptueux (voir p. 287). Occasion rêvée pour vous initer au canyoning, dans ce Colorado niçois. Le lendemain, repos (bien mérité) : montez dans le cahotant petit train des Pignes et faites halte à Entrevaux (voir p. 286), couronnée d'une citadelle incroyablement haut perchée. Puis poursuivez jusqu'à la vallée de la Vésubie (voir p. 300), et consacrez-lui au moins trois journées. Programme chargé : remonter les gorges, grimper au site du sanctuaire d'Utelle (on y aperçoit la mer, 25 km plus loin !), admirer les villages médiévaux qui mènent à Saint-Martin-de-Vésubie et pénétrer dans le parc du Mercantour (voir p. 209), à découvrir absolument... Pour terminer ce grand séjour, une cerise sur le gâteau : la haute vallée de la Roya (voir p. 248), toujours plus à l'est, où vous attendent deux splendeurs, la vallée des Merveilles et ses mystérieuses gravure rupestres (incontournable), et la petite chapelle magique de Notre-Dame des Fontaines. Partout, sur le parcours : loisirs aquatiques (canoë, rafting, dubing...).

Quinze jours du Luberon au mont Ventoux

La région est magique et porte haut les couleurs de la Provence dans le monde entier. Apt (voir p. 86) est le point de départ idéal de cette découverte du Luberon. Capitale du fruit confit (à déguster absolument…), la ville est aussi le siège de la Maison du parc naturel régional du Luberon. Autant dire que vous y trouverez la réponse à toutes vos questions. D'Apt, partez à la découverte

du village de Roussillon et de l'incroyable Colorado provençal (voir p. 88). Redescendez ensuite vers Cavaillon (voir p. 128), la reine des melons,

d'où vous pourrez partir à l'assaut des villages perchés du Petit Luberon : Ménerbes, Lacoste, Bonnieux, Lourmarin (voir p. 184)… Une flânerie sur les berges de la basse Durance (voir p. 138) vous fera découvrir une rivière assagie. Sur la rive gauche, la très belle abbaye de Silvacane (voir p. 139) vous invite au silence. Vous êtes au pied du Grand Luberon (voir p. 180), où de vieux châteaux dressent leurs ruines vers le ciel. Le lieu est impressionnant. Rejoignez ensuite la civilisation en en filant passer 2 journées à Aix-

en-Provence (voir p. 68) : le charme de la ville vous ensorcellera et vous aurez sans doute du mal à quitter cette cité aux allures italiennes. Depuis Aix, remontez vers Manosque, le pays de Giono (voir p. 86). La Haute-Provence commence ici, plus âpre mais tout aussi belle. Rejoignez ensuite Forcalquier (voir p. 150), promontoire se dressant entre la montagne de Lure et le haut Luberon. En chemin, arrêtez-vous à l'obser-

vatoire de Saint-Michel et au très beau prieuré de Ganagobie, chef-d'œuvre de l'art roman. Remontez ensuite la Durance jusqu'à Sisteron (voir p. 272), un site à vous couper le souffle. On est aux confins de la montagne, au pays du fromage de Bannon et de l'agneau délicat. Clôturez en apothéose ce séjour en rejoignant le mont Ventoux (voir p. 295), pays de la lavande, des gorges sauvages et des vins joyeux.

Vous trouverez, dans les pages de ce chapitre, toutes les clés pour comprendre les traditions, la nature, la cuisine, le patrimoine, la culture ou les savoir-faire de la région.

Sommaire

Comprendre

Les marchés de Provence, des étals colorés et parfumés

Chaque ville de France a son marché, mais s'il est une région où ils ont un goût particulier, c'est bien en Provence, coutumière de ces lieux de convivialité où l'on croise des personnages à l'accent aussi savoureux que les produits du terroir proposés. Avec la rue pour royaume, ces marchés vous invitent à renouer avec un certain art de vivre. Où que vous soyez, ne ratez pas cette occasion d'aller à la rencontre des spécialités locales et de prendre la température de la région où vous vous trouvez.

Il est frais, mon poisson !

C'est sur les quais, directement auprès des pêcheurs, que vous trouverez, encore frétillants et l'œil vif, tous les poissons dont vous aurez envie. Guettez le retour des bateaux et laissez-vous tenter. À Marseille, marché au poissons tous les matins, quai des Belges sur le Vieux-Port. Mais aussi à Martigues (port de Carro ou quai Terré) et dans les ports de Carry-le-Rouet, de Cassis, de La Ciotat, des Saintes-Maries-de-la-Mer, de Fos-sur-Mer ou de Sausset-les-Pins.

Sur le pavé, des fleurs

Fleurissant le bitume des marchés, les horticulteurs jonglent avec les saisons pour vous offrir une variété impressionnante de fleurs et de plantes de qualité ; le samedi matin à Avignon, place Pie et remparts ; tous les jours à Aix-en-Provence, place de la Mairie ou place des Prêcheurs ; le lundi matin à Marseille, boulevard Chave ou place Félix-Baret.

Au royaume de la farfouille

Les amateurs le savent, les marchés à la brocante récompensent les lève-tôt. Chacun peut y trouver son bonheur à condition de bien vouloir chercher et, pourquoi pas, de marchander. Le dimanche à L'Isle-sur-la-Sorgue, avenue des Quatre-Otages ; les mardis, jeudis

et samedis à Aix-en-Provence, place Verdun ; à Avignon, le samedi matin place Crillon, le dimanche matin place des Carmes ; le dimanche matin, à Forcalquier, dans la vieille ville.

Testez vos papilles

Au marché aux truffes, odeurs de terroir et ambiance garanties ! De novembre à mars : le vendredi matin à

Carpentras, en face de l'hôpital ; le samedi matin à Richerenches, route principale ; le mercredi matin à Valréas, place du Cardinal-Maury.

Pour les lève-tard !

Les marchés du soir, une idée originale qui remporte un franc succès. À Aubagne, d'avril à décembre, le vendredi à partir de 15 h. À Velleron, à partir de 18 h en été, du lundi au samedi, et à partir de 16 h 30 en hiver, les mardis, vendredis et samedis. À Saint-Étienne-du-Grés, marché de semi-gros

à partir de 16 h les lundis, mercredis et vendredis d'octobre à avril, à partir de 17 h du lundi au samedi de mai à septembre. À Fontvieille, de 16 h à 21 h le mercredi de mi-juin à septembre. À La Ciotat, sur le vieux port, tous les jours à partir de 20 h pendant l'été.

La grand-messe

Le Conseil national des arts culinaires a sélectionné, sur des critères de qualité des produits et d'ambiance, un certain nombre de marchés appelés marchés d'exception.
À ne manquer sous aucun prétexte : Cavaillon (lundi), Forcalquier (lundi), Carpentras (vendredi), Apt (samedi), L'Isle-sur-la-Sorgue (dimanche), Nice, Toulon et Cannes.

LE MARCHÉ D'INTÉRÊT NATIONAL

C'est le lieu de la première mise en marché, du producteur à l'expéditeur. Moments forts de la matinée : à 5 h du matin, le café à la brasserie où beaucoup de promesses de ventes se font, puis, de 6 h à 7 h, la vente dite « sur le carreau » des producteurs (parking), qui permettra aux agriculteurs de vendre leur production d'après les échantillons proposés. 10 à 20 % des transactions se traitent ici, le gros des opérateurs achetant la plupart du temps par téléphone. Le marché d'intérêt national de Cavaillon peut se visiter (renseignements et inscriptions à l'office de tourisme, ☎ 04 90 71 32 01. Accès gratuit).

Gai et frais comme le pastis

À l'heure de l'apéritif, demandez-vous ce que signifie *pastis* en provençal. Le terme désigne un mélange, quelque chose de trouble, à l'image de celui que provoque l'eau quand on la verse dans le « petit jaune ». Une foule d'expressions existent, formées à partir de ce simple petit mot au sens double : « Oh la la, qué pastis la circulation en ville ! » ou « Je suis en plein pastis ! ». Troublant ou non, le pastis reste à consommer avec modération, même s'il évoque les vacances ou la pétanque et qu'il ouvre l'appétit.

Une star du zinc

En 1915, on interdit l'absinthe qui provoque trop de ravages dans les populations. C'est alors que naît l'anisé, ou pastis, encouragé par l'arrivée massive en Europe de l'essence de badiane, amenée par les navigateurs. Chacun y va de sa recette et beaucoup de marques se lancent pendant les années 30, aujourd'hui disparues (nombre d'entre elles se sont éteintes avec ou après la Seconde Guerre mondiale). Aujourd'hui, chaque fabricant conserve jalousement le secret de sa formule et sa méthode de fabrication.

Quelques chiffres

Le marché du pastis en France représente 125 millions de litres. Le groupe Pernod-

Ricard, grâce à ses marques Pernod, Ricard et Pastis 51, arrive loin en tête puisqu'il assure 50 % de la production, tandis que Duval, Casanis et Berger en représentent 10 à 12 % chacun. Le marché est principalement hexagonal et ce sont paradoxalement les gens du Nord qui en sont les plus gros consommateurs, après la Provence bien sûr. Viennent ensuite la région parisienne, la Bretagne et, en quatrième position seulement, le Sud-Est.

La recette

Prenez un mélange de plantes : anis étoilé, anis vert, fenouil, réglisse, cardamone et autres plantes et épices variées. Ajoutez de l'alcool aromatisé par macération ou distillation des plantes, mélangez, filtrez, c'est prêt ! Mais la magie des plantes ne suffit pas à faire un bon pastis, tout tient dans le choix des plantes ajoutées, le mélange, le dosage et la qualité de l'alcool de base. Pas si simple ! Depuis 1991, pour bénéficier de la dénomination « pastis de Marseille », il faut que le breuvage titre à 45 ° et qu'il contienne 2 g d'anéthole par litre (la substance aromatique contenue dans les huiles essentielles d'anis).

Garçon ! une mauresque

Le pastis peut varier à loisir et se prête à de multiples combinaisons, goûteuses, jolies ou intrigantes, et parfois les trois… En associant au pastis divers sirops, vous pourrez ainsi commander une **mauresque** (pastis-orgeat), une **tomate** (pastis-grenadine), un **perroquet** (pastis-menthe), une **feuille morte** (pastis-grenadine-menthe), un **goudron** ou **gas-oil** (pastis-réglisse), ou encore un **p'tit vélo** (pastis-orange-limonade). La **momie** désigne un petit verre de pastis (1 ml), la dose normale étant appelée **entier** (2 ml), tandis que le **double** en contient 4 ml.

L'art de bien consommer

Première règle : ne jamais stocker le pastis au réfrigérateur et lui éviter tout choc thermique violent (par exemple, jamais de glaçons directement dans le pastis pur). L'eau doit toujours être bien fraîche (4 °C), mais sans glaçons. Ces derniers peuvent être ajoutés après le mélange dans le verre. Enfin, pour permettre à tous les arômes contenus dans le pastis de se libérer et de se développer, n'hésitez pas à l'allonger largement (4 à 6 fois plus d'eau que de pastis).

À Forcalquier, au pied de la montagne de Lure, les distilleries et domaines de Provence fabriquent depuis un siècle un pastis naturel très apprécié des amateurs et des connaisseurs et qui a su, en règle générale, se faire aimer des femmes. Le pastis Henri Bardouin (105 F la bouteille de 70 cl) est le seul élaboré sur un « site remarquable du goût » (il y en a 100 en France). Il bénéficie aussi d'un terroir très ensoleillé, reconnu pour la diversité, la richesse et la qualité de ses plantes.

L'olivier : l'arbre emblématique et séculaire

Vénéré dans toute la Provence, peint par de nombreux artistes, l'olivier est un des éléments les plus typiques du paysage provençal. Le peintre Renoir le célébrait en des termes flatteurs : « Regardez donc la lumière sur les oliviers, ça brille comme du diamant. C'est rose, c'est bleu... Et le ciel qui joue à travers, c'est à vous rendre fou. » Symbole de sagesse, il saura vous transmettre celle de le fêter et de le visiter.

Des terres bibliques à la Provence

Après le Déluge, c'est un rameau d'olivier qui fut apporté à Noé par la colombe en signe de vie revenue sur la Terre. L'apparition et la culture en Asie mineure de cet arbre vénérable remonteraient à plusieurs millénaires. Il est connu des Égyptiens depuis plus de 6 000 ans et, 3 000 ans av. J.-C., il était déjà cultivé en Phénicie, en Syrie et en Palestine. Enfin, n'en déplaise

aux Provençaux, ce sont les Grecs qui l'ont introduit en Méditerranée, 600 ans avant notre ère.

Un arbre symbolique

Dans la mythologie grecque, l'olivier serait un don de la déesse Athéna aux hommes. Arbre des pays du soleil dont l'histoire se confond avec celle de l'humanité, il est un symbole de paix et de fécondité. Dans la Rome antique, les deux jumeaux Romulus et

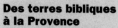

Remus sont nés sous un olivier parce qu'ils descendaient des dieux. Plus tard enfin, les rois furent oints d'huile d'olive « sainte » qui leur donnait autorité, puissance et sagesse.

Un peu de botanique

Très résistant, vert en toute saison, cet arbre au tronc noueux, planté sur un sol aride, façonne le paysage méditerranéen. De la même famille que le jasmin, le lilas, le troène et le forsythia, on le reconnaît de loin à son feuillage frémissant et luisant, d'une couleur qui n'appartient qu'à lui. Son bois fauve, dur et lourd, est utilisé pour la fabrication d'objets artisanaux (pilons, mortiers, saladiers, etc.) et ses fruits se dégustent à l'envi ou servent à fabriquer une huile qui fait chanter la gastronomie provençale.

La culture de l'olivier ou l'art de la patience

Cultiver un olivier, c'est tout un art. L'arbre demande du temps : 5 à 6 ans pour donner ses premiers fruits, 30 ans pour produire à plein rendement, et bien souvent il ne donne qu'une année sur deux. La floraison se situe entre

avril et juin, la cueillette s'étale de septembre à février. En mûrissant, les fruits s'enrichissent en huile et changent de couleur, passant du vert au noir.

La bataille de l'olivier

La vallée des Baux comporte la plus forte concentration d'oliviers de France, et Mouriès est la première commune oléicole du pays, avec ses

ROUTE de L'OLIVIER

75 000 arbres. Mais les régions du sud de la France ne sont pas les seules à profiter des bienfaits de l'olivier : cet arbre se cultive également en Algérie du Sud, mais aussi en Australie, au Japon et dans certaines régions de Chine.

De l'olivier à l'olive

Dans l'ensemble de la région provençale, chaque coin a son espèce préférée, qui produit des olives différentes pour le plus grand bonheur des gourmands. Dans les Alpes-de-Haute-Provence et le Vaucluse, on trouvera l'**aglandau** et la **verdale** de Carpentras, des olives vertes de taille moyenne, impropres à la table mais parfaites pour l'huile. La **salonenque** verte (ou olive cassée), la **grossane** noire et douce et la **bégurette**

VISITER L'OLIVIER

Le moulin des Bouillons, à Gordes, est le plus ancien moulin à huile de Provence. Dans un site gallo-romain classé monument historique, son pressoir de 10 m de long pèse près de 7 t (d'autres moulins très anciens sont visibles à l'oppidum d'Entremont, à côté d'Aix-en-Provence, ou à Glanum, à Saint-Rémy). Aux Baux-de-Provence, allez voir le musée de l'Olivier (château des Baux, ☎ 04 90 54 55 56) et son diaporama sur le thème « Van Gogh, Cézanne et Gauguin au pays de l'olivier ».

grandissent dans la vallée des Baux. Quant au Pays niçois, il voit pousser cailletier ou « caillette », une olive marron et parfumée qui se laisse manger avec délice.

La Provence romane

L'abbaye de Sénanque.

Du XIe au XIIIe s., la Provence se couvre d'églises et d'abbayes romanes. Le renouveau du sentiment religieux et le développement des monastères encouragent la construction de lieux de culte, qui s'inspirent de l'architecture romaine (antique) : pas de superflu ni de grandes surfaces, mais un grand dépouillement. Les meilleurs exemples sont Saint-Trophime d'Arles, Saint-Gilles-du-Gard près d'Arles, Montmajour et les trois sœurs cisterciennes de Sénanque, Silvacane et du Thoronet…

Saint-Trophime d'Arles
Pl. de la République

Monument typique de l'art roman en Provence : un portail superbement orné, inspiré des arcs antiques, et aucune décoration à l'intérieur…La nef de cette ancienne cathédrale atteint la hauteur rare de 20 m, et l'impression de majesté qui s'en dégage est renforcée par l'exceptionnelle étroitesse des bas-côtés. À proximité, le cloître a conservé 2 galeries romanes (voûtes en berceau), les 2 autres glissant déjà vers le gothique (voûtes sur croisées d'ogives)…

Silvacane
**La Roque-d'Anthéron
23 km N.-O. d'Aix-en-Provence**

L'osmose romano-cistercienne, comme à Sénanque. Dans l'église du XIIe s., rien ne distrait le regard, mais tout le remplit : portail sans fioritures, nef voûtée en berceau brisé,

absence de décor… Et pourtant, l'équilibre des proportions et des volumes est remarquable. Autour du cloître, la salle capitulaire et le chauffoir, construits au XIIIe s., préfigurent le gothique (voûtes en d'ogives).

Montmajour
5 km N.-E. d'Arles sur la route de Fontvieille

Un cloître roman authentique, même si bon nombre de ses éléments ont été refaits. La galerie nord, couverte de voûtes en plein cintre, n'a pas bougé depuis le XIIe s., et celle de l'est a conservé ses chapiteaux d'origine à décor

L'abbaye du Thoronet.

tail (le lieu n'était pas ouvert aux gens de l'extérieur), ni décor intérieur susceptible de détourner de Dieu le regard du moine… Mais une lumière (splendide) qui invite à la prière. Dans le cloître voisin, les chapiteaux sont ornés de discrètes feuilles stylisées.

L'abbaye du Thoronet
30 km S.-O. de Draguignan en direction de Brignoles

La plus ancienne des abbayes romanes de Provence, et la plus homogène. Cistercienne comme Sénanque et Silvacane, ce joyau possède un ensemble remarquable du XIIe s. : église sobre, dont la nef à 3 travées est éclairée par 2 fenêtres en plein cintre typiques, cloître massif et dépouillé, salle capitulaire aux chapiteaux « végétaux », dortoir recouvert d'un immense plafond voûté en berceau brisé, bâtiments des frères convers… Et surtout : lumière, pureté et harmonie d'un véritable chef-d'œuvre.

végétal (sauf un). De l'extérieur, la vue sur le chevet massif de l'église ne laisse rien deviner de la répartition des volumes à l'intérieur… Typiquement romain.

Saint-Gilles-du-Gard
16 km O. d'Arles

Le *must* de la sculpture romane en Provence. À la limite des Bouches-du-Rhône, la splendide façade de cette église du XIIe s. vaut bien une incursion aux confins du Gard… Son triple portail décoré (une invitation à entrer) est un modèle d'inspiration antique : les sculptures en haut relief en reprennent les volumes et les formes (des corps et des vêtements, notamment), et l'ensemble évoque irrémédiablement un arc de triomphe romain.

Senanque
28 km S.-E. de Carpentras en direction de Gordes

La rencontre du dénuement romain et de l'austérité cistercienne. Le dépouillement de l'église romane (1160) est accentué par la rigueur de la règle de saint Bernard : ni por-

---

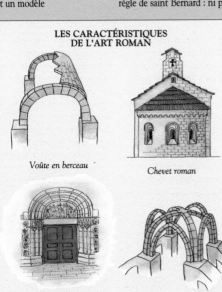

LES CARACTÉRISTIQUES DE L'ART ROMAN

Voûte en berceau

Chevet roman

Portail roman

Voûte en croisée d'ogives

Pour éviter qu'elles ne brûlent, touchées par la foudre ou les incendies, les églises originellement couvertes en bois vont être couvertes en pierre à partir de l'an mil. Les premiers types de voûtements s'apparentent un peu à celui des tunnels de chemin de fer : on appelle cela la voûte en berceau. La voûte est dite « en plein cintre », c'est-à-dire qu'elle épouse la fome d'un demi-cercle parfait.

De l'extérieur, l'église romane est trapue, massive. Les murs sont épais car ils supportent le poids d'une voûte très lourde. Pour cette raison, ils sont seulement percés par quelques fenêtres, elles aussi en plein cintre.

Comme une bande dessinée sculptée, la décoration se concentre sur le portail principal dont l'intérieur de l'arc représente souvent un Jugement Dernier. Avant d'entrer dans l'église, les fidèles peuvent donc visualiser ce qui les attend s'ils s'écartent du droit chemin…

Dans la seconde moitié du XIIe s., un nouveau type de voûte va apparaître, plus compliqué mais plus léger, la voûte brisée ou voûte en ogive.

La Provence dans les plis de ses tissus

Sur les marchés ou dans les boutiques spécialisées, l'étalage arc-en-ciel d'étoffes nous laisse tous rêveurs. Envie de jupes de toutes les couleurs, de petits nappes, de coussins, etc. ? L'occasion est trop belle. Laissez-vous tenter par les cotonnades provençales aux multiples semis de fleurs : formes géométriques ou guirlandes, cachemires ou jacquards des indiennes, tous rappellent les couleurs du Midi ou le lointain Orient.

La tradition des indiennes

Elle font leur apparition en France au XVIIe s., quand la cour du Roi-Soleil se prend soudain de passion pour les toiles peintes importées des Indes. La Provence s'approprie très vite leur fabrication, tout d'abord à Marseille. Mais les soyeux lyonnais s'inquiètent de cette concurrence et font tout pour interdire la fabrication et le commerce des indiennes sur le territoire français. Ils obtiennent gain de cause en 1686 et les fabriques émigrent à Avignon, qui était alors un territoire papal non soumis à l'autorité royale.

La fabrication

La technique la plus courante a longtemps été celle dite « au cadre plat » : le dessin est décomposé en autant de cadres qu'il y a de couleurs. Aujourd'hui, les tissus sont imprimés au moyen de gros rouleaux. Ils sont ensuite séchés puis passés dans une cuve de vapeur d'eau qui permet de fixer les couleurs. Lavés et apprêtés, ils sont parés pour la vente. Les amateurs iront découvrir la passionnante genèse d'un tissu au musée municipal d'Orange (rue Madeleine- Roch, ☎ 04 90 51 18 24, ouv. 9 h 30-19 h ; hors saison, 9 h 30-12 h et 13 h 30-17 h 30). Dans une salle, on peut voir comment se fabriquaient les indiennes.

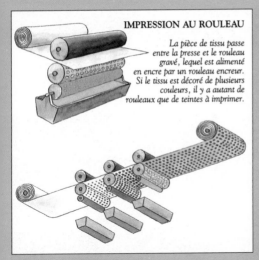

IMPRESSION AU ROULEAU

La pièce de tissu passe entre la presse et le rouleau gravé, lequel est alimenté en encre par un rouleau encreur. Si le tissu est décoré de plusieurs couleurs, il y a autant de rouleaux que de teintes à imprimer.

Le grand art des boutis

Autre tradition de la région, les boutis nécessitent patience et savoir-faire. Des motifs sont piqués en relief dans l'épaisseur d'étoffes superposées. Les grands centres de production ont longtemps été Marseille et Avignon. Ces tissus ont servi à fabriquer pendant des générations d'élégants jupons et des courtepointes chaleureuses.

On en trouve encore aujourd'hui dans certaines boutiques spécialisées comme Aux Jardins de Provence à Avignon (2, rue Petite-Fusterie, ☎ 04 09 82 21 78) ou La Maison des Lices à Saint-Tropez (18, bd Louis-Blanc, ☎ 04 94 97 11 34. Ouv. 9 h 30-13 h et 15 h-19 h 30 sf dim.-lun.).

Souleïado
39, rue Proudhon, Tarascon
☎ **04 90 91 08 80.**
Ouv. lun.-ven., 8 h 30-12 h et 13 h 30-18 h (jusqu'à 17 h le ven.).

Plus de 400 tissus en collection, pas moins de 40 000 dessins en archives, un nombre impressionnant de boutiques dans toute la France, l'entreprise a su profiter de la mode pour les indiennes. Les tissus sont splendides, les prix un peu élevés (160 F le m en 180 cm de largeur) mais les motifs sont très originaux… Dans l'enceinte de l'usine, le musée Charles-Demery (visites à 10 h et à 15 h sur r.-v.) est dédié au fondateur de la maison et retrace l'histoire et la tradition des indiennes à travers une évocation de la vie quotidienne en Provence.

Les Olivades
Ch. des Indienneurs, Saint-Étienne-du-Grès
☎ **04 90 49 19 19.**

L'entreprise est la seule à imprimer sur place. 38 points de vente en France, plus de 200 dessins et 1 500 types

d'objets (ameublement, habillement, décoration, cadeaux, bagagerie…). N'hésitez pas à prendre rendez-vous pour une visite de l'usine : c'est l'occasion de découvrir comment se font aujourd'hui les tissus.

Et dans la boutique, craquez pour les merveilleux motifs de cet éditeur (environ 175 F le m pour les imprimés, 420 F pour les jacquards).

À vos machines !

Faites des provisions pour les longues soirées d'hiver mais, attention, pas question de se tromper dans le métrage… Le tissu étant le plus souvent commercialisé en 1 m 50, il vous faudra 3 m pour faire une nappe de 12 couverts. Si vous voulez renouveler la garde-robe de votre fils ou lui offrir un costume de gardian pour le carnaval de l'école, prévoyez 2 m pour la chemise et 60 cm pour le gilet. Sur les marchés locaux, vous trouverez des cotonnades typiques entre 30 et 60 F le m. Réservez les splendeurs de Souleïado et des Olivades pour des travaux d'envergure…

« Tu la tires ou tu la pointes ?… »

Dès les beaux jours, tous les Provençaux, pur sang ou d'adoption, se retrouvent sur les terrains de boule. Le premier week-end de juillet, le parc Borély de Marseille devient un véritable « Roland-Garros des boules » au moment du Mondial-La Marseillaise. Qui s'étonnera alors que la France détienne dans cette compétition le record des titres de champion du monde ? Mais vous aussi pouvez devenir un roi du carreau.

Petite histoire du jeu de boules

On y joue depuis l'Antiquité. Qu'importe la forme des dites « boules » : les Grecs utilisaient des pièces de monnaie, les Romains de simples galets. Puis, au XIXe s., la Provence remet le jeu au goût du jour sous le nom de « provençale » ou « longue ». Les boules utilisées à cette époque sont en buis et cloutées.

La longue ou la pétanque ?

Ne vous avisez pas de confondre ces jeux ou vous risquez fort de passer pour un « estranger ». La longue se joue sur un terrain d'au moins 25 m de long, et le but ou bouchon est placé entre 15 à 21 m des joueurs. Les pointeurs ne peuvent avancer que d'un pas pour lancer la boule, les tireurs peuvent faire 3 pas sautés hors du cercle. Quant à la pétanque,

LA BOULE BLEUE

Montée de Saint-Menet, Z. I. La Valentine, Marseille (11e arr.)
☎ 04 91 43 27 20.
Ouv. lun.-ven., 7 h 30-16 h 30.

Créée en 1904, c'est la dernière entreprise artisanale de la région. Ici, chaque jeu peut être personnalisé (nom, numéro fétiche) et réalisé sur mesure (poids, dureté, diamètre, nombre de stries). Carbone ou inox, traitement antirebond ou pas ? On vous conseillera très bien dans un cadre ancien avec vue sur l'atelier. Homologuée compétition et garantie 5 ans, la triplette vous coûtera entre 290 et 950 F. Sans oublier les buts (10 F les 4), le bisou boule (40 F) ou le mètre à tirette (120 F pour la version luxe en fer, 60 F pour la version plastique). Compter 5 jours pour les fabrications sur mesure.

elle est née un jour de juin 1910, à La Ciotat. Ce jour-là, Jules le Noir, un joueur de longue très réputé, fut dans l'impossibilité de faire les 3 pas traditionnels pour tirer sa boule parce qu'il souffrait de rhumatismes. Il décida donc de la lancer à l'arrêt, les « pieds tanqués » (joints et plantés au sol), expression qui donna son nom à ce jeu qu'il venait d'inventer.

La pétanque, règle du jeu

Elle oppose 2 joueurs ou 2 équipes. Chaque participant joue 3 boules qui doivent approcher au plus près le bouchon, lancé entre 6 et 10 m. Une partie se joue en 13 points. Dans ce jeu simple en apparence, tout est question de rondeur. Balancez le bras de manière calculée, tenez la boule au creux de la paume, les doigts fermes mais souples. Selon le type de lancer choisi, tenez-vous debout, accroupi ou les genoux fléchis. Il faut aussi savoir observer et se montrer fin stratège : étudiez le sol, choisissez la « donnée », tirez ou pointez, à vous de choisir.

Un véritable sport

Loin d'être un simple loisir, le jeu de boules est un sport d'ampleur internationale (43 pays inscrits à la fédération) avec licences (460 000 en France), règlement, arbitres, championnats... Mais la pétanque a beau être en France la quatrième fédération après celles de football, de tennis et de ski, elle n'est toujours pas reconnue comme discipline olympique. Affaire à suivre...

Petit vocabulaire bouliste

Le petit : autre nom donné au bouchon.
Embouchonner : faire coller au but la boule pointée.
Estanquer : toucher une boule.
Faire une casquette : passer par-dessus la boule visée.

Carreau : boule remplaçant celle qui était visée.
Téton : boule collée au but.
Gratonnée : boule freinée par une succession d'obstacles.

Savoir choisir

Si vous vous sentez une âme de pointeur, vous prendrez un modèle moyen mais un peu lourd (72 à 73 mm de diamètre, 710 à 740 g) avec une ou plusieurs stries. Les tireurs préfèreront une boule lisse d'un diamètre plus important (76 à 78 mm) et d'un poids moindre (680 à 710 g). Enfin, sachez qu'une boule en acier inox « part » plus facilement (le métal est plus poli) tandis qu'en acier carbone elle devient à l'usage plus mate, ce qui facilite la tenue en main.

La crèche provençale

Les calendes de Noël, temps bénis entre tous en Provence, s'étalent du 4 décembre au 6 janvier. On y fête Noël dans le respect des traditions. Crèches, pastrages, pastorales et messe de minuit, sans oublier la veillée de Noël, le gros souper et ses treize desserts : Noël en Provence a ses rites, et ses habitants s'y tiennent fermement. De toutes les traditions, celle des santons reste la plus célèbre… et la plus répandue.

Une naissance révolutionnaire

C'est à un saint que la crèche doit sa naissance : on raconte qu'en 1223, dans une étable des Abruzzes, François d'Assise aurait fait représenter le jeu de la Nativité par des personnages et des animaux vivants. Quant aux santons, s'ils ont vu le jour au XVIe s., il leur a fallu attendre la Révolution française pour connaître la gloire. Messe de minuit et crèches étant frappées d'interdit, un fabricant marseillais de statues eut l'idée de créer en série des petits personnages en terre cuite qui permettaient de mettre en

scène la Nativité. Une invention qui va très vite gagner toutes les régions de France.

Les petits saints

Le mot santon vient du provençal *santoun*, qui signifie « petit saint ». Ces figurines trouvent leur place dans le décor de la crèche, qui n'est autre qu'une représentation du village provençal avec son hameau, ses maisons gigognes, son puits, son moulin, son four, son pigeonnier et ses animaux domestiques. En somme,

Bethléem dans l'arrière-pays de Marseille… Quant aux personnages qui composent la crèche, ils ont eux aussi bien vite attrapé l'accent ! Il y a bien sûr Marie, Joseph, l'enfant Jésus, l'âne et le bœuf, le berger (Lou Pastre) et ses moutons, l'ange Boufareu s'époumonant dans sa trompette pour claironner la bonne nouvelle et l'arrivée des Rois mages.

Quelques personnages typiques

Autour de la Sainte Famille s'assemble une multitude de personnages provençaux : le rémouleur, le meunier à peine réveillé apparaissant en bonnet

de nuit, sa lanterne à la main, le boumian accompagné de son ours, le tambourinaire qui ne porte rien car il ne possède rien, l'aveugle et son fils, le maire, le bûcheron, Roustido, la sympathique bourgeoise au parapluie rouge, Bartomiou, l'incorrigible ivrogne coiffé d'un long bonnet de coton... Tous sont les héritiers de la pastorale, petite pièce jouée en Provence au moment de Noël.

Toutes les tailles et tous les styles

Modelées dans de l'argile crue d'Aubagne, moulées entre deux coquilles de plâtre, séchées, ébarbées puis peintes à la gouache après cuisson, les figurines sont proposées en plusieurs tailles : il y a d'abord les « puces », qui mesurent 1 à 3 cm (25 à 30 F), puis les « cigales » (environ 30 F), enfin les grands santons, de 7 cm (50 F environ) à plus de 20 cm (à partir de 100 F).

Certains santons sont dits « détachés » : leurs accessoires sont moulés à part avant d'être rapportés sur le personnage. Mais qu'il soit peint ou habillé, d'une seule pièce ou détaché, le santon a conservé le costume provençal qui était porté à l'époque de la Restauration.

L'art et la manière

La crèche, c'est ni plus ni moins une mise en scène du village provençal. Pour rendre

l'ambiance locale, avec le petit bourg au pied de la colline et le moulin perché tout là-haut, n'hésitez pas à jouer sur les perspectives : santons et accessoires de tailles différentes vous permettront de reconstituer les villages de vos promenades estivales. Bois et fleurs ramassés dans les collines et séchés vous permettront de recomposer le paysage. Seul le chaud soleil manquera au rendez-vous…

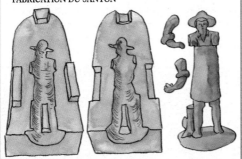

FABRICATION DU SANTON

La terre crue est moulée entre deux coquilles de plâtre. Le personnage ainsi façonné est ensuite mis à sécher avant d'être peint. Certains santons comportent des accessoires qui sont moulés à part puis rattachés au corps.

À table en Provence

Ail, huile d'olive et herbes aromatiques, voilà le point de départ de la cuisine provençale. Une cuisine simple et rustique le plus souvent, utilisant des légumes et des produits de la mer. On en connaît les grands classiques : l'incontournable bouillabaisse, qui doit en partie sa renommée au fait qu'elle est difficile à réaliser ailleurs que sur les rivages provençaux, la daube provençale, la salade niçoise, la tapenade, l'anchoïade… sans oublier desserts et gourmandises. À découvrir ou à redécouvrir pourtant, quelques mets moins classiques…

L'art de la soupe

Grand classique des soupes provençales, très apprécié par le peintre Cézanne, l'*aïgo boulido* vante les vertus de l'ail et des herbes. Des gousses d'ail écrasées dans un litre de bouillon léger, thym, laurier, gros sel, le tout amené lentement à ébullition. Jetez des feuilles de sauge (une branche entière) puis couper le feu. Faites pocher un œuf par personne dans la soupe, faites griller de belles tranches de pain que vous disposerez dans les assiettes. Servez. Huile d'olive, poivre au moulin, comté râpé et le tour est joué.

En toute simplicité

Pour changer de l'authentique *pan bagnat* (pain campagnard allègrement garni de thon,

d'anchois, de tomate et de poivron frais ou, pour les bourses dégarnies, simplement arrosé de vinaigrette à l'intérieur), embarquez un *crespeou* pour vos randonnées estivales. Sous ce joli nom se cache une belle omelette froide aux herbes, aux légumes ou aux petits poissons. On ne mélange pas les variétés, mais on peut superposer les crêpes. C'est aussi beau à voir, tranché dans la hauteur, que bon à déguster à pleines dents.

Olives et câpres à toutes les sauces

À côté de l'illustre aïoli, le *raïto* fait figure de grande oubliée. Cette sauce est pourtant délicieuse. Et pas difficile à réaliser. Un gros oignon rose haché menu, mis à blondir dans une poêle. Quand la couleur est belle, on ajoute une cuillerée de farine, puis l'on mouille avec 30 cl de bouillon chaud. Ensuite on ajoute le vin rouge aux premiers frémissements, 50 cl d'un bon côtes-de-provence par exemple. Dès la reprise de l'ébullition, jetez 2 gousses d'ail écrasées, une cuillerée à soupe de coulis de tomate et un bouquet garni. Quand le tout est réduit de 2 tiers, passez au moulin à légumes puis ajoutez câpres et olives amères. À servir avec des poissons pochés ou des pommes de terre vapeur.

Le légume dans tous ses états

Autant le dire et le redire, la simplicité de la cuisine provençale s'accommode très bien des multiples variantes imaginées autour du légume. On les mangera cru (fenouils, céleris, tomates, petits artichauts, fèves en poivrade, poivrons) ou bouillis et servis avec un aïoli

ou une anchoïade (choux-fleurs, haricots verts, carottes, pommes de terre). Farcis (oignons, tomates, aubergines, courgettes…), grillés ou plongés en friture et accommodés avec un coulis (courgettes, aubergines, fleurs de courgette…), la cuisine méridionale adore les légumes.

Poissons rois

Sur les rivages de la Méditerranée, on les déguste sous toutes les formes. Simplement grillés ou travaillés en recettes plus ou moins élaborées, ils font délice sur toutes les tables. À tout seigneur tout honneur, le plus grand est sans doute le rouget, que Brillat-Savarin surnommait « la bécasse de mer ». Car les amateurs le dégustent, comme l'auguste oiseau, non « plumé » et non vidé. Les entrailles servent ensuite à tartiner des grandes tranches de pain grillé.

DE L'HUILE D'OLIVE À LA GRAISSE DE PORC

Dans la région des Préalpes, l'huile d'olive cède la place à la graisse de porc, au lard, voire au beurre et à la crème. La cuisine change aussi de visage. Soupes épaisses au lard, plats de légumes secs, gibier à poil (lapins, lièvres et sangliers), on accède ici à une gastronomie moins bercée par les rivages et le soleil. Parmi les grandes spécialités, citons la tourte de veau, les ravioles à base de pommes de terre ou de verdure hachée et de fromage, sans oublier les nombreuses préparations du très réputé agneau des Alpes.

La culture provençale

De cette culture, on connaît le pastis, la pétanque, la gastronomie ou encore la sieste, véritable institution. Mais on sait moins ce qui fait son identité, c'est-à-dire la langue. Nissart, monégasque, mentonnais, gavot ou rhodanien, vous les entendrez ici et là. Tous témoignent de la vivacité et de la diversité des langages. Région composite, traditions de fêtes ou de costumes sont également nombreuses et bien vivantes.

Parlen provenço

La langue historique est la « langue d'oc ». Composée de dialectes, elle diffère selon les régions et se rapproche plus du catalan, de l'espagnol ou de l'italien que du français. Langue romane (issue du bas latin), le provençal est d'abord une langue orale au vocabulaire très riche permettant une infinité de nuances. Il compte près de 115 000 mots alors que notre français fait figure de parent pauvre, avec 35 000 mots.

Les âges d'or

Les troubadours lui ont donné ses lettres de noblesse avec leurs poèmes inspirés par l'amour courtois. Délaissé peu à

peu au profit d'un français mâtiné de patois, le provençal est remis au goût du jour en 1854 par les Félibres, groupe d'écrivains du cru qui se rassemblent sous la houlette de Frédéric Mistral. Le Félibrige existe toujours et continue de défendre la langue (et l'identité de la Provence) au travers d'associations présentes dans toute la région.

Le renouveau

Depuis quelques années, le provençal retrouve des adeptes. Certaines régions revendiquent

Joutes nautiques.

son utilisation dans la vie quotidienne et il n'est pas rare d'entendre les anciens le parler. Il est encore enseigné (à l'école et à l'université) et inscrit à l'épreuve facultative du bac. Quoi qu'il en soit, cette langue est loin d'être morte : elle transparaît dans les expressions et les mots qui constituent le jargon courant des Provençaux.

Petit vocabulaire provençal

(À prononcer avec une pointe d'accent, peuchère !)
Si l'on vous regarde avec insistance, dites : « Qu'est-ce qu'il a à me regarder celui-là avec ses yeux de *bogue* ? » Si vous mangez en vous tachant, on pourra vous signaler que vous vous êtes fait une *bougnette*. Pour une grosse bêtise, employez le mot *cagade*. *Fada* désigne quelqu'un d'un peu simple. *Gari* est un terme affectueux destiné aux *pitchouns* (enfants). *Toti* équivaut en français à imbécile.

Provence en fêtes

En Provence, chaque ville ou chaque village accueille une manifestation artistique, un marché artisanal, une fête traditionnelle ou patronale. Du *pastrage* de la Noël aux feus de la Saint-Jean, les occasions ne manquent pas. Fêtes de la transhumance (Saint-Rémy-de-Provence), *ferrades* (Camargue), *ferias* (Nîmes et Arles), Carreto Ramado

(Maussanes-les-Alpilles), *pastorales*, joutes nautiques, *oursinades* (Carry-le-Rouet), fête de la dive bouteille (Boulbon) ou fête de l'arbre de mai (Cucuron), ici on a le sens et le goût des plaisirs partagés dans le respect des traditions.

Les costumes

Pas de festivités sans costume traditionnel. Celui des Arlésiennes est l'un des plus élaborés, l'un des plus remarquables aussi. Composé d'un corsage à manches longues et d'une jupe, il est complété d'éléments multiples : guimpe de dentelle et fichu de mousseline ou de tulle brodé, coiffes variées. Bijoux traditionnels (boucles d'oreilles et collier avec croix) et éventail complètent la tenue.

Une visite au Museon Arlaten d'Arles donnera aux plus curieux l'occasion de mieux connaître toutes les nuances de cet art du costume (voir p. 94).

(voir p. 94).

TU ME FENDS LE CŒUR

Immortalisée par Pagnol en une scène inénarrable, la manille fait bien partie de la culture provençale. Mais pas seulement elle. Saviez-vous ainsi que c'est en Provence que les cartes à jouer sont pour la première fois mentionnées en France ? Marseille a ainsi donné son nom à un jeu de tarot, version française du tarot de Venise vite adoptée par les voyants et les devins. La maison Camoin, fabricant incontesté de jeux de cartes, a fermé ses portes en 1974 mais le musée du Vieux-Marseille a recueilli sa donation : on peut y voir ses splendides créations et s'initier aux différentes techniques de fabrication.

Les festivals fêtent la Provence

Provence, terre de festivals ! Jean Vilar leur ouvrit la voie lorsqu'il mit pour la première fois le théâtre au cœur du décor historique d'Avignon, en 1947. Aujourd'hui, plus de 300 villes proposent chaque été 520 festivals, qui programment plus de 4 000 spectacles ! La musique y occupe une place de choix : plus d'un événement musical estival sur deux a lieu en Provence-Alpes-Côte d'Azur. Et, bien sûr, il y a le Festival international du film de Cannes…

36ᵉ Festival de Jazz d'Antibes Juan-les-Pins

Musique classique

Les Rencontres de musique médiévale font résonner en juillet la splendide abbaye romane du Thoronet (83), à l'acoustique exceptionnelle… En août, les plus beaux sites historiques des environs de La Roque-d'Anthéron (13) accueillent le **Festival international de piano** (☎ 04 42 50 51 15). Plus champêtre : les bords de l'étang des Aulnes (13) accueillent tous les ans 6 nuits musicales, en juillet.

Jazz

Mi-juillet, le festival de Salon-de-Provence (office du tourisme, ☎ 04 90 56 27 60) explore en 4 jours les sources noires du jazz… À Juan-les-

Jessye Norman honore souvent de sa présence les festivals du sud de la France.

Pins (office du tourisme, ☎ 04 92 90 53 00), **Jazz à Juan** (2e quinzaine de juil.) s'intéresse aussi à ses descendants : le blues, le gospel, la soul, le latin jazz (de Sydney Bechet à Michel Legrand…). Sur les hauteurs de Nice, **Jazz à Cimiez**

(☎ 04 93 81 79 76, en saison) propose dans les derniers jours de juillet des nuits entières où les groupes novateurs se succèdent sans interruption. Et Barcelonnette, dans les hautes montagnes, célèbre de son côté les «enfants» des grands noms du jazz (office du tourisme, ☎ 04 92 81 04 71)…

Théâtre

En juillet, le **festival d'Avignon** (☎ 04 90 14 14 14), doyen des festivals, se dédouble : la cour d'honneur du palais des Papes accueille les grands événements du festival «in», et la cité pontificale prête son décor au festival «off», plus spontané. Du côté de Marseille, le **Festival des îles** utilise au même moment le

décor des îles du large (château d'If, archipel de Frioul) pour célébrer le théâtre contemporain.

Art lyrique

Honneur au vétéran : le prestigieux **Festival international d'art lyrique d'Aix-en-Provence** (☎ 04 42 17 34 34)

investit depuis 1948 la cour du théâtre de l'Archevêché, en juillet. Également prestigieuses, les **Chorégies d'Orange** (☎ 04 90 34 24 24) accueillent les chœurs et solistes internationaux dans le superbe théâtre antique, alors que Vaison-la-Romaine rassemble les meilleurs ensembles vocaux amateurs (office du tourisme, ☎ 04 90 36 02 11).

Danse

Depuis 1977, en juillet, le Festival de danse contemporaine d'Aix-en-Provence invite les plus grands danseurs, ballets et

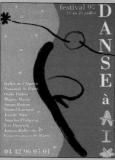

chorégraphes internationaux. Aux environs de Toulon, Châteauvallon (office du tourisme, ☎ 04 94 18 53 00) présente de son côté les créations de troupes prometteuses venues du monde entier.

Chanson

Les grandes voix de la chanson mondiale dévoilent (en avant-première) leurs nouveaux albums aux **Festives de Font-Robert**, à Château-Arnoux (rens. et prog., ☎ 04 92 64 27 34). Autre attrait : elles accueillent les retours sur scène (attendus) d'artistes de renom… pendant la deuxième quinzaine de juillet.

Orgue

À instruments exceptionnels, festivals de qualité. À Saint-Rémy-de-Provence (office du tourisme ☎ 04 90 92 05 22), l'orgue de la collégiale Saint-Martin accueille chaque été les plus grands organistes du monde entier, à qui se joignent occasionnellement une trompette, un ensemble vocal, ou un orchestre… (**Organa**). Autre grand rendez-vous, l'Été de l'orgue historique de la basilique Sainte-Madeleine de Saint-Maximin, qui « sonne » régulièrement en juillet et en août (office du tourisme, ☎ 04 94 59 84 59).

Folklore

2 festivals hauts en couleur dans les Bouches-du-Rhône : le Festival de Marseille (à Château-Gombert), en juillet (office du tourisme, ☎ 04 91 13 89 00), et le Festival de folklore mondial de Martigues, fin juillet-début août, au cours duquel les groupes costumés descendent dans la rue (office du tourisme, ☎ 04 42 42 31 10).

LE FESTIVAL DE CANNES

C'est le plus connu de tous. À la fin du mois de mai, La Croisette réunit les plus grandes stars internationales du septième art, entourées des meilleurs metteurs en scène et réalisateurs. Succès oblige, plus de 50 ans après sa naissance en 1947, il n'accueille plus les spectateurs amateurs, qui avaient au début accès aux salles de projection. La célèbre montée des marches reste le seul spectacle public… que vous pourrez beaucoup mieux suivre à la télévision !

Escalade :
de la chenille à
la chrysalide

« Iznogoud », « les Aléas du direct », « l'Enfer des nains », « Pas d'lézard », « Ilufalukejelçu », ces noms de voies annoncent la couleur : la varappe de papa a bel et bien vécu et un vent de jeunesse a secoué cette discipline sportive. En 10 ans, le niveau de franchissement a progressé comme jamais et les exploits de ses champions, mi-hommes, mi-araignées, attirent chaque année de nouveaux adeptes. Considérée à tort comme un sport à haut risque, la « grimpe » est une école de la vie, à consommer sans modération !

Bouches-du-Rhône
À Aix-en-Provence, montagne Sainte-Victoire, secteur de Saint-Ser et des Deux-Aiguilles. À **Cassis**, les calanques : cadre exceptionnel, courses d'arêtes, traversées surplombant la mer, orientations diverses permettant de jouer avec les conditions climatiques. À **Aubagne**, massif du Garlaban. À **Cavaillon**, colline Saint-Jacques. À **Fontvieille**, massif des Alpilles (falaise de la Leque).

Alpes-de-Haute-Provence
À **Moustiers-Sainte-Marie**, les gorges du Verdon : falaises de plus de 300 m, cheminées interminables, dalles à gouttes, près de 1 000 voies !
À **Sisteron**, sur la montagne de la Baume. À **Forcalquier**, la voie dite le « laboratoire du geste », très technique mais ne dépassant pas 20 m.

Alpes-Maritimes
À **Vence/Nice**, baou de Saint-Janneret : parois de 25 à 200 m, tous niveaux, excellent calcaire, torride car orienté sud. À **La Turbie/Monaco**, voie de La Loubière : voies de 25 à 70 m, exposition sud rafraîchie par la brise marine. Et pour les randonneurs du **parc du Mercantour** ou des stations de ski, citons : Sospel (Baus de la Nieya), Tende (La Brigue) et Saint-Sauveur (vallée de la Vésubie), des sites praticables en saison seulement.

Var

À **Saint-Raphaël/Cannes**, massif de l'Estérel : superbe granit rose, voies de 50 à 150 m.
À **Toulon** et environs (Le Revest, La Valette, Ollioules…), on grimpe en toute saison et par tous les temps.

Vaucluse

À **Apt/Luberon**, falaise de Buoux : voies de 90 à 130 m, calcaire tendre, végétation abondante, site réputé.
À **Gigondas**, dentelles de Montmirail : 3 chaînes est/ouest totalisant plus de 250 voies.

Quand santé rime avec sécurité

Les principaux risques de l'escalade moderne sont surtout liés à l'inexpérience ou à l'inattention. Tout grimpeur doit garder en mémoire les règles d'or suivantes : réviser les manœuvres usuelles (encordement, mousquetonnage, rappel…) ; tester très attentivement son matériel ; vérifier absolument que la voie correspond à son propre niveau ; s'assurer que l'équipement en place est compatible avec son propre matériel et sa pratique ; discerner l'absence de risque (météorologie bonne, qualité du rocher, présence d'autres grimpeurs…) ; anticiper les problèmes (fatigue, soif, crampe…) et envisager les échappatoires possibles, avertir de ses intentions, demander de l'aide quand il est encore temps.

Via ferrata

La *via ferrata* est une voie d'escalade entièrement équipée (ligne de vie, échelons, échelles métalliques, pont de singe…) pour être praticable par monsieur Toulemonde avec le strict minimum de notions techniques. Un baudrier, 2 longes dynamiques, 3 mousquetons, une bonne dose de courage et vous voilà plongé dans un monde d'une effrayante beauté… en toute sécurité. Vous voulez fréquenter ces pentes vertigineuses, avoir le grand frisson, épater vos amis de quelques clichés ? Venez découvrir, seul ou en famille, une activité que nos voisins italiens ont plébiscitée depuis longtemps dans les Dolomites. Via ferrata de Saint-Ours, vallée de l'Ubayette, niveau facile, durée 5 h. Dénivelé 200 m. Renseignements à l'office du tourisme de Barcelonnette, ☎ 04 92 81 04 71.

OÙ S'ADRESSER POUR TOUT SAVOIR SUR LA VARAPPE

Renseignements à Paris, à la Fédération française de montagne et d'escalade (F.F.M.E., ☎ 01 40 18 75 50) ou au Club alpin français (C.A.F., ☎ 01 42 03 55 60). Sur place, contactez les comités départementaux du tourismes (C.D.T.), qui tiennent à votre dispositions listes et coordonnées détaillées d'organismes sportifs, de guides, d'associations… À Marseille, C.D.T. Bouches-du-Rhône (☎ 04 91 13 84 13), et Comité départemental Mont-Alp-Escalade (☎ 04 42 66 35 05) ; à Digne, Maison des Alpes-de-Haute-Provence (☎ 04 92 31 57 29) ; à Nice, C.R.T. Riviera-Côte d'Azur (☎ 04 93 37 78 78) ; à Toulon, C.D.T. Var (☎ 04 94 50 55 50) ; à Avignon, C.D.T. Vaucluse (☎ 04 90 80 47 00) et antenne du C.A.F. (☎ 04 90 25 40 48).

Les parcs de loisirs

Terre du soleil et de l'eau, la région Provence-Alpes-Côte d'Azur célèbre les atouts de son décor dans de gigantesques parcs d'attractions. Tout au long de la côte, les espaces géants de détente familiale revêtent les attraits du Far West, du monde sous-marin, ou proposent l'excitation des jeux aquatiques et forains sur des hectares entièrement consacrés au divertissement. Le contraire de l'enfer du jeu…

El Dorado City
Châteauneuf-les-Martigues, 8 km S. de Marignane

☎ 04 42 79 86 90.
Ouv. t. l. j., 10 h-19 h ; hors saison, mer. et sam., 11 h-18 h, dim. 10 h-19 h, t. l. j. 11 h-18 h pendant les vac. scol.

En pleine garrigue, une authentique ville du vieil Ouest américain s'anime au son des attaques de banque plus vraies que nature et des passages du train… Plus de 40 acteurs, cascadeurs et figurants chantent, dansent et se battent devant le saloon, où l'on boit de la téquila au son du french-cancan… La mine d'or est ouverte aux chercheurs, et le concours de rodéo quotidien reçoit parfois la visite des Indiens… Tarif : 55 F (45 F jusqu'à 12 ans), avec spectacle.

OK Corral
Cuges-les-Pins, RN 8, 15 km E. d'Aubagne

☎ 04 42 73 80 05.
Ouv. t. l. j. juil.-août, 10 h-18 h ; hors saison, mer. et w.-e. F. mi-nov. à mi-mars.

D'énormes manèges et attractions dans une ambiance western. Faites un tour dans les « convois du Far West », dévalez les « montagnes du Grand Canyon » (aux courbes plutôt russes…), frissonnez sur les « rapides du Colorado », et essayez donc de tenir sur le dos du « taureau mécanique » ou dans le *lasso loop* »…! Autour de vous, ne vous inquiétez pas, les règlements de comptes ne vous concernent pas… Tarif : 75 F (65 F pour les enfants). Gratuit pour les enfants de moins d'1 m…

Aqualand
Saint-Cyr-sur-Mer, Z. A. C. des Pradeaux, 25 km O. de Toulon

☎ 04 94 32 09 09.
Ouv. t. l. j. juin-sept., 10 h-18 h (jusqu'à 19 h ou 20 h en juil.-août).

Ne manquez pas le « cobra », gigantesque toboggan à tournants de plus de 100 m de long, qui prend le départ à plus de 15 m de haut ! Si vous n'avez jamais vu les gorges du Verdon, essayez le *rapid rafting* ou la très remuante « rivière rapide » (cœurs sensibles s'abstenir). Pour les cœurs bien accrochés, un vrai festival de plaisirs ! Gratuit pour les enfants de moins d'1 m et les grands-parents de plus de 60 ans avec un enfant payant.

LES COURSES

Vous en avez sûrement entendu parler à la radio : parmi les champs de courses incontournables de France, il y a Longchamps, Deauville, Chantilly et… Cagnes-sur-Mer. Turfiste ou non, venez passer une soirée en famille à l'hippodrome de la Côte d'Azur, au sud de Cagnes (N 7) : les nocturnes sont une tradition d'été qui allie beauté du spectacle et excitation du pari… Ouvert en juillet et août dès 20 h 30 les lundis, mardis et vendredis. Accès gratuit pour les enfants de moins de 16 ans. Renseignements au ☎ 04 93 22 51 00.

Aquatica
Fréjus, RN 98

☎ 04 94 51 82 51.
Ouv. t. l. j. juin-sept., 10 h-18 h (jusqu'à 19 h en juil.-août).

8 ha d'« én-eau-rmes » plaisirs (aquatiques). Lancez-vous sur l'interminable « pentaglisse » ou sur le « kamikaze », toboggan de l'extrême, et éclatez-vous dans la piscine à vagues la plus grande d'Europe. La « lagune de l'aventure », entourée de jeux d'eau, vous emmène dans un univers tropical digne des îles les plus lointaines… On s'y croirait. Tarifs : 98 F ; 76 F

pour les enfants ; gratuit pour les enfants de moins de 1 m et les grands-parents de plus de 65 ans accompagnés de 2 enfants géants (de plus de 1 m !). En bref, payant.

Marineland
Antibes, RN 7

☎ 04 93 33 49 49.
Ouv. t. l. j. en été dès 10 h ; hors saison, ouv. w.-e. et vac. scol. dès 10 h. En juil. et août, nocturnes jusqu'à 21 h 45.

Le plus grand de tous les parcs de loisirs du sud de la France. Monde immense : 5 pôles de visite vous inondent de spectacles de dauphins, d'orques et

d'otaries, de jeux aquatiques avec toboggans géants, de tunnels qui plongent sous un immense aquarium rempli de

requins et de poissons exotiques… Sans oublier l'étonnante « jungle des papillons », la vivante petite ferme provençale, et les parcours du minigolf exotique…Vous finirez sur les genoux.

La Provence en fleurs

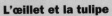

Terre d'horticulture, la région Provence-Alpes-Côte d'Azur est couverte de fleurs. Le

Fleurs de jasmin.

Var à lui seul cultive un tiers de toutes les fleurs produites en France ! Essences classiques (lavande, mimosa, tulipe, rose, violette, oranger…) ou variétés nouvelles (arum, lisanthus…), les horticulteurs qui travaillent sur place depuis plus de deux siècles axent aujourd'hui leurs recherches sur la « tenue en vase »… C'est dire s'ils maîtrisent l'essentiel !

La lavande

Sans nul doute la reine des fleurs de Provence. En plein cœur de l'été, quand elle est la plus odorante, on assiste dans le haut Vaucluse (Valréas et Sault) et dans les Alpes-de-Haute-Provence (plateau de Valensole) aux défilés traditionnels des corsos fleuris, qui célèbrent sa récolte. L'emblème régional sert notamment à la fabrication de parfums, savons, désodorisants, lessives et médicaments. Son hybride, le lavandin, est très prisé des abeilles qui en tirent le miel de lavande.

Le mimosa

Cet arbuste originaire d'Australie, planté pour la première fois en Provence en 1880, illumine aujourd'hui tout le littoral varois. En février, lorsque éclosent ses innombrables petites boules jaunes, on le fête à Bormes-les-Mimosas, sa patrie, et à Saint-Raphaël, à Fréjus, à Ollioule et au Lavandou, où les corsos fleuris défilent dans les rues. Jusqu'en mars, il se marie particulièrement bien avec les rougeurs du massif de l'Estérel.

L'œillet et la tulipe

83 % de la production française d'œillets provient de la Côte d'Azur. Essentiellement cultivés sur les terrasses qui environnent la ville de Nice, on les trouve également du côté de Cagnes-sur-Mer et de Saint-Laurent-du-Var. À Carqueiranne, grand centre de fleurs coupées, les tulipes fleurissent d'octobre à mars, et une variété locale géante a fait le tour du monde

Champs de lavande en Haute-Provence.

DE L'OR SUR UN TAS DE FUMIER

En 1880, alors qu'un jardinier cannois avait offert à un horticulteur local l'un des premiers pieds de mimosa rapportés d'Australie par son maître, celui-ci le jeta négligemment sur un tas de fumier...
Et découvrit le lendemain avec stupeur que les fleurs s'étaient magnifiquement épanouies ! Il en profita aussitôt pour mettre au point la technique du forçage. Cela consiste à placer des rameaux non fleuris dans un local chaud et humide (la forcerie) qui accélère leur floraison... et allonge la durée de leur commercialisation... Idée lumineuse, qui sert encore !

sous le nom de tulipe de Carqueiranne. Allez en acheter à prix malin chez ASO Fleurs, route

départementale 559, à côté du stade de Carqueiranne. Cette exploitation est ouverte toute l'année (sf. dim. et fêtes), de 8h à 17h 30.

La rose

Elle profite comme aucune autre de l'ensoleillement exceptionnel de la Côte d'Azur. Depuis la guerre, Antibes est devenue la capitale

de la rose grâce aux recherches locales de l'INRA (villa Thuret) et au travail des créateurs de variétés nouvelles. Ainsi, la *baccara* et la *sonia* (la rose la plus vendue au monde) proviennent des pépinières Meilland (☎ 04 93 95 96 23), qui produisent un tiers des roses de toute la planète ! 65 % des roses françaises sont produites en Provence, et, dans la région de Grasse, la rose de Mai est utilisée pour la parfumerie.

La violette

Tourrettes-sur-Loup, au nord de Cannes, est le pays des violettes. Premier producteur de France (avant Toulouse), ce village alimente réguliè-

rement les marchés de Paris, Nice et Antibes en bouquets de 25 fleurs (toujours). La violette est cultivée d'octobre à mars sur les terrasses alentour et est récoltée fleur par fleur, à la main. Ses pétales servent à la fabrication de confiseries et ses feuilles à celle des parfums de Grasse.

La fleur d'oranger

De plus en plus rare, elle orne les environs d'un petit village des Alpes-Maritimes : Le Bar-sur-Loup.

En mai, les fleurs d'orangers sont cueillies une à une, à la main, avant d'être distillées. Elles deviennent essence de néroli, pour la parfumerie, ou eau de fleur d'oranger, pour la pâtisserie. Plus tard, les oranges amères, encore vertes, sont coupées en novembre et vendues aux parfumeries pour la fabrication d'huiles essentielles.

Vincent, Paul et les autres, les peintres de la lumière

Vincent Van Gogh, *Soir à Arles*.

Grands et petits maîtres, natifs ou non de la région, ils sont nombreux à avoir tenté, depuis la fin du XIXe s., de fixer sur leurs toiles un peu de la lumière de la Provence. Van Gogh avait lancé la mode dès 1888 en proclamant : « Tout l'avenir de l'art nouveau est dans le Midi. » Muse cristalline, la Provence attire les peintres, nourrissant par sa lumière leur soif de couleurs et par ses paysages leur faim de motifs. Certains resteront fidèles à la tradition figurative tandis que d'autres deviendront les chantres visionnaires de l'impressionnisme, du fauvisme ou du cubisme.

Le parti de la couleur

Dès l'origine, les premiers séjours des peintres s'inscrivent sous le signe de la couleur. À travers les vues qu'ils laissent de la Provence, on voit vite que leur palette est la grande gagnante de ces rencontres avec la lumière. La couleur règne en maître dans l'art des années 1870-1880 et trouve son apogée avec des tableaux représentant des sites provençaux comme Marseille, L'Estaque, Martigues, Arles, Saint-Rémy, Aix, la Sainte-Victoire ou Saint-Tropez. Vous pouvez y faire un pèlerinage mais sachez que certains de ces lieux ont beaucoup perdu de leur charme sous l'effet conjugué des modes et de l'extension urbaine.

Raoul Dufy, *Les Martigues*.

Félix Ziem (1821-1911)

Ce peintre d'origine polonaise par son père se passionna dès 1839 pour Martigues, peignant le chenal de Caronte et les tartanes des pêcheurs. À sa suite, d'autres peintres comme Raoul Dufy, Francis Picabia, André Derain ou Nicolas de Staël furent aussi inspirés par Martigues.

Paul Cézanne (1839-1906)

Ayant quitté en 1874 la vallée

lumière et plus de couleur. Par leur force chromatique, les œuvres de cette période s'écartent résolument de l'impressionnisme. C'est à Arles et à Saint-Rémy que Van

Van Gogh, L'Arlésienne.

Gogh aura peint le plus (et certainement ses plus belles toiles) : 200 tableaux à Arles, plus de 150 à Saint-Rémy.

Paul Signac (1863-1935)

Signac, conquis par Saint-Tropez, s'y installe en 1892 et y vit une partie de l'année jusqu'en 1911. Ce précurseur d'une touche picturale divisée en une variété de points (et de tons) a trouvé dans la lumière de ce petit port une matière abondante pour ses recherches picturales. Au musée de l'Annonciade, certaines de ses œuvres voisinent à côté de toiles de Seurat, Braque, Dufy, Matisse ou Bonnard.

Henri Matisse (1869-1954)

En 1904, Matisse passe l'été dans la maison de Signac, à Saint-Tropez. Ce très bon élève de l'impressionnisme se convertit à la touche séparée de son aîné avant de s'en libérer progressivement pour exalter avec audace la couleur. Le fauvisme est né. Nice lui a consacré un musée (voir p. 228).

Georges Braque (1882-1963)

Converti au fauvisme pendant l'hiver 1905-1906, il séjourne à La Ciotat, puis à L'Estaque avec Raoul Dufy. La couleur règne en maître sur les peintures qu'il réalise alors. Puis ses paysages très tumultueux se réduisent progressivement à quelques formes géométriques et compactes. En compagnie de Picasso, Braque ira plus loin encore dans cette voie.

Paul Signac, Antibes (détail).

Paul Cézanne, Nature morte.

à son ami Pissarro. Il revient y vivre définitivement en 1890. Ses peintures du Château noir, de la carrière Bibémus ou de la montagne Sainte-Victoire l'associent pour l'éternité à Aix-en-Provence, sa ville natale.

Vincent Van Gogh (1853-1890)

Van Gogh part pour Arles en février 1888 y chercher plus de

Paul Cézanne, Vue de l'Estaque.

Les plantes aromatiques : la Provence se décarcasse !

Ici, la nature s'est montrée généreuse. Il suffit de s'aventurer dans la garrigue ou de flâner sur les marchés pour retrouver les odeurs et les saveurs caractéristiques du terroir méridional. Et c'est dans la cuisine que s'épanouissent les parfums subtils de ces plantes. De retour chez vous, les herbes que vous aurez récoltées pendant votre escapade provençale continueront de vous parler des vacances et parfumeront délicieusement vos recettes préférées.

L'ail

C'est un peu le roi de la cuisine provençale. L'ingrédient est merveilleux, encore faut-il savoir ne pas en abuser. Rien de plus terrible qu'un plat où l'ail a pris le dessus… Mais bien cuisiné, il peut être délicat. Cuit en chemise avec une pièce de viande ou à l'eau avec quelques courgettes, il se fait très doux. L'ail est aussi réputé pour ses vertus curatives : on dit qu'il diminue la tension, favorise la sieste, stimule l'estomac et régularise la circulation… Tressé ou en bouquet et placé dans un endroit aéré, il se gardera tout l'hiver.

Le thym

Cueilli avant la floraison, il entre dans la compositon du bouquet garni et s'utilise dans nombre

de préparations (bœuf en daube, sauté de lapin...) On le sert à toutes les sauces mais il convient parfaitement aux grillades et aux terrines. Outre ses puissantes propriétés antiseptiques, il peut aider à soulager les rhumatismes. On lui donne aussi le nom de farigoule provençale.

Le romarin

Les Romains appelaient ce petit buisson « rosée de mer », d'où provient son nom actuel. Très parfumé, il doit être manié avec délicatesse et modération. On l'aimera en mariage avec la viande de mouton. Et pour une partie de barbecue, n'hésitez pas à utiliser ses petites

branches en guise de brochettes : c'est facile et ça sent bon partout. En hiver, on l'emploie en inhalation aux premières approches des rhumes. Essayez, vous verrez que c'est très efficace.

Le basilic

Vendu tout l'été en pots ou en bouquets sur les marchés, son parfum réveille les salades, les tomates, les légumes cuits servis froids ou les pâtes. Cuit et accommodé en sauce, il répond au joli nom de pistou, ingrédient incontournable d'une des soupes les plus célèbres de la cuisine familiale. La sauce au pistou accompagne très bien les raviolis ou les gnocchis frais. Attention, sachez que le basilic perd tout son arôme quand on le fait

sécher ! En fait, cette herbe délicate est meilleure quand on la cueille au dernier moment. Légèrement diurétique, le basilic est aussi réputé pour ses vertus digestives.

Laurier, sarriette et tous les autres...

Le laurier règne en maître dans les cuisines, ingrédient incontournable des courts-bouillons, des marinades et des ratatouilles. Autre plante

typiquement provençale, la sarriette évoque le maquis. Son goût poivré relève délicieusement fèves, haricots et poissons, mais aussi les fromages de chèvre. Essayez par exemple l'association figue, chèvre frais, sarriette et pointe d'huile d'olive... Parmi les grands classiques, citons enfin l'origan (ou marjolaine), merveilleux dans les civets, le fenouil qui parfume délicatement les poissons, l'estragon frais, délicieux avec

le poulet ou dans une vinaigrette, et enfin la sauge, dont l'arôme légèrement citronné se marie très bien avec les viandes blanches. Quant aux vertus de cette dernière... le dicton ne dit-il pas : « Si les femmes savaient ce que la sauge fait aux hommes, elles iraient la chercher de Paris jusqu'à Rome... »

Les herbes de Provence

Attention, le nom désigne un assemblage très précis ! Sarriette, thym, laurier et romarin, le tout réduit en poudre (mais pas en poussière). Méfiez-vous des imitations, n'utilisez surtout pas de plastique pour les conserver : un sachet en papier ou un pot en verre feront infiniment mieux l'affaire. Enfin, divisez toujours en deux parts égales les quantités : la première sera introduite en début de cuisson, la seconde à la fin pour mieux exhaler leurs parfums.

SECRET DE CUISINIER

Un fait, plus qu'un secret, c'est une règle de base : il ne faut jamais abusez des aromates. Trop souvent une montagne de thym cache une grillade insipide. Chaque plante se mariant avec des mets très précis, n'hésitez pas à jeter un œil dans les livres pour ajouter la touche juste, précise (l'art de bien marier les parfums est un des plus difficiles en cuisine). Dans votre placard aux aromates, préférez ne garder que quelques ingrédients que vous renouvelez régulièrement et dont vous maîtrisez bien l'emploi.

Un vignoble qui prend de la bouteille

Le vignoble est l'autre visage du Midi. C'est l'un des plus vastes de France, l'un des plus anciens aussi. La vigne a trouvé son bonheur dans ce paysage vallonné, aux sols variés et au soleil généreux. Implantée en Provence depuis plus de 2 600 ans, elle s'est développée grâces aux Grecs qui ont enseigné la pratique de la taille aux habitants de la région. Les Romains, eux, en ont développé le négoce. De tradition séculaire, elle offre aujourd'hui une large palette de vins dont certains gagneraient à être mieux connus.

Les cépages

La Provence compte un certain nombre de cépages historiques et traditionnels qui servent à élaborer des rouges et des rosés : cinsault, mourvèdre, grenache, tibouren ou crignan.

La syrah est aussi installée en Provence, même si elle n'est pas aussi répandue que dans la vallée du Rhône. Excellent mais fragile, ce cépage entre dans la composition des meilleurs vins. Plus récemment, on a aussi introduit le cabernet-sauvignon. Pour les blancs, les principaux cépages sont la clairette, l'ugni blanc, le rolle et le sémillon.

Les appellations d'origine contrôlée

Dans les seules Bouches-du-Rhône, les A. O. C. coteaux-d'aix, coteaux-des-baux,

palette et cassis côtoient l'appellation côtes-de-provence (la plus importante en superficie). Le Var, dont la majeure partie est couverte par les côtes-de-provence (80 % du vignoble), compte aussi le fameux bandol et les coteaux-varois. Quant au Vaucluse, il se partage les appellations côtes-du-luberon (à l'intérieur du parc naturel régional), côtes-du-ventoux (à la limite septentrionale du parc) et côtes-du-rhône (dans sa partie nord), avec son très célèbre châteauneuf-du-pape. Dans les Alpes-Maritimes, la petite mais excellente A. O. C. vins-de-bellet est blottie au-dessus de la Baie des Anges.

Les coteaux-d'aix-en-provence

Cette vaste appellation est comprise essentiellement entre Aix et les Alpilles ainsi qu'autour de l'étang de Berre. Le vignoble regroupe 49 communes (3 000 ha) qui produisent à parts égales rouges et rosés. Rajeunis par de nouvelles plantations de caber-net-sauvignon, certains rouges sont assez intéressants.

Les coteaux-des-baux

La petite dernière des appellations, née en 1995, s'étend sur 325 ha, sur l'impressionnant site des Alpilles. Elle vous propose des rouges bien structurés qui méritent d'attendre 5 ou 6ans avant d'être dégustés et des rosés à boire dans la fleur de l'âge.

La Palette

À deux pas d'Aix-en-Provence, sur les communes du Tholonet et de Meyreuil, cette petite A. O. C. de 1948 s'étend sur 12 ha seulement. Le vignoble fut créé par des carmélites à l'époque médiévale. Aujourd'hui, il est exploité principalement par deux propriétés, le Château Simone et le Domaine de la Crémade, auxquelles viennent de se joindre le Château Méreuil et la Cave de Rousset. Le rouge est chaleureux et le rosé nerveux, quant au blanc, c'est sans doute le meilleur de Provence. Allez les déguster et les acheter aux caves de la Palette (☎ 04 42 66 90 23, RN 7, La Palette, Aix-en-Provence), un ancien mas où Cézanne est venu peindre.

Le vignoble de Cassis

La doyenne des appellations de Provence (elle date de 1936) s'étend sur 180 ha seulement, cultivée par 12 vignerons. Cassis est surtout réputé pour ses blancs secs, fruités et délicats, dont les parfums évoquent les herbes de Provence. Ce vin qui « danse dans le verre » est le fidèle compagnon de la bouillabaisse.

Les côtes-de-provence

Une A. O. C. récente (1977) qui couvre un territoire immense : l'appellation côtes-de-provence s'étend sur une

LA VIE EN ROSE

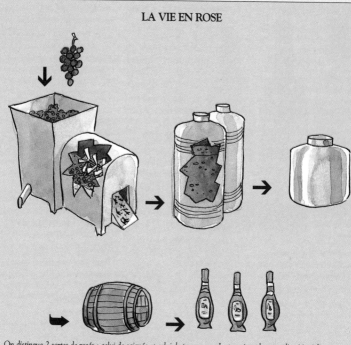

On distingue 2 sortes de rosés : celui de saignée et celui de pressurage. Le premier, plus compliqué à réaliser, est aussi plus fruité. Il s'obtient à partir de raisins rouges à chair blanche dont on tire, après foulage, un jus d'une couleur… rosée. Le jus des vendanges ne reste qu'une nuit en contact avec la peau des raisins, avant d'être mis à fermenter à part. Le reste de la cuve donnera du vin rouge. Quant au rosé de presse, il est élaboré avec le même raisin mais qui est pressé au maximum.

superficie de 16 000 ha qui va de la côte à la vallée de l'Argens en passant par le massif des Maures. Sols et climats

très variés produisent des vins plutôt hétéroclites, parfois sans grande personnalité. On en connaît surtout les rosés (80 % de la récolte), qui évoquent facilement les vacances et dont la neutralité permet d'accompagner tous les mets provençaux.

Bandol
Autour de la ville qui lui a donné son nom, entre la terre et la mer, cette très petite appellation produit des vins réputés. Le vignoble de 813 ha cultivé en terrasses bénéficie

d'un climat très doux et d'un sol riche en coquillages. Bandol est réputé pour ses rouges profonds et ses rosés à la couleur presque orangée très caractéristique. Ce sont des vins aux saveurs souvent

Vin des Côtes du Ventoux

relevées, qui peuvent se garder plusieurs années.

Les coteaux-varois

Ils s'étendent de Brignolles, au centre du département du Var, jusqu'aux contreforts de la Sainte-Baume. À peine plus de rosé (60 %) que de rouge pour cette appellation reconnue en 1993. Les 1 700 ha produisent un vin équilibré et frais au succès grandissant.

Les côtes-du-luberon

L'appellation s'étend sur 3 200 ha, répartis sur 36 communes. Un terroir homogène qui produit un vin de caractère, principalement élaboré en rouge (60 %). On l'aime pour son bouquet fin.

Les côtes-du-ventoux

Du sud à l'ouest du massif du Ventoux,

entre 100 et 400 m d'altitude, 51 communes se partagent ce vignoble qui produit une grande variété de vins fruités et légers (en majorité des rouges), à boire jeunes de préférence.

La vallée du Rhône

Les vins du haut Vaucluse sont regroupés sous l'appellation générique côtes-du-rhône. Aux portes de la Provence, ils se caractérisent par 3 grands crus de réputation internationale : le châteauneuf-du-pape et ses voisins gigondas et vacqueyras. Les côtes-du-rhône villages produits dans les aires de Rasteau, Cairanne, Séguret, Sablet, Beaumes de Venise, Roaix, Visan et Valréas occupent aussi une place de choix dans la carte des grands vins de la région.

Les vins de bellet

L'appellation vins-de-bellet compte parmi les plus anciennes

puisqu'elle date de 1941. Le vignoble couvre environ 45 ha (alors que l'aire d'appellation en compte 650) et jouit d'un bel ensoleillement. Cultivé sur la commune de Nice, il produit un vin très apprécié, à l'arôme fleuri, élaboré équitablement en blanc, rouge ou rosé.

> ### VINS DOUX NATURELS ET VINS CUITS
>
> **Dans les côtes-du-rhône méridionales, on connaît le réputé rasteau, un vin élaboré à partir de grenache ; plus souvent vinifié (et connu) en blanc doux, le rasteau est pourtant meilleur en rouge. Autre grande vedette de cette région, le beaume-de-venise. Issu d'un raisin à petit grains, c'est un muscat superbe, savoureux et aromatique, que l'on peut servir à l'apéritif ou avec du melon ou du foie gras. Enfin, l'appellation palette produit aussi le traditionnel vin cuit provençal, hélas assez difficile à trouver hors de sa région de production.**

Les gorges et les cascades

Question d'instinct : au cours des millénaires, les torrents fougueux des Alpes ont creusé la roche tendre de Provence pour rejoindre au plus vite la Méditerranée, terme naturel de la vie d'un cours d'eau... Leur acharnement a ouvert des sillons prodigieux, qui constituent aujourd'hui d'extraordinaires sites de promenades et de loisirs (assez) sportifs...

Sur près de 170 km, le lit du Verdon est encombré d'éboulis et d'amas de roches qui rendent la navigation dangereuse.

Les gorges du Verdon
70 km S. de Digne

Uniques par leur ampleur. Sur plus de 20 km, elles accompagnent un torrent de couleur verte (d'où son nom) qui s'écoule au pied de parois dont la hauteur varie entre 250 et 700 m ! Le plus américain des grands canyons d'Europe est encadré par 2 lacs immenses (Castillon et Sainte-Croix), qui offrent leur surface à tous les loisirs nautiques. Suivez le circuit complet, par les 2 rives, qui permet de découvrir la physionomie époustouflante de ces gorges, et arrêtez-vous dans les jolis villages de Rougon, La Palud, Moustiers-Sainte-Marie et Aiguines.

Les gorges du Loup
12 km N.-E. de Grasse

Les plus courtes et les plus proches de la côte. Sur moins de 10 km, le Loup a fendu l'énorme falaise calcaire qui se trouvait devant lui... Dans sa course vers la Méditerranée, il a pris en supplément quelques raccourcis spectaculaires : la cascade de Courmes le projette, à mi-course, 40 m plus bas... ! Une route sinueuse surplombe ces gorges incroyables, à mi-chemin des pistes de ski de la station de Gréolières-les-Neiges (1 400 m) et de la plage de Cagnes-sur-Mer.

Les gorges de la Vésubie
24 km N. de Nice

À 35 km de la mer, la Vésubie a entaillé le rocher calcaire qui s'interposait entre elle et le Var, autoroute idéale pour

rejoindre la Méditerranée… Empruntez la route en lacet qui serpente au-dessus de ces gorges profondes et admirez leurs couleurs qui varient du blanc éclatant au gris strié de tonalités végétales…

Le fameux sumac s'y accroche encore, dont la sève servait du temps des Romains à teindre les étoffes (en brun vert).

Les gorges Rouges
70 km N.-O. de Nice par N 202

Sur la carte, elles ont pour nom gorges de Daluis. Dans sa haute vallée, le Var a entaillé le schiste rouge de la falaise et ouvert un chemin flamboyant, rehaussé du vert des arbres et du bleu azur du ciel… Sur 5 km, la route sinueuse, accrochée en corniche ou en balcon à la paroi, survole ce splendide couloir en couleurs. Remarquez, à l'entrée, un château féodal et, à la sortie, la grotte du Chat, la plus grande grotte des Alpes-Maritimes. Voisines, les gorges supérieures du Cians sont, vers l'est, plus étroites encore et d'un rouge plus vif…

Les gorges de la Nesque
20 km E. de Carpentras

Au pied du mont Ventoux, elles constituent l'une des « plus belles percées hydrogéologiques du Midi ». La Nesque a creusé et suivi les courbes tourmentées de la roche calcaire qui borde le plateau du Vaucluse, et s'est enfoncée à plus de 400 m à l'intérieur…! Ce canyon profond a sans doute été l'un des plus

LA CASCADE DE LA NARTUBY

À la sortie sud de Draguignan (à 4 km), la Nartuby commence par se dégourdir les jambes en effectuant devant vous une série de jolies cascades et cascatelles (à Trans-en-Provence). Puis elle fait soudain le grand plongeon (35 m !), 6 km plus loin, au Saut-de-Capelan, près de La Motte. La petite histoire rapporte que ce site très spectaculaire a pris le nom d'un prêtre de la région qui, au moment de la Révolution, se retrouva sain et sauf après avoir été précipité du haut de la même falaise par les sans-culottes…

habités : rempli de grottes, on y a découvert des traces d'occupation humaine, du paléolithique au haut Moyen Âge… Suivez la route en corniche, parsemée de tunnels, qui épouse les méandres de ce site aride et impressionnant.

Au rocher du Cire, près de Monieux, les eaux de la Nesque s'enfoncent dans un gouffre pour ressurgir à la fontaine de Vaucluse.

Pêche et plongée : le Grand Bleu

Sur ses 763 km de rivages, la Provence-Alpes-Côte d'Azur a conservé les techniques d'une pêche artisanale que l'on pratique sur le « pointu », petit bateau traditionnel. Occasion de concours, la pêche sportive au « tout gros » attire de plus en plus d'amateurs qui visent les prises supérieures à 100 kg… Sous l'eau, les plongeurs admirent toute l'année la flore, la faune et les nombreuses épaves qui reposent au fond de la Grande Bleue…

La pêche au tout gros

De juin à octobre, les pêcheurs sportifs partent en haute mer traquer le thon géant, l'espadon ou le requin. Lorsque le site est trouvé, le pêcheur se sangle sur son siège de combat et, à l'arrêt, appâte le poisson avec des sardines… Le thon qui mord soudainement – et se débat non moins vivement – déclenche un affrontement qui dure parfois plusieurs heures, avant la reddition et l'embarquement du trophée (de 100 à 400 kg !) sur le bateau.

La senne tournante

On l'utilise pour attraper les petits thons ou les liches dont les bancs se déplacent au large

du littoral. Un immense filet (jusqu'à 2 km de long et 200 m de large) est accroché d'un côté à une embarcation fixe, de l'autre à un petit  chalutier qui décrit un grand cercle… et emprisonne tous les poissons qui s'y trouvent. La boucle étant bouclée, on resserre le fond, puis le haut du filet, qui devient une prison hermétique. Hissé à bord, on crochète alors les thons qui s'y trouvent…

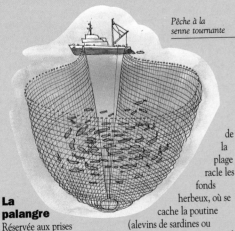

Pêche à la senne tournante

La palangre

Réservée aux prises moyennes (congres, pageots, daurades, sars, loups…), cette technique de pêche consiste à égrener sur une longueur de plusieurs kilomètres une série d'hameçons appâtés, accrochés à une ligne mère (tous les 5 m). Posée sur la surface ou sur le fond, elle est installée de nuit à partir du pointu. On distingue à l'œil nu une palangre en repérant la ligne de bouées surmontées de drapeaux qui la supportent.

La pêche au lamparo

De février à avril, les plages de la Méditerranée sont le théâtre de la capture des alevins. Un filet (senne) tiré à la main de la plage racle les fonds herbeux, où se cache la poutine (alevins de sardines ou d'anchois)… Là où cette technique est interdite, on pratique la pêche au lamparo, de nuit, à l'aide d'une source lumineuse clignotante placée à l'avant du bateau, qui attire les poissons vers la surface. Le produit de ces pêches est consommé dans des plats typiques comme la soupe de nonnats, réputée à Nice.

Les épaves sous-marines

Vestiges romains, amphores, vaisseaux, cargos… se sont accumulés au fond de la Méditerranée et constituent des sites de visite passionnants pour les plongeurs. Ainsi, au large de Marseille, un cargo marocain (*Le Chaouen*) repose entre 3 et 28 m de fond et est très facile d'accès pour les débutants. À proximité, devant l'île Maïre, un paquebot qui sombra en 1903 (*Le Liban*) est visible entre 30 et 36 m de fond. Demandez la liste des nombreux clubs de plongée à la Fédération nationale d'études et de sports sous-marins au ☎ 04 91 33 99 31.

Les fonds marins

Les sites de plongée en Méditerranée offrent un spectacle splendide : coraux, dès 10 m, plantes et poissons multicolores… Laissez-vous entraîner vers le fond : après un stage d'initiation, les abords de l'île Verte (La Ciotat) constituent un très bon point de départ pour les débutants, et le site des Impériaux, dans la baie de Marseille, est incontournable pour les plus confirmés (superbes gorgones rouges). Au sommet : les parcs marins de la Côte Bleue, à l'ouest de Marseille, les calanques de Cassis, les îles d'Or et la corniche de l'Estérel.

LA MADRAGUE

Brigitte Bardot le sait-elle ? La « madrague » désignait autrefois la partie de la mer où se pratiquait un type de pêche très répandu, qui ne laissait aucune chance aux thons. De grands filets tendus, en cercle, formaient des antichambres successives, qui conduisaient irrémédiablement les poissons vers la mort… Le spectacle attirait même à l'époque les touristes de la bonne société, qui contemplaient tranquillement les pêcheurs depuis la plage.

La pêche au lamparo

Fruits confits et sucreries : la Provence en douceurs

Les fruits, le miel et les amandes qui naissent à profusion sous le ciel de Provence en ont fait le pays des douceurs. Une réputation gourmande qui n'est pas usurpée. Chaque région a sa friandise préférée, souvent servie en guise de dessert. Pour le plus grand bonheur des gourmands qui ne considèrent pas que leur péché est un vilain défaut ! Fruits confits d'Apt ou de Saint-Rémy, calissons d'Aix, berlingots de Carpentras…, entrez dans la danse et fondez de plaisir.

Les fruits confits du pays d'Apt
Jean Ceccon,
24, quai Liberté, Apt
☎ 04 90 74 21 90.

Apt est assurément la capitale mondiale du fruit confit. Dans cette ville que la marquise de Sévigné comparait à un vaste chaudron à confitures, on le fabrique industriellement chez Aptunion, mais il fait surtout la gloire d'artisans très habiles. Chez **Jean Ceccon**, laissez-vous tenter par un assortiment de fruits glacés (98 F le sachet). En vrac, il y en a pour toutes les bourses : de 84 F le kg pour la tranche de melon confite à 140 F pour les abricots, les plus chers mais aussi la spécialité maison.

La concurrence à Saint-Rémy-de-Provence
À la **maison d'Araxie** (☎ 04 90 92 58 87), vous trouverez les merveilleux fruits confits fabriqués par la confiserie Lilamand, une véritable institution du Saint-Rémy gourmand (env. 150 F les 400 g, mais attention, le prix varie selon les fruits !). Achetés glacés, ils sont aussi beaux à contempler que bons à déguster et, en plus, ils ne collent pas.

Si vous les utilisez en pâtisserie, préférez-les juste égouttés.

Les sucreries

Au royaume des friandises, le **berlin-got** de Carpentras (voir p. 125) est un petit bonbon en forme de cube ou de dé à jouer. Avignon a également sa spécialité, qui répond, ville des papes oblige, au

joli nom de **papaline** (voir p. 101). Quant à Aix-en-Provence, la réputation de son célèbre **calisson** n'est assurément plus à faire (voir p. 72).

Côté **nougat** maintenant, Sault maintient la tradition depuis plus de 100 ans : fait avec du miel de lavande récolté sur les pentes du Ventoux et avec des amandes régionales, le nougat de Sault peut être blanc, raffiné et très onctueux, ou noir, le préféré des Provençaux (**André Boyer**, ☎ 04 90 64 00 23. 24 F la barre de nougat blanc de 200 g, 26 F la barre de nougat noir, croquant à souhait et merveilleux…).

Les treize desserts

S'il est une tradition typiquement provençale c'est celle du « gros souper » de Noël, qui a lieu après la messe de minuit.

Ce dîner de fête s'achève invariablement par les treize desserts. Chaque famille y apporte sa touche personnelle mais il est impossible d'éviter les grands classiques : la **pompe à huile** (une grosse fougasse épaisse à base de pâte à pain et d'huile d'olive), le **nougat** blanc ou noir et les **quatre mendiants** (amandes, figues sèches, raisins secs, noix ou noisettes). Ensuite, chacun complète comme il veut avec des fruits d'hiver (dattes, oranges…), de la confiture de coings, des calissons, des fruits confits… Seule règle incontournable : il faut absolument treize desserts différents.

Le miel

C'est sucré, c'est bon, c'est énergétique. Le miel a tout pour séduire chacun. En Provence, il se parfume des mille senteurs du cru : lavande, romarin, thym, bruyère…, miel de garrigue ou miel toutes fleurs… Issu de fleurs cultivées ou sauvages, il est toujours merveilleux. La vedette, c'est bien sûr le miel de lavande, qui bénéficie depuis 1990 de l'appellation miel du cru. Chaque marché a ses producteurs, chaque coin de Provence ses spécialités : aux gourmands d'ouvrir tout grands leurs yeux.

L'huile d'olive : la reine de la cuisine provençale

La Provence scintille sous le vert argent de l'olivier et se régale de ses fruits. L'huile d'olive en est le rayon de soleil concentré, le cocktail de vitamines qui réveille les assiettes et développe les saveurs. De toutes les huiles, c'est la seule pur jus de fruit. De la santé à la beauté, ses pouvoirs sont inépuisables, ses trésors bienfaiteurs.

L'huile de tous les bienfaits

Longtemps ignorée dans les pays du Nord, victime aussi de sa rareté et de son prix (de 50 à 85 F le l), on redécouvre aujourd'hui ses mérites. Bénéfique pour le cœur et les artères, elle ralentit le vieillissement du cerveau, fortifie ongles, cheveux et peau. Mélangée à un œuf, elle apaise les piqûres ; mêlée à du vin, elle accélère la cicatrisation ; ajoutée à une gousse d'ail, elle fera disparaître les cors aux pieds. Remèdes de grand-mère, direz-vous. Pourtant, beaucoup de nos contemporains célèbrent ses vertus.

Comment choisir son huile ?

Quelle que soit la manière dont elle a été fabriquée, la qualité d'une huile tient d'abord à son taux d'acidité. S'il est inférieur à 1 %, on a une huile vierge extra, extraite après une première pression à froid ; la reine des huiles, quoi. Entre 1 % et 2 %, voilà une huile vierge, au goût irréprochable mais de qualité inférieure à la précédente. Entre 2 % et 3,3 %, l'huile aura bon goût mais sa qualité sera plus ordinaire. Surveillez les dates figurant sur les bouteilles car, au-delà d'un an, l'huile d'olive jaunit et perd de sa saveur. Sachez aussi que la chaleur l'affadit, que le froid la durcit et que la lumière la fait rancir.

Une affaire de goût

Il y a tout d'abord les huiles qui présentent un « fruité vert », avec des arômes de fruits (pomme, cassis, tomate) et d'artichaut. Elles sont parfaites pour la cuisine car elles sont très stables à la chaleur. Quant à celles qui offrent un « fruité noir » (parfums de sous-bois, de champignon et de truffe),

UN ÉLIXIR DE BEAUTÉ

Pour nourrir la peau et entretenir son élasticité, pour la souplesse et l'éclat de la chevelure ou pour blanchir les dents, usez et abusez de l'huile d'olive. Recette de star, elle prévient l'apparition des rides. 3 ou 4 cuillerées à soupe dans le bain remplaceront vos sels habituels. Pour lutter contre le gonflement des paupières, mélangez de l'huile d'olive à une pomme de terre hachée fin, appliquez entre deux linges propres en compresse matin et soir.

elles s'accordent mieux avec les salades ou pour donner la dernière touche de saveur à un plat délicat. Voilà les principes généraux. Et maintenant, goûtez, testez et trouvez quelle huile se marie le mieux avec vos plats préférés.

Visiter un moulin
Moulin Jean-Marie Cornille, Maussane-les-Alpilles
☎ 04 90 54 32 37.
Ouv. nov.-déc., t. l. j. sf dim., 9 h-12 h et 14 h-18 h.

Construit au XVIIe s. et agrandi au XIXe s., le moulin de la coopérative oléicole de la vallée des Baux vous propose une visite d'un moulin traditionnel. Meules et presses

entrent tour à tour en action, les unes transforment les olives en pâte, les autres libérant par pressurage un nectar à la belle couleur vert doré. Ne repartez pas sans votre litre d'huile du moulin, certes un peu chère (env. 100 F le l) mais ô combien délicate.

Fêtes de l'huile d'olive

Chaque année, l'huile d'olive est fêtée en Provence. Courant décembre, Mouriès, en pleine

olivade, baptise l'huile primeur tout juste sortie des presses. Une charrette transportant 7 jarres d'huile est bénie, puis une cérémonie intronise certaines personnalités dans l'Ordre de l'huile nouvelle. Enfin, tastaires, mouliniers et invités goûtent le nectar encore vert. À Aix, c'est en juin que l'on se réunit pour les mêmes festivités.

DE L'OLIVE AU FLACON

Quand le fruit parvient à maturité, c'est le temps de l'olivade (il faut 5 kg d'olives, ramassées à la main, pour produire 1 l d'huile !).
Les fruits, apportés au moulin, sont triés et calibrés, pesés et lavés, puis broyés. La pâte ainsi obtenue est alors pressée sur des tapis (ou scourtins) ou malaxée mécaniquement.

L'huile extraite doit enfin être débarrassée des grignons (restes de pulpe et de noyaux) et de l'eau qu'elle contient.

Sur les traces des écrivains provençaux

La Provence a donné à la littérature une vaste palette d'écrivains mais aussi une foule de personnages (Marius, Angelo, Manon, Tartarin…) devenus de véritables mythes. Cette terre a vu naître des auteurs qui la chantent à chaque page, comme Marcel Pagnol, Frédéric Mistral, Jean Giono, Henri Bosco ou Joseph Roumainville. Elle a aussi séduit des écrivains de partout :

Henri Bosco

Pétrarque, le marquis de Sade, Saint-John Perse, Daudet ou, plus près de nous, Edmonde Charles-Roux, Bernard Clavel, Yvan Audouard et Jean Lacouture.

Alphonse Daudet

Né à Nîmes en 1840, c'est à 20 ans qu'il découvre Fontvieille et se lie d'amitié avec

ses hôtes du château de Montauban : « Braves gens, maison bénie ! Que de fois je suis venu là, me reprendre à la nature, me guérir de Paris et de ses fièvres aux saines émanations des collines provençales ? » À peine arrivé, il s'empressait de monter à son moulin rêver et imaginer les personnages qu'il allait

camper dans ses écrits : maître Cornille, monsieur Seguin…

À la recherche de Tartarin

Alors qu'il n'est encore qu'un poète inconnu, Daudet se voit refuser la main d'une demoiselle de Barbarin, fille d'un notable de Tarascon. L'humiliation est grande pour ce garçon refusé sous prétexte qu'il n'est qu'un roturier sans fortune. Qu'à cela ne tienne, il doit se venger. Daudet utilise la

littérature pour régler ses comptes avec le père de la jeune fille, qui deviendra Tartarin de Tarascon. Derrière la parodie et la galéjade, derrière le chasseur de lions, il y a la dérision et une fine analyse du comportement humain.

Jean Giono, le chantre de la haute Provence

Manosque est le pays de Giono, où il est né en 1895 et mort en 1970. « Ce pays… tout en vagues… qui se creuse comme un beau val », ce « pays bleu », nous est décrit inlassablement par ce fils d'un cordonnier et d'une repasseuse,

dans une œuvre imprégnée à chaque page des paysages et des hommes de la région. Nous pouvons

le retrouver en empruntant ses pas, de Manosque au Contadour (renseignements au centre Jean-Giono, ☎ 04 92 70 54 54).

Marcel Pagnol, magicien des mots

Le 28 février 1895 naît celui qui écrira plus tard : « Je suis né dans la ville d'Aubagne, sous le Garlaban couronné de chèvres, au temps des derniers chevriers. » Dramaturge et

cinéaste, fondateur d'une revue, académicien, traducteur et romancier, le prolixe Marcel Pagnol a puisé entre Marseille, Allauch, Aubagne et le petit village de La Treille

où il repose depuis le 18 avril 1974 la joie de vivre et de raconter les gens. Son œuvre, traduite en sept langues, nous offre à chaque fois des moments de bonheur inoubliables.

où il repose depuis le 18 avril 1974 la joie de vivre et de raconter les gens. Son œuvre, traduite en sept langues, nous offre à chaque fois des moments de bonheur inoubliables.

L'UTOPIQUE CITÉ DU CINÉMA

Scénariste, dialoguiste, réalisateur ou producteur, Pagnol a signé une vingtaine de films pleins de rires et d'émotions. En 1932, il monte des studios à Marseille et achète 24 ha en territoire d'Aubagne, qui lui serviront de décor mais ne verront jamais naître la cité du cinéma qu'il avait imaginée. On peut se rendre sur les lieux de ses tournages et de son enfance en suivant un des 3 itinéraires proposés par l'office de du tourisme d'Aubagne (☎ 04 42 03 49 98 ; attention, les sentiers sont fermés en été en raison des risques d'incendie !), après avoir visité le Petit Monde de Marcel Pagnol, reconstitution des sites et des personnages de ses romans et pièces, réalisée par les créchistes et les santonniers de la ville.

Frédéric Mistral, l'infatigable défenseur de la culture provençale

Il fonde, en 1854, le Félibrige, une école littéraire ayant pour vocation de maintenir la langue d'oc et ses dialectes. Prix Nobel de littérature en 1904, c'est aussi lui qui a créé le remarquable Museon Arlaten d'Arles (voir p. 94). L'enfant de Maillane (1830-1914) laisse aussi son nom dans l'histoire littéraire française pour son très beau Mireio, poème épique publié en 1859.

Écritoire et manuscrit de Giono   conservés à Manosque (voir p. 187).

Quand la Provence fait meuble de tout bois

I ci, la matière première ne fait défaut ni par la quantité ni par la variété. Du noyer, dont on se sert pour faire les meubles provençaux, à l'olivier, dans lequel on taille les instruments de cuisine, la panoplie est assez vaste pour combler les désirs de chacun. Dans la bruyère des garrigues on aura creusé la pipe que vous destinez à votre fumeur préféré, dans les marécages on aura déniché le roseau où sera taillée l'anche la plus musicienne, dans la forêt enfin pousse le chêne-liège dont on fait les meilleurs bouchons. Un peu de curiosité et tous ces rêves de bois seront à vous…

État de sièges

Ils sont massifs, en bon vrai bois, ils nous sont venus d'Italie via la Provence. On aime ces sièges paillés pour leur côté résolument campagne.

En noyer, en hêtre, en tilleul, en chêne ou en mûrier, chaises et fauteuils ont une assise en trapèze, des pieds cannelés, un dossier ajouré ou orné de traverses. Seuls les **ateliers**

Laffanour (91, bd de la Libération, 84150 Jonquières, ☎ 04 90 70 60 82) les fabriquent encore à l'ancienne, et cela depuis 1840. Vous y trouverez votre bonheur à des prix raisonnables : canapés paillés, fauteuils peints, sièges cirés ou patinés à l'ancienne (de 850 F pour une chaise rustique à 2 900 F pour une chaise Louis XVI en bois peint). Ouv. lun.-ven., 7 h 30-12 h et 13 h 30-18 h 30 ; sam. 14 h 30-18 h 30.

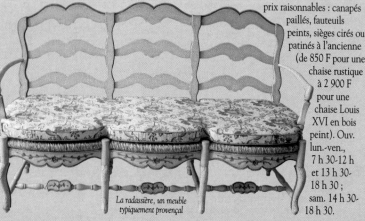

La radassière, un meuble typiquement provençal

Les roseaux musiciens

Cogolin est certes célèbre pour ses fabriques de pipes en bois de bruyère. Mais le village s'est aussi taillé une solide réputation auprès des musiciens grâce à son atelier d'anches pour instruments à vent. Les **établissements Rigotti** (Z. I., rue des Frères-Lumière, ☎ 04 94 54 62 05. Ouv. lun.-ven., 8 h-12 h et 13 h 30-17 h 30 ; f. août) façonnent ces petites pièces de bois que leur commandent les plus grands orchestres internationaux.

Petit liège deviendra bouchon

À Marseille et à Fréjus, on prépare les bouchons qui viendront peut-être couronner les meilleures bouteilles.

Cela n'a l'air de rien, un petit bouchon, mais c'est pourtant tout un art qui demande beaucoup de patience. Le saviez-vous ? Seul le chêne-liège peut être utilisé et l'arbre doit avoir au moins 25 ans pour qu'on puisse en récolter le liège. Après 4 semaines de repos, l'écorce est séchée, puis bouillie pour lui donner de la souplesse, et enfin débitée à l'emporte-pièce avant d'être transformée en bouchons.

L'écomusée du Liège
5, rue de la République, Gonfaron

☎ 04 94 78 25 65. Ouv. t. l. j. sf lun., oct.-mars, 10 h-12 h et 14 h-16 h ; avr.-sept., 14 h-18 h. *Accès payant.*

La mémoire du liège a trouvé son musée au creux du très beau massif des Maures, dans le village de Gonfaron. Un portrait passionnant de cette industrie traditionnelle qui

employait au début du siècle près de 900 ouvriers. De la récolte à la fabrication, c'est l'occasion de s'initier aux mystères du liège (visite commentée avec projection d'un film).

Le bois prend de la couleur

Du lit (*litocho*) au berceau (*lou brès*) en passant par les buffets à gradins ou les armoires de mariage au décor symbolique, les meubles sont souvent colorés et peints à la main. Chez **Mélodie Mauve**, à Aix-en-Provence (14, rue Matheron, ☎ 04 42 96 45 54. Atelier-magasin ouv. mar.-sam.,

DÉTOUR PAR LE MUSÉE

Musée gombertois des Arts et Traditions populaires du terroir marseillais, 5, pl. des Héros, Château-Gombert ☎ 04 91 68 14 38. Ouv. t. l. j. sf mar. et j. fér., 14 h 30-18 h 30.

Aux portes de Marseille, voilà une belle anthologie des objets de la vie quotidienne. On peut y aller pour vérifier si la petite panière achetée le jour même sur le marché sous le label *made in Provence* est tout ce qu'il y a de plus authentique. Sur place, on oubliera ces petits soucis dans ce musée chaleureux qui présente l'histoire au jour le jour d'un terroir haut en couleur. Ustensiles en bois ou meubles sculptés, admirez tous les motifs typiquement provençaux des réalisation locales : cœurs entrelacés, bouquets de fleurs, épis de blé ou corbeilles de fruits, symboles d'amour et de fécondité.

10 h-12 h et 15 h-19 h), on peut dénicher de jolies copies du mobilier d'antan qui vous ont un très charmant air d'autrefois. Comptez 9 500 F pour une armoire décorée et 3 000 à 5 000 F si vous voulez faire décorer votre vieille armoire.

L'architecture traditionnelle

Mas ou bastides, ces mots séduisent parce qu'ils évoquent la Provence, une couleur, une ambiance, un art de vivre. Mais ils cachent

aussi une réalité très concrète : l'homme a dû, au fil des siècles, faire son trou au soleil dans un paysage soumis aux assauts d'un vent souvent très fort, aux ardeurs caniculaires et aux hivers rigoureux. L'habitat est le reflet de ce long apprentissage.

Apprivoiser la nature

La maison provençale offre des lignes et des volumes simples, des matériaux nobles et un mur aveugle au nord pour se protéger du mistral. Conçue pour traverser les pires canicules, ses murs sont épais et colorés, ses fenêtres toujours habillées de persiennes. À l'intérieur, portes cintrées, voûtes de pierre blanche, jeu d'embrasures, tommettes et céramiques fleurent bon l'habitat campagnard.

Le cabanon

Petit par la taille mais grand par l'hospitalité qu'il offre, c'est là que toute la famille se réunit le dimanche pour déguster une spécialité et passer une journée

au grand air. Caché sous un olivier ou dans les calanques, il est réservé à ceux qui ont résolument l'âme provençale : car aller au cabanon relève d'un art de vivre… et de farnienter sans remords à l'ombre. On appelle aussi cabanons (ou bastidous) les constructions souvent visibles au milieu des vignes et servant d'abris et de réserves à outils.

Le mas

Ce grand incontournable de la Provence rurale a été avant tout conçu pour les besoins de la ferme. Il est toujours exposé au sud et donc protégé à l'est

de la pluie et au nord du mistral. En L ou fermé, il est composé d'une maison principale et de dépendances (bergerie, grange, magnanerie, puits, four). Dans le Vaucluse, les fermes sont des « campagnes » ; petites, on les appelle « granges » ou « outaus ».

La bastide

« Cabanon de riches », la bastide se donne des airs de château avec sa noble façade à l'ordonnance classique et son jardin à la française. Habitation des propriétaires terriens ou résidence de campagne de citadins fortunés cherchant le repos et la fraîcheur, elle est de taille plus importante et plus haute que le mas, comportant un ou deux étages.

Les bories

Un empilement (très précis) de pierres sèches qui tiennent entre elles sans aucun ciment, tel est le principe de construction de ces petits abris

très singuliers. On les trouve essentiellement dans la région de Forcalquier et des montagnes de Lures, où la pierre ne manque pas. Elles faisaient surtout office d'abris temporaires : jas (bergerie), cabanons, huttes…

Génoise

La cabane camarguaise

C'est le domaine du gardian. L'intérieur en est très simple : une cuisine et une chambre, séparées par une cloison de roseaux. Sa forme rectangulaire se termine à l'arrière par une abside arrondie sur laquelle le vent vient glisser. L'ouverture est située sur la façade opposée. Murs bas et toits de roseaux, elle est sobre jusque dans ses matériaux.

Tuiles et pierres

Voilà les ingrédients typiques de l'habitat provençal. Les tuiles sont rondes (tuiles canal ou romaines), en terre cuite et façonnées en forme de gouttières

Tuiles canal

sur un moule en bois (parfois sur la cuisse !). Quant aux pierres, elles servent aussi bien

à construire les murs des maisons qu'à paver les rues, qui portent alors le nom de calades. Ces dallages sont typiques des villages perchés qui émaillent les paysages de Provence.

PETITS « ACCESSOIRES » DÉLICIEUX

Il y a d'abord les campaniles, structures métalliques fines apparues au XVIe s. qui viennent couronner les clochers de leurs arabesques ajourées conçues pour résister au mistral. Levez le nez et vous verrez combien ils sont nombreux et variés. Sur les façades, traquez aussi les cadrans solaires : peints ou gravés, sculptés ou rapportés, ils décorent les maisons ou les églises et rappellent au passant le temps qui fuit. Enfin, dans une région où l'eau est rare et précieuse, les fontaines abondent. Adossées à un mur, creusées en petite vasque, moussues ou trônant au centre de la place, elles chantent un peu partout : à Aix on en dénombre 101, à Pernes-les-Fontaines une quarantaine !

Vous trouverez, dans les pages de ce chapitre, les principaux sites et localités de la région, classés par ordre alphabétique.

Sommaire

Aix-en-Provence :
chic et charme

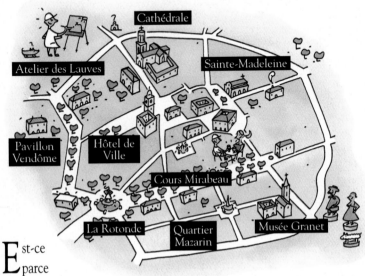

Cathédrale

Atelier des Lauves

Sainte-Madeleine

Pavillon Vendôme

Hôtel de Ville

Cours Mirabeau

La Rotonde

Quartier Mazarin

Musée Granet

Est-ce
parce
que c'est la première
fondation romaine en Gaule (en 122 av. J.-C.) qu'Aix offre avec
tant de bonheur cet air qui semble lui venir d'Italie ? Protégée
par la montagne Sainte-Victoire, elle cultive un bel art de
vivre au milieu d'une architecture splendide. Ville d'eau,
ville d'art et ville d'histoire, elle a aussi conquis une
renommée internationale grâce à son festival d'art lyrique
dont les accents résonnent dans ses édifices chaque année en juillet.

Aix le nez au vent★★
Déambuler à travers la ville
offre une suite de vrais
bonheurs. Les rues du vieil Aix
ont gardé leur charme, façonné
par les XVIIe-XVIIIe s., et les
façades des maisons qui les bordent regorgent de trésors. La
ville est comme coupée en
deux par le **cours Mirabeau**.
D'un côté se trouve la vieille
ville avec ses jolis toits roses
massés autour de la cathédrale
Saint-Sauveur. Sites romains,

en musées, de places en jardins (2, pl. du Général-de-Gaulle, ☎ 04 42 16 11 61. Ouv. juil.-août, jusqu'à 22 h).

Sur les pas de Cézanne★★
Atelier des Lauves, 9, av. Paul-Cézanne
☎ 04 42 21 06 53.
Ouv. t. l. j. sf mar. et j. fér., 10 h-12 h et 14 h 30-18 h ; hors saison, 14 h-17 h.
Accès payant.

Une autre manière de découvrir Aix est de mettre ses pas dans ceux du peintre Paul Cézanne, l'enfant du pays longtemps ignoré de sa ville natale. Aix aujourd'hui se

L' intérieur de l'Atelier des Lauves.

rues tortueuses, places élégantes, sans oublier les nombreuses et très jolies boutiques, l'ensemble contraste avec l'autre côté du cours, le quartier Mazarin. Ici, c'est le règne des grandes rues droites et des splendides demeures abritées derrière de hauts murs. On aime ce quartier pour ses rues désertes, qui rappelle une ville italienne écrasée de chaleur.

Les fontaines★
Nombreuses, elles ne sont pas étrangères au charme de la

ville. Les « mille fontaines bleues » chantées par Cocteau ne sont en fait que 101, mais c'est déjà beaucoup pour vous rafraîchir et vous séduire. Anciennes ou modernes (celle de la place des Cardeurs, signée par le céramiste et sculpteur Amado, date de 1977),

vous les trouverez un peu partout sur les places et dans les rues. Ne manquez pas celle de la place Albertas, ni celle des Quatre-Dauphins, dans le quartier Mazarin.

Suivez le guide
La ville se découvre à pied, en déambulant sans but pour mieux se laisser surprendre par ses trésors. La promenade vous conduira à découvrir avec bonheur un marché, un santonnier ou, pourquoi pas, à faire une halte gourmande dans une des nombreuses pâtisseries tentatrices de la ville. Sachez quand même que l'office de tourisme vous propose une intéressante visite guidée d'Aix, d'hôtels particuliers en fontaines, d'églises

rattrape en proposant un circuit de 3 km, balisé de clous de bronze marqués du C de Cézanne. De sa maison natale au cimetière d'Aix, où il est enterré, en passant par son atelier du chemin des Lauves, au nord de la ville. C'est de là que Cézanne admirait la Sainte-Victoire, qu'il a peinte inlassablement. Les souvenirs du peintre, quelques aquarelles et dessins originaux y sont rassemblés. Sachez aussi qu'un circuit de 40 km environ dans la région vous fera découvrir les grands sites cézanniens.

La fontaine de la place Albertas, remaniée en 1912.

Le cours Mirabeau★★

À Aix, on dit tout simplement « le cours ». Les plans de cette splendide promenade sous les platanes furent établis en 1649. Ce haut lieu de l'animation aixoise, qui a remplacé les remparts du Moyen Âge, est surtout connu pour son **café des Deux Garçons** (plus familièrement appelé « les 2 G »). Cézanne le fréquenta, puis des années plus tard l'écrivain Blaise Cendrars et le peintre Gabriel Lorrain. Les Aixois préfèrent quant à eux déserter ce lieu aimé des touristes et profiter en paix de la terrasse du **Grillon**. Le cours est bordé d'hôtels particuliers ayant vu le jour sous Louis XIV. Devenus pour la plupart la propriété de banques, ils s'ornent de façades d'un classicisme parfait ou agrémentées de touches baroques. Au n° 4 se tient l'hôtel de Villars, au n° 10 l'hôtel d'Isoard-de-Vauvenargues, au n° 38 l'inoubliable hôtel Maurel-de-Pontevès.

La tour de l'Horloge.

La vieille ville★★

En partant de la fontaine Moussue (cours Mirabeau, à la hauteur de la rue Clemenceau) dont les eaux jaillissent à 34 °C, vous découvrirez l'élégant hôtel Boyer-d'Éguilles (XVIIe s.) et son passionnant muséum d'Histoire naturelle (6, rue Espariat. Ouv. t.l.j. sf dim. mat., 10 h-12 h et 14 h-18 h). Plus haut dans la vieille ville s'ouvrent la très jolie place Albertas, puis la place Richelme, rendue célèbre par ses **marchés**, enfin l'hôtel de ville d'un beau style baroque italien, avec sa tour de l'Horloge. Cet étonnant beffroi surmonté d'un campanile a été élevé en 1510 à la place d'une ancienne porte romaine. Le musée du Vieil-Aix et ses collections sur l'histoire de la ville sont à deux pas (17, rue Gaston-de-Saporta. Ouv. t. l. j. sf lun., 12 h 30-18 h ; hors saison, 10 h-12 h et 14 h-17 h. Accès payant).

La cathédrale Saint-Sauveur★★

L'histoire de cet édifice composite commence au Ve s. pour s'achever au XVIIe s. C'est dire combien les styles qui s'y succèdent (roman, gothique, Renaissance, baroque…) peuvent être contrastés. De ses débuts, il reste le baptistère mérovingien. Ne manquez pas les magnifiques vantaux sculptés de son portail (début XVIe s.), cachés sous de lourdes fausses portes. Ils sont visibles sur demande (sacristie) en

LES MARCHÉS

Ils constituent une des attractions de la ville, et non des moindres. Tous les jours place Richelme, les producteurs locaux proposent leurs fruits et légumes. Un peu plus loin, place de la Mairie, le marché aux fleurs se tient les mardi, jeudi et samedi. Toujours mardi, jeudi et samedi, le grand marché forain et d'alimentation s'étire de la place des Prêcheurs à la place de la Madeleine, tandis que les fripes envahissent le cours Mirabeau et que brocante, antiquités et vide-greniers investissent la place de Verdun. Avis aux chineurs et aux amateurs de bonnes affaires.

dehors des heures d'office. À voir aussi, le triptyque du *Buisson ardent* (XVe s.) et les remarquables tapisseries de 1511. Au sud de l'édifice, le cloître roman (fin XIIe s.) est une véritable forêt de colonnettes ornées de chapiteaux très abîmés mais dont on peut lire encore quelques beaux décors.

Le quartier Mazarin★★

Créé à l'initiative de l'archevêque Mazarin, frère du célèbre cardinal, il fut tracé de 1646 à 1651 autour du premier sanctuaire gothique de la ville. Derrière les façades des XVIIe-XVIIIe s., souvent séparées de la rue par de vastes cours, se cachent des jardins apaisants. Calcaire doré coiffé de tuiles, façades classiques ou dévorées d'atlantes, frontons et escaliers,

les hôtels particuliers sont ici magnifiques. Il y a l'hôtel de Marignane, marqué du souvenir de Mirabeau, l'hôtel de Caumont, qui abrite aujourd'hui le conservatoire de musique et de danse, le musée Paul-Arbaud et sa belle collection de faïences, l'hôtel de Villeneuve-d'Ansouis....

Le musée Granet★
13, rue Cardinale
☎ **04 42 38 14 70.**
Ouv. t. l. j. sf mar. (f. lun. sept.-juin), 10 h-12 h et 14 h-18 h.
Dans l'ancien prieuré de l'église Saint-Jean-de-Malte, au cœur du quartier Mazarin, visitez le musée Granet, qui porte le nom d'un de ses principaux donateurs, le peintre aixois François Granet. Ce musée a des allures d'encyclopédie avec son département d'archéologie (antiquités égyptiennes,

romaines, gallo-romaines...), sa collection de peintures de toutes les écoles européennes du XVIe au XIXe s. (dont 8 œuvres de Cézanne) et ses

Cézanne,
Portrait de Madame Cézanne.

nombreuses sculptures (belles statues de Pierre Puget, sculpteur baroque et architecte prolifique dont on croise les œuvres dans plusieurs villes du Midi).

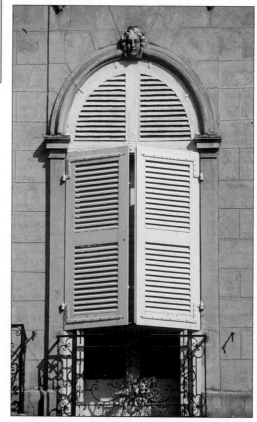

Les santonniers★
**Santons Fouque,
65, cours Gambetta**
☎ **04 42 26 33 38.**
Ouv. t. l. j. sf dim., 8 h-12 h
et 14 h-18 h 30.
Visite gratuite (20 min).

Aix compte plusieurs
santonniers, dont le réputé
Paul Fouque qui
imagina en
1952 des san-
tons qui sem-
blent presque
animés. Le
plus ancien
est un
berger
courbé qui
lutte
contre le
vent : le
maître
l'appela
« coup de
mistral ».
Depuis,
il n'a cessé
d'inventer de nouvelles
figurines et sa collection
complète propose près de
1 800 modèles. Tous sont fabriqués à l'ancienne, cuits
pendant 15 h, séchés 48 h puis
peints à la main (77 F pour un
santon peint de 10 cm).
Chaque année en décembre,
une **foire aux santons** se tient
avenue Victor-Hugo, qui fait le
bonheur des collectionneurs.

Aix gourmande

On pense tout de suite au
célèbre calisson, friandise
aixoise par excellence. Il marie
les amandes douces de
Provence, une pointe
d'amande amère, melon,
oranges et abricots confits. On

ira les chercher chez **Léonard
Parli** (35, av. Victor-Hugo,
☎ 04 42 26 05 71) ou **Au Roy
René** (rue Papassaudi, ☎ 04 42
26 67 86). De 150 à 180 F le
kg, on peut aussi les acheter

dans de jolies petites boîtes en
forme de losange comme la
friandise elle-même (62 F la
boîte de 250 g). Mais Aix offre
d'autres gourmandises. Pour

innover un peu, on pourra goûter au biscotin, à base de
noisettes grillées enrobées d'un
biscuit (240 F le kg) ou au clou
de Cézanne, un chocolat fourré
d'une pâte de figue brune
mélangée à du vieux marc de
Provence.

Puyricard
et le plateau
d'Entremont★
**Chocolaterie Puyricard,
20, route du Puy-Sainte-
Réparade**
☎ **04 42 96 11 21.**
Ouv. t. l. j. sf dim., 9 h-19 h.
Visite gratuite (20 min).

L'**oppidum** du plateau
d'Entremont (3 km N.,
dir. Puyricard : ouv. t. l. j. sf
mar., 9 h-12 h et 14 h-18 h)
rappelle l'épopée antique
d'Aix, aux IIIe-IIe s. av. J.-C.
Perché à 365 m, Entremont
livre les vestiges d'une
capitale économique et
religieuse (antiques
pressoirs à olives et vue
exceptionnelle).
À Puyricard même, allez
contempler les ruines
du **château de Grimaldi**
(1 km N.-O. sur la D 14),
resté inachevé tant son
fondateur avait eu la folie
des grandeurs. Une étape à
la **chocolaterie**, plus qu'une
entorse à la visite culturelle,
en sera peut-être plutôt

Les ruines du plateau d'Entremont.

une à votre régime. Mais il est si bon de se laisser tenter… (320 F la boîte de 1 kg, avec un bel assortiment).

Les jardins d'Albertas★
11 km S. d'Aix, dir. Marseille

☎ 04 42 22 29 77.
Ouv. t. l. j., juin-août, 15 h-19 h ; mai, sept. et oct. ainsi que w.-e. et j. fér., 14 h-18 h ; sur r.-v. le reste de l'ann.

UNE PRODUCTION CONFIDENTIELLE

Château Simone, M. Rougier, Meyreuil
☎ 04 42 66 92 58.
Ouv. t. l. j. sf dim., 8 h-12 h et 14 h-19 h.
Pas de dégustation.
Environ 100 F la bouteille.

Bordant les communes de Meyreuil et du Tholonet (3 km par D 17), le petit terroir de l'appellation palette puise dans un terrain calcaire la grande finesse et la distinction de ses excellents blancs. Cézanne a su en parler avec éloquence, lui qui affirmait : « Qui n'a jamais bu de château-simone ne peut comprendre l'âme de la Provence. » On ne saurait donc trop recommander une halte au domaine, puisque le maître nous y incite !

Les jardins Albertas à Bouc-Bel-Air.

À Bouc-Bel-Air, un véritable théâtre de verdure tracé par le marquis d'Albertas en 1751 marie jardins à la française et influences italiennes et provençales. Entre le jardin du haut (destiné initialement à servir de cadre au futur château du marquis, qui ne fut jamais construit) et le jardin du bas, découvrez en flânant terrasses, bassins, statues monumentales, parterres, canal et perspectives ponctuées de fontaines. Un havre de paix pour promeneurs tranquilles.

Les vins des coteaux d'Aix
Château Lacoste, Le Puy-Sainte-Réparade

☎ 04 42 61 89 98.
Ouv. t. l. j., 8 h-12 h et 14 h-18 h ; dim. 14 h-18 h.
Connus un temps sous l'appellation coteaux du Roy René en hommage à celui qui porta au XVe s. les vins de Provence sur les tables royales, ils ont été reconnus vins délimités de qualité supérieurs (V. D. Q. S.) en 1956, puis appellation d'origine contrôlée (A. O. C.) en 1985. Le vignoble (3 800 ha) s'étend sur 47 communes des Bouches-du-Rhône et 2 communes du Var. Il donne des vins rouges (43 % de la production) charpentés et fruités qui se boivent de préférence entre 2 et 4 ans d'âge, des rosés souples et fruités (51 % de la production) et une très petite quantité de blancs (6 %), fins et parfumés. Au **château Lacoste**, il vous en coûtera 117 F pour 6 bouteilles en rouge.

L'abus d'alcool est dangereux pour la santé.

Le pays d'Aix :
à l'ombre de Cézanne
et de la Sainte-Victoire

Appelée mont Venture jusqu'à la Révolution, elle évoquait alors par son nom la force du vent et les dieux de la montagne. Consacrée Sainte-Victoire, elle semble avoir depuis trouvé la paix. Au moins sous le pinceau de Cézanne qui l'a chantée avec merveille. C'est en y peignant le cabanon de Jourdan qu'il s'effondra sous le soleil et le mistral un jour d'octobre 1906. L'incendie qui dévasta la Sainte-Victoire en août 1989 n'est plus qu'un mauvais souvenir et celle-là a désormais retrouvé ses arbres et leur feuillage.

La montagne inspirée★★★
GR 9 au départ du hameau Les Cabassols, 12 km d'Aix par D 10. Seul sentier ouv. en été.

Massif de petite dimension (18 km de long sur 5 km de large), la Sainte-Victoire culmine à 1 011 m d'altitude au pic des Mouches. Au sommet ouest se dresse la croix de Provence, solidement arrimée au sol à 946 m, qui résiste depuis 1875 au mistral.

Il faut savoir pourtant que le vent a eu raison des trois autres croix plantées ici depuis le XVe s. Derrière, le petit monastère édifié en 1661 a été restauré en 1955. Depuis la terrasse, **très belle vue** plongeante sur les escarpements de la montagne. Mais qui ne vaut pas celle que l'on a depuis la croix de Provence.

Un trésor d'œufs
La Sainte-Victoire est **un des plus beaux sites géologiques** de Provence. Le saviez-vous ? Elle doit sa célébrité à son très riche gisement d'œufs de dinosaures, vieux de 65 millions d'années. Pas forcément comestibles, mais à coup sûr

impressionnants. Pour éviter le pillage, les abords de Roques-Hautes (où se trouvent les plus beaux gisements) ont été déclarés réserve géologique naturelle. L'accès est interdit au public et les curieux découvriront les œufs de ces sauriens géants au muséum d'Histoire naturelle d'Aix (6, rue Espariat, ☎ 04 42 26 23 67). En prime, vous pourrez y voir des reconstitutions grandeur nature de dinosaures.

Cézanne encore et toujours

Pour mieux comprendre la passion du peintre pour la montagne et son obsession à en restituer la lumière cristalline, empruntez sans hésiter la route du Tholonet, aussi nommée route de Cézanne. Le **château du Tholonet** est le point de départ d'une randonnée de 3 h 30 aller-retour (circuit des deux barrages, 12 km). Vous pouvez rejoindre la croix de Provence par le sentier Imoucha depuis le barrage de Bimont (env. 2 h).

Par les routes

Une découverte sans fatigue de la Sainte-Victoire. La D 17 vous conduira au château du Tholonet, dans la vallée inférieure de la Cause, un des lieux de promenade préférés des Aixois, puis à Saint-Antonin-sur-Bayon (**belle promenade sur le plateau de Cengle**). Par la D 10, rejoignez Vauvenargues, village suspendu au-dessus de l'Infernet et dont le château fut longtemps habité par Picasso. C'est d'ailleurs là qu'il repose aujourd'hui.

La maison de la Sainte-Victoire★
Saint-Antonin-sur-Bayon, 10 km E. d'Aix.

☎ **04 42 66 84 40.**
Ouv. t. l. j., 10 h-19 h (18 h hors saison).

Dominée par la spectaculaire montagne, la toute nouvelle **maison de la Sainte-Victoire** abrite un espace d'information consacré au site. Randonnées, activités de loisirs et sportives, visites guidées à thème et expositions temporaires, elle

répond à toutes les demandes ou presque. Un sentier botanique vous invite à découvrir la flore du massif, un espace boutique-librairie propose documentation et produits de l'artisanat local, sans oublier les vins de Sainte-Victoire aux prix des caves.

ATTENTION, DANGER !

Par arrêté préfectoral et afin de limiter les risques d'incendie, il est interdit de pénétrer dans le massif de la Sainte-Victoire du 1er juillet au deuxième samedi de septembre, ainsi que les jours de grand vent. Cette mesure s'applique à tous, randonneurs (seul le chemin des Venturiers reste ouvert), grimpeurs, adeptes du VTT, etc. Renseignements à l'Association des excursionnistes provençaux (☎ 04 42 21 03 53). L'initiative semble un peu sévère vue de loin, mais c'est sans doute le seul moyen de ne pas reproduire le désastre d'août 1989 qui vit partir en fumée les flancs boisés de la montagne.

Le château du Tholonet, une bastide construite en 1613 et transformée au XVIIe s.

Les Alpilles : l'âme de la Provence

C hanté par Mistral et Daudet, le petit massif des Alpilles s'étend du sud de la Durance aux portes d'Arles. Prolongement géologique du Luberon, il se dresse tel un belvédère, avec ses crêtes tourmentées et ses dorsales calcaires dont la blancheur illumine le paysage. L'harmonieuse composition d'une nature demeurée sauvage, la richesse d'une vallée où la vigne le dispute à l'olivier offrent des vues inoubliables.

L'abbaye de Montmajour

Rte de Fontvieille
☎ **04 90 54 64 17.**
Ouv. t. l. j. sf mar. et j. fér. , oct.-mars, 10 h-13 h et 14 h-17 h ; avr.-sept., 9 h-19 h.
Accès payant.

À quelques kilomètres d'Arles, Montmajour a été l'une des retraites préférées de Van Gogh qui l'a souvent dessinée. Fondée au Xe s., c'est une véritable anthologie de l'art roman en Provence. Remaniée au début du XVIIIe s., elle conserve quelques vestiges impressionnants.

Des constructions primitives, seule subsiste la petite chapelle Saint-Pierre. Les principaux bâtiments visibles aujourd'hui ont été édifiés au XIIe s. autour du cloître. Du logis abbatial, il ne reste plus que la tour de l'Abbé (1369), qui a des allures de donjon fortifié.

L'hypogée du Castellet

La route qui conduit vers Font-vieille longe la butte du Castel-let où l'on peut découvrir d'autres vestiges chargés d'histoire. Et d'une histoire très lointaine puisque, à côté des ruines d'un château fort des comtes de Provence, la butte abrite des allées souterraines qui ne sont autres que des sépultures collectives datant de 200 av. J.-C.

Fontvieille

Retour au présent dans ce village pittoresque où l'on a envie de flâner des heures durant au milieu des maisons de pierre tendre de Fontvieille. C'est cette même pierre qui a servi à édifier les arènes d'Arles et de Nîmes. Mais sa célébrité, Fontvieille la doit avant tout à

Alphonse Daudet. Car au sud du village se dresse le moulin qui inspira le célèbre conteur provençal ; aujourd'hui, un petit musée y est consacré à l'écrivain (☎ 04 90 54 60 78). Pourquoi ne pas en profiter pour relire *Les Lettres de mon moulin*, en partie écrites dans ce lieu, ou pour marcher sur les traces de « la petite chèvre de

monsieur Seguin » en suivant la promenade qui conduit au château de Montauban, où séjournait l'auteur ?

Maussane-les-Alpilles

Autrefois possession des seigneurs des Baux, le village s'étire de part et d'autre de la route, une ancienne voie romaine. C'est un lieu de villégiature très agréable, où l'été semble voué à la fête : à la mi-juin, le défilé du Carreto Ramado en l'honneur de saint Éloi, le patron des forgerons,

s'accompagne d'un battage de blé à l'ancienne et d'un concours d'aïoli. Quant aux fêtes votives des 14 juillet et 15 août, elles sont l'occasion de renouer avec les traditions : abrivado, course camarguaise, pégoulade, course de vachettes… Mais Maussane est surtout devenue célèbre pour son huile d'olive et pour sa production d'olives cassées de la vallée des Baux. À l'entrée du village, on pourra faire une halte au **musée des Santons animés** (☎ 04 90 54 39 00. Ouv. t. l. j., 10 h-19 h 30 en été, 13 h 30-19 h en hiver).

Eyguières

« Sobriété est mère de beauté ». Cette devise qui orne le blason d'Eyguières convient bien à ce bourg. Au fil de la promenade, on découvrira la chapelle pré-romane Saint-Véderème et les ruines d'un castelet médiéval. Le village vit à l'heure de ses arènes où se déroulent en saison des courses de taureaux à la cocarde.

L'olive de table

À ce savoureux fruit, deux destinations possibles : l'huile ou la table. Grignotée à l'apéritif ou utilisée pour farcir un rôti, avant d'arriver dans nos assiettes, l'olive demande à être préparée. L'amertume de l'olive, qu'elle soit verte ou noire, la rend inconsommable quand elle vient d'être cueillie. Pour être mangée, elle va subir diverses opérations dans des « confiseries », mais jamais de traitement chimique.

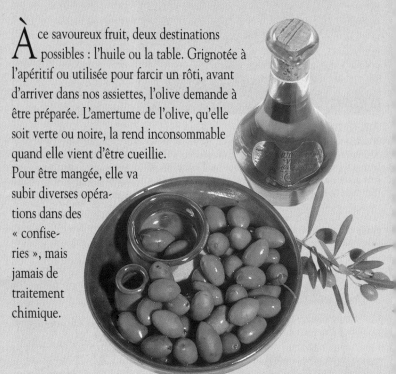

Un fruit plein de vertus

L'olive est très riche en calcium, plus que les autres fruits, les légumes, les viandes, les poissons et autant que le lait. Non contente de ce record, elle renferme plus de vitamine A que ce dernier (valeur calorique : 132 Kcal).

L'olive verte

Certaines variétés conviennent mieux à cette préparation, comme la salonenque et la berruguette. Cueillie dès septembre, l'olive cassée au fenouil, spécialité de la vallée des Baux, se consomme en primeur jusqu'à Noël. Préparée « à la picholine », on la mange jusqu'à Pâques (rincer absolument avant de consommer). Ce sont les Picholini qui lui ont donné son

nom. Ils ont inventé leur recette au XVIIIe s., sous le règne de Louis XV. Pour ôter aux olives leur amertume, ils les mirent à tremper dans une pâte à base de cendres de bois et d'eau avant de les rincer à l'eau claire pendant plusieurs jours et de les conserver en saumure.

L'olive noire

Olive noire ou olive verte, tout est question de moment de cueillette. Les fruits peuvent tous finir noirs pourvu qu'on les laisse mûrir. Comme elle a perdu en partie son liquide amer avec la maturation, l'olive noire (la grossane et la tanche) n'a pas besoin d'être

LA TAPENADE

Cette recette est une création de l'ancien établissement La Maison dorée, à Marseille, aujourd'hui disparu. Pour 4 personnes : 200 g d'olives noires, 300 g de thon, 200 g de câpres (ce sont elles qui donnent son nom à la tapenade, leur nom provençal étant *tapeno*), 1 gousse d'ail, poivre, huile d'olive. Faites cuire doucement le thon 5 min de chaque côté. Pilez les olives dénoyautées, les câpres, le thon et l'ail pour former une pâte fine. Ajoutez le poivre et l'huile d'olive. La tapenade accompagnera à merveille pâtes fraîches, rôti de porc et poissons blancs. Servie sur des toasts à l'apéritif, c'est un régal. Sachez enfin qu'il existe plusieurs variantes à cette recette, dont une qui associe au thon des anchois en saumure.

traitée spécifiquement pour être consommable. On la prépare piquée (confite au sel) ou en saumure. Les olives destinées à la conserve doivent avoir une chair abondante et contenir le plus de sucre possible.

Un jour, un mois, un an...

Saviez-vous que l'olive verte doit toujours baigner dans l'eau (du robinet) et être stockée au réfrigérateur ? Quant à l'olive noire, elle se conserve plusieurs années en saumure mais attention, rincez-la abondamment avant de la savourer ; sinon, vous

risqueriez de n'y prendre aucun plaisir. Après rinçage, mettez-la dans un récipient avec de l'huile d'olive, de l'ail et du laurier, et conservez au réfrigérateur. L'olive piquée n'a pas besoin d'être rincée mais juste secouée pour éliminer le sel.

Fête des olives vertes

Le troisième week-end de septembre, tous les producteurs et confiseurs des Alpilles se réunissent à Mouriès pour fêter le début de la récolte. Pendant 2 jours, tout le village et toute la vallée honorent ce fruit. Chaque année depuis 1966, des milliers de visiteurs goûtent et apprécient les premières olives de la saison, dont celles cassées au fenouil sauvage de la vallée des Baux.

Où faire son marché ?
Confiserie Martin, rue Charloun-Rieu, Maussane-les-Alpilles
☎ 04 90 54 30 04.
Ouv. lun.-sam., 9 h-12 h et 14 h-18 h.
Chez Jean Martin, on accommode l'olive de père en fils depuis 1920. Selon l'époque, on y trouve des olives cassées (sept.-avr., 29 F le pot de 450 g) ou des grossanes piquées au sel (en déc., 22 F le pot de 600 g). Tapenades vertes ou noires sont également proposées aux gourmands et aux gourmets, ainsi que quelques spécialités maison comme la riste d'aubergines (olives et aubergines en caviar, 25 F le pot de 600 g) ou pestou à l'aubergine et au basilic (15 F le pot de 240 g). À vos paniers !

Antibes
et Juan-les-Pins :
les jolies voisines

Station balnéaire qui s'est ouverte au tourisme pendant les Années folles, Antibes a le charme des cités à qui tout réussit. Un site superbe entre deux anses, un port de plaisance très célèbre, une vieille ville aux ruelles tortueuses, tout séduit dans l'ancienne Antipolis des Grecs. Son charme a inspiré le génie de Picasso. Voisine, Juan-les-Pins vit au rythme du jazz et de la musique.

Au port Vauban

Les plus beaux navires du monde y font escale. En arrière-plan, on remarquera le Fort carré qui dresse en étoile ses bastions du XVIe s. autour de la tour Saint-Laurent. Le port possède un des plus grands bassins de plaisance d'Europe. **Avis aux amateurs de yachts de luxe** : à Antibes, ils se laissent facilement admirer.

L'église de l'Immaculée-Conception

C'est en fait l'ancienne cathédrale d'Antibes, dotée d'une tour carrée qui lui sert de clocher. À l'entrée des sanctuaires, ses vantaux de bois

Le port d'Antibes avec, au fond, les bastions du Fort Carré.

sculpté datent de 1710. Dans une petite chapelle, à droite, un beau retable peint de la Madone du Rosaire est attribué à Louis Bréa.

Picasso chez les Grimaldi
Pl. Mariéjol

☎ 04 92 90 54 20.
Ouv. t. l. j. sf lun. et j. fér., 10 h-18 h; hors saison, 10 h-12 h et 14 h-18 h.
Accès payant.

Sur l'acropole primitive d'Antibes, le château des Grimaldi servit d'atelier à Picasso en 1946. Le peintre, en vacances à Juan-les-Pins, recherchait de grandes surfaces et le conservateur du musée de l'époque lui offrit ce **bel espace ouvrant sur la mer.** Picasso a fait don à la ville de la majorité de ses œuvres réalisées ici, dont la très belle Suite d'Antipolis. Peintures, dessins et céramiques de ce génie prolifique côtoient des toiles de Nicolas de Staël et flirtent avec des sculptures de Miró, d'Arman et de César.

Le marché de la place Masséna

C'est l'un des plus charmants de la région. Tous les jours (sf lundi) de 6 h à 12 h, les marchands proposent fruits, légumes, fleurs et de merveilleux fromages de chèvre aux olives. Le jeudi, tout le vieil Antibes est envahi par un marché à la brocante.

Des poupées pour les amoureux
Musée Peynet, pl. Nationale

☎ 04 92 90 54 30.
Ouv. t. l. j. sf lun., 10 h-12 h et 14 h-18 h.
Accès payant.

Assis sur un banc dans le square de Valence, le dessinateur Raymond Peynet esquisse un soir un kiosque et deux personnages : un musicien aux cheveux longs et une jolie spectatrice. Les « Amoureux de Peynet » sont nés, et on peut les admirer à travers les 300 dessins que Peynet légua à Antibes. On peut voir aussi quelques exemplaires de ses fameuses poupées qui firent rêver les petites filles.

Juan-les-Pins, c'est jazzement bien★★

Le lieu a vu se succéder le swing des Années folles et le be-bop de l'après-guerre avant de se transformer, à partir de

1960, en capitale du jazz. Depuis cette date, la deuxième quinzaine d'août, son festival accueille les grands noms de cette musique : Armstrong, Miles Davis, Coltrane… Au fil des ans, de nouvelles vedettes et de nouveaux rythmes s'emparent de la pinède de Gould : Al Jarrau, George Benson, Stan Getz (Office de tourisme, ☎ 04 92 90 53 05. Places à partir de 160 F).

Le cap d'Antibes : un bord de mer très sélect

Prolongement d'Antibes et de Juan-les-Pins, ce cap étroit est celui des milliardaires. Tout au bout, dans un décor où domine le pin d'Alep, les hôtels et les villas somptueuses se côtoient dans un tête-à-tête paradisiaque avec la mer... Pour les apercevoir, il faut prendre la mer, mais le tour de l'île à pied constitue déjà une balade enchanteresse. Surtout en fin de journée.

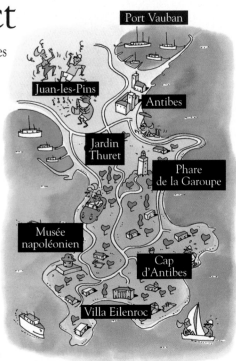

Port Vauban

Juan-les-Pins

Antibes

Jardin Thuret

Phare de la Garoupe

Musée napoléonien

Cap d'Antibes

Villa Eilenroc

Le phare de la Garoupe★★

Au sommet de la colline dont il a pris le nom, il embrasse les deux tiers de la Côte d'Azur, de Saint-Tropez à l'Italie ! Par temps dégagé, on le voit à près de 70 km alentour... À côté, la chapelle Notre-Dame-du-Bon-Port (XIIIe-XVIe s.) a accumulé une remarquable collection d'ex-voto marins (messe le dim.).

Le jardin Thuret★
62, bd du Cap
☎ 04 93 67 88 66.
Ouv. t. l. j. sf sam., dim. et j. fér., 8 h 30-18 h.
Accès gratuit.
Ce jardin botanique est le domaine des scientifiques : chercheurs et botanistes de l'INRA y scrutent plus de 3 000 espèces d'arbres et de plantes subtropicales, à l'affût de leurs capacités d'adaptation au climat méditerranéen.

Promenez-vous dans ces 4 ha exotiques, et repérez ceux qui se sont a priori bien adaptés (dont quelques centenaires).

Le Musée naval et napoléonien★
Bd Kennedy (à côté de l'Eden Roc)
☎ 04 93 61 45 32.
Ouv. t. l. j. sf sam. ap.-m. et dim., 9 h 30-12 h et 14 h 15-18 h. F. en oct.
Accès payant.
Quand la grandeur d'un site rejoint celle de l'Empereur... Dans une tour divinement placée (**vue superbe**) au milieu de jardins, de très belles maquettes de navires, des tableaux et des objets de marine, évoquent le monde

de la mer. Des souvenirs personnels de Napoléon rappellent son évasion de l'île d'Elbe en 1815. Inestimables collections, dont un buste célèbre sculpté par Canova.

Le sentier du littoral★

Pour frôler d'un peu plus près les villas de milliardaires… mais sans les voir ! À l'extrémité sud du cap, le sentier Tire-Poil, au bout des plages de la Garoupe, longe la côte et vous emmène, les pieds quasi dans l'eau, jusqu'au chemin des Douaniers : promenade magique. Attention : mettez de bonnes chaussures, surtout en hiver, et évitez la randonnée les jours de grosse mer.

La baie des milliardaires

En été, jusqu'à 6 départs par jour du ponton Courbet à Juan-les-Pins, ☎ 04 93 67 02 11. Renseignements à Antibes, ☎ 04 93 34 09 96.
Durée : 1 h.
Accès payant.

Vue directe sur des trésors, à bord du **Visiobulle** : dans le compartiment immergé, admirez les fonds marins du cap d'Antibes, sa faune colorée, ses herbiers de posidonies… Et, sur le pont, ne manquez pas le spectacle doré de la surface : les fameuses villas qui

abritent, dans la pinède, les milliardaires. À gauche, le mythique hôtel du Cap, où sont descendues les plus grandes stars : Marlene Dietrich, Douglas Fairbanks, Madonna…

Le jardin de la villa Eilenroc★★
Av. de Beaumont
☎ 04 93 67 74 33.
Visite mer., oct.-fin juin
9 h-17 h.

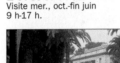

Propriété de la ville d'Antibes, ce jardin est ouvert au public. Imaginez-vous à la place du richissime Hollandais qui baptisa sa folie Eilenroc en utilisant dans le désordre les lettres qui composaient le

prénom de sa femme, Cornélie. Profitez de ces 11 ha plantés d'une extraordinaire variété d'essences avec, au bout, la mer qui scintille et, au milieu, une splendide villa construite en 1867 par Garnier (celui qui signa l'Opéra de Paris).

La vie de palace

Lieu de villégiature très prisé d'une aristocratie richissime ou d'une bourgeoisie arrivée, la Côte d'Azur a vu se dresser sur son rivage un cortège de palaces à l'architecture imposante. Entre Monte-Carlo et Hyères, ces hôtels de luxe aimés des grands de ce monde sont la gloire de la profession. Mais rien ne vous empêche de les visiter, le temps d'un thé ou d'un café. Attention pourtant, tenues

négligées s'abstenir à moins d'avoir des comptes en Suisse…

Grand-Hôtel du Cap-Ferrat
71, bd Général-de-Gaulle, 06230 Saint-Jean-Cap-Ferrat
☎ 04 93 76 50 50.
F. jan.-fév.
Grand comme un paquebot, ce palace «Belle Époque» se dresse au milieu d'un merveilleux jardin exotique, pour une clientèle que les baignades et la foule sur la plage laissent de marbre. C'est dans la piscine olympique alimentée en eau de mer que les enfants de Charlie Chaplin ont appris à nager : c'est vous dire comme c'est bien fréquenté. Un décor de rêve sur un des terrains les plus chers du monde. Chambre double de 900 à 6 500 F. Allez-y pour passer une journée à la piscine (eau de mer chauffée à 30 °C, été comme hiver !) : 280 F avec un matelas, un parasol, les vestiaires et 2 draps de bain par personne.

Le Carlton
58, bd La Croisette, Cannes
☎ 04 93 06 40 06.
Avec ses 338 chambres, ses restaurants avec terrasses, son club de caviar, son gigantesque hall tout en marbre, c'est la grande vedette hôtelière de Cannes. Au septième étage, un casino très chic accueille les riches clients ou ceux qui veulent se refaire un petit pécule pour régler leur addi-

tion. En pleine saison, la suite impériale revient à 45 000 F la nuit… et une chambre simple entre 1 290 F et 3 900 F…

L'Eden Roc
Bd Kennedy, cap d'Antibes
☎ 04 93 61 39 01.
Le cap d'Antibes est devenu très tôt une destination recherchée. L'Eden Roc n'est autre que l'ancienne villa du fondateur du *Figaro*, Hyppolite

PALACES MODE D'EMPLOI

Ceux de la Côte ont en commun leur architecture colossale, leur plan tout en longueur et leurs façades à travées répétitives. La Belle Époque reste inscrite dans leurs décors et leur architecture. Le promeneur en levant le nez s'enivrera des ornements sculptés qui agrémentent toutes les fenêtres, les balustrades, frontons et corniches. Les plus audacieux marchanderont sans hésiter le prix des chambres : c'est une pratique qui devient coutumière par temps de crise...

auberge dressée au milieu d'un parc d'oliviers et d'orangers est devenue au début du siècle un des joyaux de la vie de palace, sans rien perdre de son charme. Dans un décor Belle Époque agrémenté d'un délicieux jardin d'hiver, têtes couronnées ou grandes fortunes du monde entier se retrouvent ici comme chez elles. Chambre double de 1 600 à 2 300 F, selon la saison.

Le Negresco
37, promenade des Anglais, Nice
☎ 04 93 88 39 51.

Cet hôtel doit son nom au premier propriétaire, d'origine roumaine. Il arbore avec fierté sa façade colossale ornée d'une grosse tour sur la promenade des Anglais. Pas moyen de le manquer. Devant la porte, vous verrez même un chasseur en grande tenue... Dans le salon royal, accroché à la verrière signée Gustave Eiffel,

de Villemessant. Transformé en hôtel en 1870, ce palais de conte de fées a fait passer des nuits de rêve à bon nombre de personnalités d'hier et d'aujourd'hui : Chagall,

Hemingway, Chaplin, De Niro, Madonna ou Jack Lang. L'écrivain américain Fitzgerald y a même planté le décor de son roman *Tendre est la nuit*. Chambre double en saison de 2 500 à 3 000 F, en basse saison entre 2 050 et 2 600 F. Le petit déjeuner n'est pas donné non plus : 120 F.

L'Hermitage
Sq. Beaumarchais, Monte-Carlo
☎ 00 377 92 16 40 00.

Face à l'imposante silhouette de l'Hôtel de Paris, L'Hermitage offre l'opulence de son décor plus intimiste. Telle Cendrillon, l'ancienne petite

l'immense lustre en cristal de Baccarat fut commandé par le tsar de Russie Nicolas II. Chambre avec vue de 1 300 à 2 450 F. Le soir, allez quand même y boire une coupe de champagne (60 F) ou un cocktail (60-80 F) au bar Le Relais, où l'ambiance est assurée par un pianiste distingué...

Le Byblos
Av. Paul-Signac, Saint-Tropez
☎ 04 94 56 68 00.
F. mi-oct. à mi-avr.

Un des plus agréables hôtels de luxe de la Côte d'Azur, le Byblos est le chouchou du milieu du show biz. Conçu comme un vrai village, dans un style provençal et méditerranéen, il est situé au centre de Saint-Tropez. On aime s'y faire voir, même

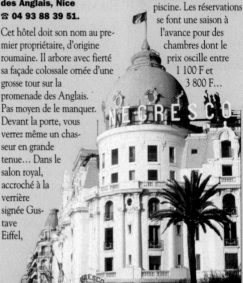

si ce n'est que le temps d'une consommation au bord de la piscine. Les réservations se font une saison à l'avance pour des chambres dont le prix oscille entre 1 100 F et 3 800 F...

Apt et Roussillon : la Provence haute en couleur

Entre Luberon et monts du Vaucluse, le pays d'Apt porte haut et fort les couleurs éclatantes du pays de l'ocre. Ancienne colonie romaine, la ville elle-même est un excellent point de départ pour vos excursions dans le Luberon ou

pour une découverte du Colorado provençal. Elle sait aussi varier les plaisirs : les gourmands y feront provision de fruits confits, les flâneurs y goûteront aux joies d'un des plus beaux marchés de la région.

La vieille ville★
De la place de la Bouquerie (marché le samedi matin) à la porte Saignon, vous découvrirez des hôtels particuliers des XVIe-XVIIe s., la tour des remparts et les vieux quartiers. La cathédrale Sainte-Anne (ouv. t. l. j., 10 h-12 h et 16 h-18 h) conserve, dans la chapelle royale, les reliques de la sainte qui lui a donné son nom

(visite des cryptes et du trésor). Non loin, le Musée archéologique (ouv. t. l. j. sf mar., 10 h-12 h et 14 h-17 h 30 ; hors-saison sf mar. et dim., 14 h-17 h, sam. 10 h-12 h et 14 h 30-17 h 30. Accès payant) abrite des collections datant de la préhistoire et de l'époque gallo-romaine. Le deuxième étage est consacré aux faïences régionales.

La maison du parc du Luberon★★
1, pl. Jean-Jaurès
☎ **04 90 04 42 00.**
Ouv. t. l. j. sf dim., 8 h 30-12 h et 13 h 30-18 h (19 h en été) ; en hiver f. sam. ap.-m.
Accès payant.

Amateurs de randonnées à pied ou en VTT, amoureux de la nature ou flâneurs indécis, rendez-vous tout de suite à la **maison du parc du Luberon**. Vous y trouverez une documentation sur les différents sentiers d'excursion, sur la faune et la flore de ce site protégé et mille et un

renseignements pour profiter au mieux de votre séjour. Au sous-sol, le **musée de Paléontologie** présente une petite histoire de l'évolution des espèces à travers une exposition de fossiles et de sculptures d'animaux primitifs.

La faïence d'Apt★

Il y a faïence et faïence. Celle d'Apt résulte d'une technique très particulière, dite des terres mêlées, qui crée des effets de marbrures dans la masse. La tradition se perpétue

aujourd'hui et vous pourrez découvrir un de ses représentants en la personne de Jean Faucon (**atelier Bernard**, 12, av. de la

Libération, ☎ 04 90 74 15 31. Ouv. 8 h-12 h et 14 h-18 h). Très attaché à la fabrication traditionnelle, cela ne l'empêche pourtant pas d'innover côté coloris. Le résultat est très beau.

Apt, capitale mondiale du fruit confit

La marquise de Sévigné comparait Apt à un vaste chaudron à confiture… Abritez-vous derrière le jugement de cette grande femme de lettre pour vous abandonner sans regret à la gourmandise : la

ville ne manque pas de confiseurs, comme par exemple la **confiserie Saint-Denis** (Gargas, ☎ 04 90 74 07 35), où vous trouverez des fruits glacés assortis (136 F le kg).

Roussillon★★

À 10 km d'Apt, Roussillon porte bien son titre de « Delphes rouge ». Bâti en couronne autour du sommet du mont Rouge, l'histoire de ce village est liée à celle de l'exploitation de l'ocre qui lui apporta sa couleur et sa renommée. Les teintes or et rouge qui parent les façades de ses maisons sont une belle invitation à la promenade dans les ruelles ombragées. Ne manquez pas la tour du Beffroi, qui enjambe l'une d'entre elles. Devant le castrum, **splendide panorama** sur le val des Fées, le Luberon et les monts du Vaucluse.

Le pays de l'ocre :
le Colorado en Provence

On n'en croit pas ses yeux : en pleine nature, dans le pays d'Apt, c'est une véritable palette de peintre qui s'offre aux regards ébahis. Du blanc au rouge le plus vif, du jaune au violet, toutes les nuances sont là. Dans les anciennes carrières d'ocre à ciel ouvert, les pioches et les machines ont laissé leurs vestiges, l'érosion a fait le reste, créant des reliefs extraordinaires : buttes, mamelons, falaises et cheminées de fées.

La légende de l'ocre

Dame Sermonde, épouse de Raimond d'Avignon, seigneur de Roussillon, aimait un troubadour. Jaloux, son mari conduisit son rival à la chasse et le poignarda. De retour au château, il fit cuisiner le cœur de l'amant et le servit à son épouse. Mais quand il lui avoua l'origine du plat qu'elle avait tant savouré, Sermonde se précipita de la falaise et aussitôt la terre se teinta de son sang.

L'origine de l'ocre

Curry, cannelle, carmin, vermillon ou terre de Sienne,

plus de 20 teintes composent une symphonie de couleurs dans une nature façonnée par l'homme et par la mer, qui occupa les lieux pendant 120 millions d'années. Sans les sables verts que cette dernière laissa en se retirant, sans le lessivage du déluge tropical qui suivit, il n'y aurait jamais eu de sable ocreux ni de pigments naturels dans ce coin de Provence.

L'exploitation

Déjà exploitée par les Romains, redécouverte à la Révolution, l'ocre prend son

essor à la fin du XVIIIe s. et connaît son apogée entre 1919 et 1940, quand fabricants de peintures, de papiers peints, de linoléums ou de textiles ne cessent d'y recourir pour leur commerce. Aujourd'hui, on est loin des 40 000 t produites à cet âge d'or. Son développement est devenu difficile depuis l'apparition des colorants chimiques. Très stable et beaucoup fois moins chère que ses substituts, l'ocre reste pourtant boudé malgré une remise en valeur de ce matériau. Une seule usine est encore en exploitation, la Société des ocres de France, qui en produit 2 000 t par an.

La fabrication

L'ocre est un mélange d'argile et de sables colorés par des oxydes de fer. La première opération consiste donc à séparer les sables (80 %) des oxydes. Le minerai est brassé puis soumis au lavage avant d'être décanté dans des bassins sous l'effet du soleil (à voir absolument au printemps). Mis à sécher pendant un mois, il est broyé jusqu'à obtention d'une poudre fine. C'est la cuisson à 550 °C dans un four qui permet de transformer l'ocre jaune en ocre rouge.

Le circuit des ocres
Au départ de Rustrel, 8 km d'Apt par D 22

Circuit du Sahara ou cirque de Bouvène, tracé blanc 1 h aller-retour ; circuit du Belvédère (cheminées des fées), tracé vert, 1 h aller-retour ; circuit du cirque des Barries, tracé du GR rouge et blanc, 1 h aller-retour. Accès payant.

Cette longue veine ocreuse baptisée en 1935 « Colorado provençal » par un enfant d'Apt vous offrira un grand choix de visites et des vues sauvages et colorées. N'oubliez pas qu'ici tout est friable et fragile ; la prudence reste donc de mise tout au long de votre promenade.

Fête de l'ocre

Chaque deuxième week-end d'août, les commerçants de Rustrel organisent les fêtes de l'ocre. Au programme, **marché provençal** et **visites des carrières d'ocre** (renseignements à la mairie de Rustrel, ☎ 04 90 04 91 09). Au passage, allez jeter un œil au vestibule de la mairie.

La vallée de l'Argens : de sources en villages

Surnommée aussi Provence verte, la vallée de l'Argens est parsemée de sources et de grottes. Les bâtisseurs d'abbayes et de monastères l'ont élue comme terre de prédilection, et les comtes de Provence ont eux aussi jeté leur dévolu sur cette région pour y établir leur résidence.

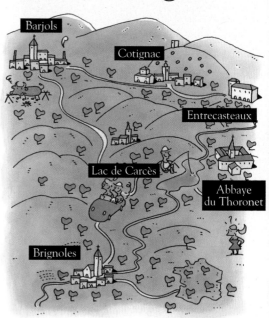

Barjols
Cotignac
Entrecasteaux
Lac de Carcès
Abbaye du Thoronet
Brignoles

Barjols et la fête des Tripettes

Regroupé autour d'une très belle collégiale, Barjols compte 25 fontaines et 16 lavoirs. Ses

anciennes tanneries ont fait au XIXe s. sa prospérité. Aujourd'hui, chaque deuxième week-end de janvier, le village célèbre saint Marcel, débarqué miraculeusement au Moyen Âge, en pleine famine, avec un bœuf. Tous les 4 ans, un bœuf est sacrifié et rôti d'une pièce pendant que les habitants exécutent la danse des Tripettes au son des tambourins et des galoubets.

Brignoles médiéval

Fief des comtes de Provence au Moyen Âge, Brignoles a étendu ses quartiers sur les bords du Caramy, qui coule dans la plaine. Le palais abrite le musée du Pays brignolais (☎ 04 94 69 45 18. Ouv. t. l. j., 10 h-12 h et 14 h 30-17 h ; en été 9 h-12 h et 14 h 30-18 h. Accès payant) : en plus du célèbre sarcophage de la Gayole (IIe s.), on peut y voir des peintures,

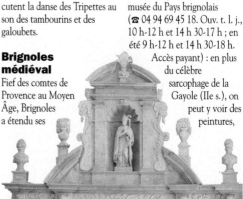

Façade de l'ancien palais des comtes de Provence

une collection d'artisanat régional, des monnaies anciennes ou des manuscrits de Napoléon Ier.

Un microcosme à la française
Mini-France, 6 km E. de Brignoles par N 7
☎ 04 94 69 26 00.
Ouv. t. l. j., 9 h 30-tombée de la nuit ; hors saison, 10 h-18 h.
Accès payant.

Visitez la France en miniature dans un parc de 2 ha… Océan, mers, fleuves, montagnes, mais aussi tour Eiffel, château de Chambord, Mont-Saint-Michel,

cité de Carcassonne… les répliques de nos « monuments » à échelle réduite feront le bonheur des petits.

Cotignac
Ce paisible bourg est bâti au pied d'une falaise de tuf de 80 m de hauteur, truffée de grottes. Pays de la gelée de coings, le village en a gardé la belle couleur dorée. Son cours Gambetta ombragé de platanes donne envie de s'arrêter ici pour toujours (marché le mardi).

Le château d'Entrecasteaux
20 km N.-E. de Brignoles par D 562
☎ 04 94 04 43 95.
Ouv. au public t. l. j. sf mer., 11 h-12 h 30 et 14 h 30-18 h. ; visite guidée dim. 15 h 30 (propriété privée).
Accès payant.

La forteresse du XIe s. a été remplacée par un château Renaissance qui ouvre ses fenêtres sur un élégant jardin

dessiné par Le Nôtre. Cette ancienne demeure du marquis de Grignan, époux de la fille de Madame de Sévigné, a appartenu ensuite à Bruny d'Entrecasteaux, grand marin parti à la recherche de La Pérouse.

L'abbaye du Thoronet
20 km N.-E. de Brignoles par D 79
☎ 04 94 60 43 90.
Ouv. t. l. j. sf j. fér., 9 h 30-12 h 30 et 14 h-17 h.
Visites guidées.
L'édifice est fascinant. Construite par des moines cisterciens entre 1160 et 1190, l'abbaye est un modèle de sobriété et de sérénité, au

milieu d'une nature âpre et sauvage. Seule concession au luxe, les très belles pierres dont est fait l'édifice sont taillées à la perfection et posées sans mortier. La lumière y compose une belle symphonie.

Au pays de l'eau
Dans la vallée de l'Argens, les plus sportifs pourront se dégourdir les jambes. Près de

Barjols, le **vallon Sourn** offre 5 km de gorges dominées par des rochers et des grottes propices à la varappe. Quelques kilomètres plus à l'est (D 45 puis D 562), le **lac de Carcès** fera le bonheur des pêcheurs : si la baignade est interdite, on peut toujours y trouver des écrevisses, des truites de rivière et… d'énormes moules.

Les jardins à la française du château d'Entrecasteaux.

Arles : la Provence à l'heure romaine

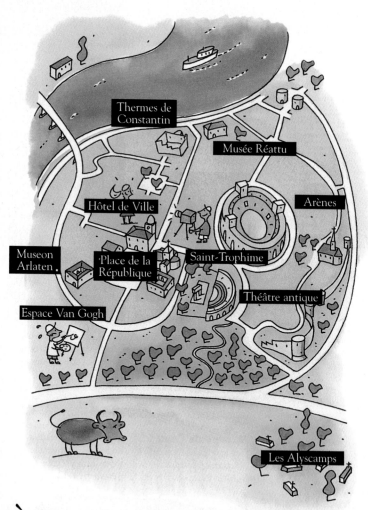

Thermes de Constantin

Musée Réattu

Hôtel de Ville

Arènes

Museon Arlaten

Place de la République

Saint-Trophime

Espace Van Gogh

Théâtre antique

Les Alyscamps

À la naissance du delta du Rhône, Arles peut se vanter d'être la commune la plus vaste de France (76 900 hab.). Mais surtout, elle peut être fière de son patrimoine architectural exceptionnel. Pourtant, Arles n'est pas tournée vers le passé : fêtes populaires, ferias ou rencontres culturelles, la ville ne s'est pas assoupie à l'ombre de ses pierres.

Amphithéâtre des arènes, avec ses deux niveaux d'arcades percées de 60 baies.

La petite Rome des Gaules★★

Colonie romaine fondée par Jules César en 46 av. J.-C., Arles offre des antiquités gallo-romaines parmi les plus remarquables de France. Creusées dans le roc, les **arènes** datent du Ier s. de notre ère. Plus tard, elles n'ont cessé d'être réaménagées : devenues poste militaire au Moyen Âge, elles sont alors coiffées de tours de guet avant d'être occupées par un quartier d'habitation. Restaurées à partir de 1846, elles sont de nouveau vouées au divertissement. Autres temps, autres mœurs, les arènes accueillent aujourd'hui des spectacles tau-rins et certaines fêtes traditionnelles. Quant au **théâtre antique**, datant lui aussi du Ier s., même s'il n'a gardé que deux colonnes de son mur de scène d'origine, il n'en est pas moins resté fidèle à sa vocation : ses gradins continuent d'accueillir les spectateurs, notamment pendant le festival d'Arles.

Rome encore et toujours

On retrouve encore la signature romaine dans les **cryptoportiques**, d'impressionnantes galeries souterraines destinées au soutènement du forum et qui dessinent la forme d'un U, ou dans les **thermes de Constantin** dont il ne reste que la grande salle de bains chauds et son abside, des fourneaux souterrains et des vestiges des salles tièdes.

Les Alyscamps★★

Les Champs-Élysées arlésiens formaient une immense nécropole qui bordait la ville au sud-est, le long de la voie Aurélienne. C'est une large allée ombragée, bordée de sarcophages et de monuments religieux et funéraires. Tout au bout se dresse l'église Saint-Honorat. La promenade a inspiré des artistes comme Dante, Rilke ou Saint-John

Perse. Van Gogh et Gauguin y ont souvent planté leur chevalet. Des itinéraires thématiques vous sont proposés (Antiquité, Moyen Âge, Renaissance et classique, Van Gogh) à travers cette vaste nécropole antique.

Le musée de l'Arles antique★
Presqu'île du Cirque romain
☎ 04 90 18 88 88.
Ouv. t. l. j. sf mar., 9 h-19 h; hors saison, 10 h-18 h.
Accès payant.

Antiquité quand tu nous tiens… Voici un musée qui présente de manière vivante et attractive les trésors archéologiques d'Arles :

Le théâtre antique d'Arles, qui pouvait accueillir près de 12 000 spectateurs, témoigne de l'importance de la ville au début de notre ère.

des sarcophages, des mosaïques gallo-romaines, des sculptures… dans un édifice moderne construit à proximité du site archéologique du cirque romain, où se disputaient les courses de chars.

Arles, métropole chrétienne★★

Grand centre religieux au Moyen Âge, Arles s'enorgueillit de deux joyaux de l'art roman provençal : le

Place de la République : la fontaine de Péru (XVIIe s.) et le très beau portail de Saint-Trophime.

portail et le cloître de l'église Saint-Trophime (XIIe s.). Le splendide portail, au très beau décor sculpté évoquant le jugement dernier, rappelle l'arc de Glanum, à Saint-Rémy-de-Provence. Il faut d'ailleurs préciser que l'art roman en Provence doit beaucoup aux antiques, dispersées sur son sol. Laissez-vous aussi séduire par l'ancien cloître jouxtant l'église (ouv. t. l. j., 9 h-12 h ; oct.-mars, 10 h-16 h 30. Accès payant). Dans une architecture dépouillée, vous pourrez découvrir de belles pièces sculptées.

La cité Renaissance★

Ouverte à toutes les influences, Arles possède quelques monuments Renaissance comme la tour de l'Horloge, l'hôtel de ville construit par Mansart (splendide voûte plate dans le vestibule) et de nombreux hôtels particuliers. C'est d'ailleurs dans un édifice du XIVe s. agrandi au XVIe s. que se tient le musée Réattu (10, rue du Grand-Prieuré, ☎ 04 90 49 37 58. Ouv. t. l. j., 9 h-12 h

30 et 14 h-19 h ; hors saison, 10 h-12 h 30 et 14 h-17 h 30. Accès payant), un des pôles de la vie culturelle de la ville. On peut y découvrir des œuvres provençales des XVIIe-XVIIIe s., la quasi-totalité de l'œuvre du peintre arlésien Jacques Réattu, mais aussi des pièces du XXe s., dont une suite de 57 dessins de Picasso. Sans oublier une section d'art photographique, festival oblige.

Sur les traces de Van Gogh★★

Vincent Van Gogh demeura 15 mois en Arles à partir de février 1888. Pendant son séjour, Van Gogh peindra plus de 300 toiles dont Le Pont de Langlois, La Maison jaune qu'il

FONDATION
VINCENT VAN GOGH
ARLES

Palais de Luppé
24, Rond-Point des Arènes 13200 Arles
Tél. 90.49.94.04 et 90.93.08.08 - Fax : 90.49.55.49

habitait, le portrait de son ami le facteur Joseph Roulin, La Nuit étoilée, L'Arlésienne, les cafés ou encore le jardin de l'Hôtel-Dieu, aménagé depuis 1989 en fondation Vincent-Van Gogh. Avec son ami Gauguin, le peintre rêvait de créer un atelier du Midi. C'est aujourd'hui chose faite grâce à la fondation Vincent-Van

MUSÉON ARLATEN

**29, rue de la République
☎ 04 90 96 08 23.
Ouv. t. l. j. 9 h-12 h et 14 h-17 h (en été 19 h), f. lun. sf juil.-août-sept.
Accès payant.**

Dans l'ancien palais de Laval-Castellane (XVIe s.), ce musée ethnographique créé par Frédéric Mistral en 1896 constitue un répertoire majeur des divers aspects de la vie traditionnelle en Provence. Herbier provençal, collections de costumes, de meubles et de poteries, évocations des coutumes et des légendes de la région, vieux métiers, histoire de la ville, il y en a pour tous les goûts. Sans oublier bien sûr une salle entièrement réservée à l'école littéraire occitane du Félibrige, fondée par Mistral.

Gogh (palais de Luppé, rond-point des Arènes, ☎ 04 90 49 94 04. Ouv. t. l. j., 10 h-19 h ; hors saison, 9 h 30-12 h et 14 h-17 h 30. Accès payant), où de nombreux artistes contemporains lui rendent un magnifique hommage. L'office de tourisme d'Arles (☎ 04 90 18 41 20) organise aussi des visites guidées « sur les traces de Van Gogh » de 2 h environ (15 juin-15 sept, nov., 1 fois par sem. Accès payant).

Le boulevard des Lices à l'heure de la fête

C'est le centre de la vie arlésienne. Bordé de terrasses de cafés à l'ombre des platanes, il accueille le traditionnel marché du samedi matin (l'autre marché d'Arles se tient le mercredi sur le boulevard Émile-Combes). Et quand Arles fait la fête, c'est là que se déroulent l'abrivado du lundi de Pâques, la pegoulade (retraite aux flambeaux en costumes traditionnels) le dernier vendredi de juin ou la fête du costume le premier dimanche de juillet. Gardians à cheval et Arlésiennes en costume traditionnel prennent alors possession des lieux.

Les Rencontres internationales de la photographie★★
10, rond-point des Arènes
☎ 04 90 96 76 06.

Créées en 1970, les Rencontres transforment Arles, chaque année en juillet et en août, en capitale de la photographie. De tous horizons et de toutes tendances, des artistes du monde entier s'y retrouvent. Nombreuses expositions. Depuis 1982, la ville accueille aussi l'École nationale de photographie.

Arles côté jardin★

En plein centre-ville, le jardin d'Été, aménagé par un botaniste ayant cherché à protéger nombre d'espèces méditérranéennes, est un lieu de repos qui dispense généreusement l'ombre de ses grands arbres aux marcheurs écrasés par la chaleur.

Les ferias et jeux taurins

Ne quittez pas Arles sans vous rendre aux arènes pour une course à la cocarde ou course camarguaise. La cocarde est ce petit ruban rouge placé entre les cornes du taureau que les razeteurs, habillés de blanc, tentent de lui retirer pour la beauté du geste et une modique prime. Ces

inoffensives courses (le taureau n'est pas mis à mort) font le bonheur des spectateurs, surtout quand l'animal, entraîné par sa course, franchit la talanquère. À voir absolument pendant votre séjour en Provence, ici ou dans un village des Alpilles, de Camargue ou de la Montagnette !

La Provence au temps d'Astérix

Les thermes romains de Nice.

Venus à Marseille en 125 av. J.-C. pour défendre leurs alliés grecs, les Romains ont pris goût au sud de la Gaule et ils y sont restés… Ils créent la *Provincia*, qui conservera le même nom jusqu'à nous, et jalonnent leur colonie de monuments et de cités que nos contemporains s'empressent aujourd'hui de fouiller. En sept siècles (l'Empire romain s'effondre en 476), ils ont durablement marqué la région : on pense bien sûr à l'architecture, mais il ne faut pas oublier que les Romains ont su aussi développer le négoce du vin et qu'ils y ont introduit pour l'éternité l'huile d'olive…

Au temps de la paix romaine

On peut dire que la *Pax romana* se déroula plutôt sereinement. Les Romains investissent les villes existantes et en fondent quelques-unes comme Orange

Le pont romain de Vaison-la-Romaine, franchissant la rivière de l'Ouvèze.

ou Aix. Ils imposent un peu partout leur modèle d'organisation sociale et urbaine et multiplient les réseaux de communication en créant des voies (Via Agrippa, Via Domitia, Via Julia Augusta, Via Aurelia) ou en aménageant des ports le long des fleuves (Rhône, Durance). L'agriculture et le commerce se développant, la « Province » devient prospère. Très vite, les cités s'agrandissent et se parent d'édifices publics et privés.

Les transformations de l'architecture

Exploitant les carrières locales, les pacifiques envahisseurs édi-

Les arènes d'Arles et leur double rangée d'arcades.

fient à tout va en blocs de calcaire. Une architecture qui doit beaucoup à la culture et au mode de vie romains : aqueducs et thermes (Vaison-la-Romaine), théâtres (Orange, Arles…), arcs de triomphe (site de Glanum près de Saint-Rémy-de-Provence, Orange…). Beaucoup d'édifices ont disparu, les générations postérieures ayant souvent réutilisé la pierre dans leurs constructions. Mais la romanité ne s'est pas pour autant éteinte : plusieurs siècles plus tard, l'art roman provençal se souvient magnifiquement des formes antiques.

Un certain art de vivre

Dans sa diversité, l'architecture des villes antiques témoigne d'un grand plaisir à vivre. Jeux et spectacles engendrent les grands ensembles que sont les cirques, les arènes et les théâtres. Les vestiges des maisons montrent un goût très prononcé pour l'ornementation : mosaïques, statues, peintures, marbres… Autres grandes vedettes de l'Antiquité romaine, les thermes ont fleuri en Provence. Lieux de passe-temps et de détente, ils sont l'expression d'un art de vivre raffiné et d'une maîtrise technique impressionnante.

La prépondérance arlésienne

C'est essentiellement dans la région d'Arles que le mélange gallo-romain a le mieux pris. Surnommée « la petite Rome des Gaules », la cité abonde en vestiges splendides : thermes de Constantin, théâtre, arènes, nécropole des Alyscamps… Car il ne faut pas oublier qu'Arles fut capitale régionale du IVe au Ve s. : les empereurs y résident à plusieurs reprises et y font battre monnaie. Non loin, Aix-en-Provence, première ville fondée par les Romains en 122 av. J.-C., deviendra plus tard le grand centre administratif de la Provincia.

SUR LES PAS DES ROMAINS

Il y a bien sûr les grandes richesses d'Arles et de sa région, mais aussi, dans le Vaucluse, les sites de Vaison-la-Romaine et de Carpentras, les grandes villes implantées sur la Via Agrippa comme Orange ou Avignon, ou encore Cavaillon et Apt, sur l'ancienne voie reliant l'Italie à l'Espagne. Dans les Alpes-Maritimes, l'imposant trophée des Alpes de La Turbie commémore les victoires d'Auguste. De même, Nice a conservé des vestiges de son ancienne splendeur romaine, quand la ville était une capitale administrative.

Le trophée d'Auguste, à La Turbie.

LES THERMES ROMAINS

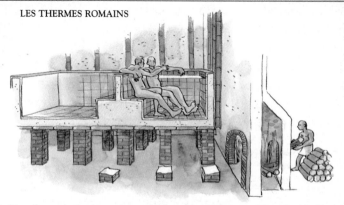

Traditionnellement, les thermes romains sont divisés en trois zones distinctes : le bain chaud (caldarium), le bain tiède (tepidarium) et le bain froid (frigidarium).
Le caldarium était chauffé par hypocauste, c'est-à-dire par un savant système où l'air chaud, alimenté par un feu, circulait dans le sous-sol par des galeries en briques réfractaires.

Avignon fait son festival

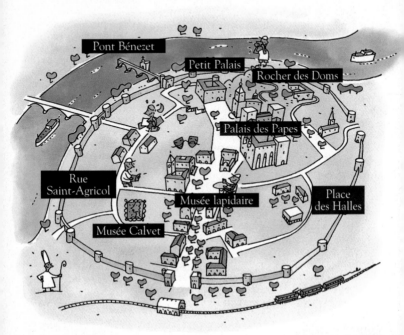

Pont Bénezet

Petit Palais

Rocher des Doms

Palais des Papes

Rue Saint-Agricol

Musée lapidaire

Place des Halles

Musée Calvet

Le palais des Papes, le pont légendaire et le festival : telle est l'affiche qui attire chaque année dans la cité des milliers de visiteurs, amateurs d'histoire et de culture, sous des cieux toujours cléments. La formidable mise en scène médiévale qui se joue à l'intérieur des remparts ne doit pas occulter la joyeuse animation des places, la beauté des hôtels particuliers et la grande richesse des musées. Entrez vous aussi dans la danse et laissez-vous séduire pour mieux embrasser la ville le temps d'une visite. Que le rideau se lève et que votre cœur s'emballe !

Avignon, ville sainte pour un siècle

La clé pour appréhender Avignon est assurément l'histoire. C'est le pape Clément V qui décide en 1309 de transférer la cour pontificale en France et de l'installer dans le Comtat Venaissin, terre pontificale depuis 1274. Il faut préciser que les papes ne pouvaient pratiquement plus gouverner à Rome, étant perpétuellement en proie aux luttes intestines que se livraient les grandes familles. Tout d'abord, Avignon accueille le pape très épisodiquement mais Jean XII, qui succède à Clément V, décide d'établir sa résidence dans les murs du palais épiscopal. Benoît XII concrétise, au grand dam des Italiens, le trône avignonnais en agrandissant le palais, et Clément VI, poursuivant

l'œuvre de son prédécesseur, achète la ville à la comtesse de Provence. Pour Avignon s'ouvre l'âge d'or.

Les remparts★

C'est le pape Innocent VI qui, au XIVe s., a fait ériger cette enceinte de 4,2 km. Il s'agissait de protéger la ville des crues du Rhône tout autant que des attaques des bandes armées qui

sévissaient alors. Pas moins de 39 tours et 7 portes subsistent, parvenues jusqu'à nous grâce aux travaux de restauration dus à l'infatigable architecte que fut Viollet-le-Duc.

Sur le pont d'Avignon★★

La chansonnette a fait le tour du monde. Mais du pont ainsi chanté il ne reste que 4 arches et la chapelle Saint-Nicolas, dédiée au patron des mariniers. Ce pont qui reliait la ville à la cité des cardinaux (aujourd'hui Villeneuve-lès-Avignon) n'a pas résisté aux assauts du Rhône. Selon la légende, il serait le fruit d'un miracle. Bénezet, petit pâtre du Vivarais, aurait reçu d'un ange l'ordre de bâtir un pont sur le fleuve. L'ange en posa la première pierre, Bénezet et ses disciples firent le reste, récoltant les aumônes nécessaires. Quant aux danses du pont d'Avignon, c'est plus précisément sur l'île de la Barthelasse qu'elles avaient lieu, sous les dernières arches du pont qui abritaient des guinguettes au bord de l'eau.

Le palais des Papes★★★
☎ 04 90 27 50 74.
Ouv. t. l. j. avril-sept., 9 h-19 h (21 h en juill., 20 h août à mi-sept.) ; nov.-mars, 9 h 30-17 h. Visites guidées. ***Accès payant.***

Depuis l'esplanade, admirez les superbes proportions de ce chef-d'œuvre dont l'initiative revient aux papes Benoît XII et Clément VI qui, en 1334 et en 1352, en commandèrent les 15 000 m2 de superficie. De nombreux artistes ont participé à la décoration de cette forteresse gothique qui fut durant un siècle le siège de la chrétienté. On pénètre dans la fameuse cour d'honneur, qui résonne l'été aux accents du festival, par la porte

Champaux. Le palais des Papes prête à imaginer ses illustres habitants évoluant dans cet espace historique : cérémonies religieuses, accueil des rois et des empereurs, déambulations feutrées des prélats, parade des gardes, allées et venues autour des tribunaux pontificaux, réceptions et banquets…

Le rochers des Doms★★

Dans le parc adossé au rempart nord du palais, vous découvrirez depuis le belvédère, au-delà du lac et des rocailles de ce jardin public à l'anglaise, une vue saisissante sur le Rhône et la plaine. Le fort Saint-André et la tour Philippe-le-Bel surveillent la vallée depuis Villeneuve-lès-Avignon. Si les arbres du parc n'y ont pas suffi, la nef de la cathédrale voisine vous offrira la fraîcheur de ses pierres et la grande beauté de son architecture romane. Maintes fois

remaniée au cours des siècles, elle laisse apparaître notamment des ajouts baroques.

Le musée du Petit Palais★★
Pl. du Palais-des-Papes
☎ 04 90 86 44 58.
Ouv. t. l. j. sf mar., sept.-juin, 9 h 30-12 h et 14 h-18 h ; juil.-août, 10 h 30-18 h.
Accès payant.

Boticelli, *Vierge à l'Enfant.*

L'ancienne résidence des évêques héberge la **collection Gian Pietro Campana**. Cet ancien directeur du mont-de-piété de Rome était un collectionneur insatiable qui confondit bien public et fortune personnelle et rassembla indûment plus de 15 000 objets et toiles. Condamné aux travaux forcés, ses biens furent achetés par Napoléon III, puis éparpillés dans plusieurs musées de province. Une partie des œuvres a été regroupée à Avignon après 1945. À côté de Botticelli et de Carpaccio, plus de 300 peintures italiennes de la collection Campana

sont donc visibles dans le musée du Petit Palais, au travers d'une vingtaine de salles qui retracent l'évolution de la création artistique provençale et italienne depuis le Moyen Âge jusqu'à la Renaissance.

Le musée Calvet★
65, rue Joseph-Vernet
☎ 04 90 86 33 84.
Ouv. t. l. j. sf mar. 10 h-13 h et 14 h-18 h.
Accès payant.

De très importantes restaurations sont en cours depuis 1986, mais le musée reste accessible au public. Les œuvres se cachent dans une élégante demeure aristocratique. L'éclectisme des pièces présentées ici défie toute classification, la période couverte allant de la préhistoire au XXe s. Pour l'instant, on peut découvrir des bustes et des peintures à partir du XVIIe s. (dans la galerie Vernet) et une salle d'art moderne. À terme vont être ouvertes une salle d'archéologie, une salle d'objets de ferronnerie, une salle consacrée à la préhistoire, une autre à l'ethnologie et une autre encore à l'Antiquité. L'ensemble achevé (avec jardin et cafétéria) devrait être le *must* culturel des prochaines années.

FRIAND
LES PAPALINES

En 1960 fut lancé un concours pour créer une spécialité locale qui serait à Avignon ce que sont les calissons à Aix-en-Provence ou les berlingots à Carpentras. C'est ainsi que Georges Poutet (15, rue des Trois-Faucons, ☎ 04 90 82 93 96), célèbre pâtissier-confiseur avignonnais, imagina les papalines, de délicieux petits chardons roses formés de deux couches chocolatées enrobant un cœur de liqueur à l'origan du Comtat (24 F les 100 g).

La fondation Angladon-Dubrujeaud★★
5, rue Laboureur

☎ 04 90 82 29 03.
Ouv. t. l. j. sf lun. et mar., 13 h-19 h ; hors saison, 13 h-18 h.
Accès payant.

Au cœur du vieil Avignon, dans l'intimité d'un hôtel particulier du XVIIIe s., voici exposés le mobilier, les objets et les œuvres d'artistes contemporains rassemblés par le couturier parisien Jacques Doucet : Manet, Cézanne, Daumier, Picasso, Degas, Sisley, Van Gogh, Modigliani… Ses

Modigliani, *La Blouse rose*.

héritiers ont voulu que cette superbe collection soit accessible au public après leur mort, alors n'hésitez pas.

Le Musée lapidaire★
27, rue de la République

☎ 04 90 85 75 38.
Ouv. t. l. j. sf mar., 10 h-13 h et 14 h-18 h.
Accès payant.

Contrairement à Arles, la présence romaine en Avignon a laissé des traces plutôt discrètes. Mais le musée Calvet lui a quand même consacré un lieu où est conservé le résultat des fouilles archéologiques locales. Inscriptions votives ou funéraires, fragments architecturaux, mobilier de tombes, objets de la vie quotidienne sont à voir dans l'ancienne chapelle du collège des jésuites, devenue provisoirement annexe archéologique du musée. A découvrir aussi des œuvres lapidaires d'Égypte, de la Grèce antique et de l'époque médiévale.

Les charmes secrets de la ville★★

Flânez à la recherche des très beaux hôtels baroques dont la ville est remplie. Certains bordent la place de l'Horloge, la place Pie et la place Crillon. D'autres se cachent dans la rue des Teinturiers (longée par la Sorgue), la rue Joseph-Vernet, la rue du Roy-René, la rue Peyrollerie, la rue du Vice-Légat ou encore la rue Banastrerie. Laissez-vous aussi conduire au gré de votre humeur pour découvrir les trésors cachés qui ne manquent jamais d'apparaître à ceux qui savent regarder. Avignon est une ville où il fait bon musarder le nez au vent.

La chartreuse du Val-de-Bénédiction★★
Rue de la République, Villeneuve-lès-Avignon

☎ 04 90 25 05 46.
Ouv. t. l. j., 9 h-19 h.
Cafétéria ouv. pendant le festival
Accès payant incluant, dans la mesure des places disponibles (réservation conseillée), les services d'un guide.

Ancienne demeure du cardinal Étienne Aubert, futur pape Innocent VI, elle illustre la puissance de la cour pontificale. Devenue monastère, la chartreuse offre quelques belles pièces (cloîtres, église, hôpital, prison, cellules). Elle accueille aussi expositions de peintures et concerts…

De Bandol à Sanary : vin rosé et villages perchés

DOMAINES BUNAN
Confit de vin
de Bandol

Domaines Bunan
83740 La Cadière d'Azur
Poids Net 220 g

L es petites routes s'élancent vers les collines ou vers les ports où, le matin, on attend le retour des pêcheurs. La mer généreuse offre ses fruits que l'on peut déguster en faisant claquer la langue sous le doux vin de Bandol. Artisanat et mets du cru, toute la richesse du pays de Provence s'offre à vous sur le tracé de la départementale 2.

Sanary-sur-Mer

Le ravissant petit port de pêche aligne les façades de ses maisons le long de quais ébouriffés de palmiers. Entre 1933 et 1942, cette jolie cité balnéaire devait accueillir plus de 500 opposants au régime nazi, dont de nombreux écrivains allemands. Aujourd'hui, la ville fait le bonheur des estivants. On y mange des oursins achetés le matin sur le port et sur les quais et, en octobre (1er w.-e.), s'y déroule une des plus jolies fêtes costumées de la région, avec un repas provençal ouvert à tous.

Le pacha du Var

Directeur des phares de l'Empire ottoman, cet ancien maire de Sanary (1819-1907), élevé à la dignité de pacha par le sultan, rentre au pays doté d'une grande fortune et d'un nouveau nom : Michel Pacha. Bien décidé à développer le tourisme dans sa ville natale, il prend les affaires en main et fait construire hôtels, commerces, casino et villas sur la corniche de Tamaris. L'expérience n'est pas très concluante mais il en reste aujourd'hui de drôles d'édifices d'inspiration orientale. Une brochure répertoriant ces constructions est disponible à l'office de tourisme de Sanary (☎ 04 94 74 01 04).

Le jardin exotique et zoo de Sanary-Bandol

**Quartier Pont-d'Aran,
à 3 km de Bandol**
☎ 04 94 29 40 38.
Ouv. t. l. j. sf dim. mat., 8 h-12 h et 14 h-18 h.
Accès payant.

Dans ce mini-paradis, d'énormes collections de cactées d'Amérique du Sud et d'Amérique centrale ont été réunies, ainsi que des

plantes tropicales venues des cinq continents. Dans le zoo des centaines

d'animaux exotiques cohabitent : ouistitis, saïmiris et gibbons, mais aussi coatis, makis, lamas, perroquets en tous genres ou flamants roses et perruches caquetantes et colorées...

Les gorges chaudes d'Ollioules

Dans l'arrière-pays, Ollioules est surtout connu pour sa source du Labus qui jaillit à 19 °C. Bordées de falaises déchiquetées, les grottes furent le théâtre, au XVIIe s., des exploits du bandit au grand cœur Gaspard de Besse.

Notre-Dame-de-Pépiole
4 km N.-E. de Sanary par la D 63

Voilà une drôle de petite chapelle du VIe s. qui ressemble un peu à un for-

tin. Meurtrières, porche massif, toits tout de travers, cette construction préromane est une jolie étape sur la route de Six-Fours-les-Plages. Les nefs voûtées en berceau communiquent entre elles et certaines pierres de l'intérieur offrent parfois des nuances bleues singulières.

L'île des Embiez
Embarcadère du Brusc
☎ 04 94 74 99 00.
Liaisons t. l. j., oct.-juin 7 h-20 h ; juil.-sept, 7 h-20 h 45.
Accès payant.

Une promenade détente sur une **jolie petite île** plantée de vignobles, propriété de la fondation Ricard. Le port, avec ses maisonnettes de couleur et ses statues à la mode antique, a une allure très kitsch. Au musée de la fondation océanographique Paul-Ricard (☎ 04 94 34 02 49. Ouv. t. l. j., 10 h-12 h 30 et 13 h 30-17 h sf mer. et sam. mat.), des animaux marins naturalisés font

bon ménage avec des fossiles et des coquillages. Dans les aquariums alimentés en eau de mer, vous pourrez admirer des spécimens de la faune et de la flore sous-marines de Méditerranée sans avoir à plonger le bout du nez dans l'eau.

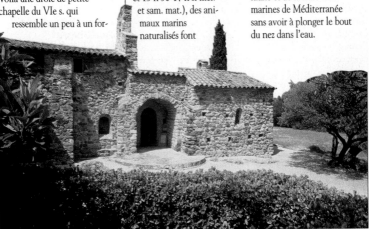

Barcelonnette et la vallée de l'Ubaye : la Provence a rendez-vous avec les Alpes

Dans les Alpes du Sud, la vallée de l'Ubaye est incroyablement vivante. Longtemps terrain de bataille des nombreux conflits entre les puissances européennes, ses habitants en ont gardé un tempérament très remuant : au siècle dernier, ils sont même partis faire fortune au Mexique. Ils se consacrent

aujourd'hui à la mise en valeur de leur formidable patrimoine naturel et historique. On ne s'ennuiera jamais dans cette superbe vallée de haute montagne.

L'abus d'alcool est dangereux pour la santé.

Barcelonnette

C'est la capitale de l'Ubaye. La tour Cardinalis, beau clocher du XIVe s., rappelle le couvent dominicain qui occupait le centre de la cité jusqu'à la Révolution (place Manuel). Quelques villas somptueuses évoquent l'incroyable émigration mexicaine des habitants de Barcelonnette au XIXe s., revenus enrichis au pays. Ce sont eux qui ont

Une villa de « Mexicains ».

construit l'église Saint-Pierre (1928), de style romano-provencal.

Les fortifications de l'Ubaye★★
16 à 22 km N.-E. de Barcelonnette par D 900

☎ 04 92 81 04 71 (office de tourisme de Barcelonnette). Ouv. pendant les vacances scolaires.
Accès payant. Visites-promenades, durée : 1 h 30 à 4 h.

Vallée frontière avec l'Italie, la haute Ubaye a conservé une panoplie impressionnante d'ouvrages militaires défensifs, érigés entre le XVIIe et le XXe s. Découvrez les principaux : la **forteresse de**

Tournoux, accrochée à la montagne, les **batteries de Roche-la-Croix**, qui ont servi pendant l'offensive italienne de juin 1940, et l'**ouvrage de Saint-Ours-Haut**, impressionnant système défensif souterrain... Une leçon d'histoire sur le terrain.

Les trois musées de la vallée★★
Ouv. t. l. j. en été ; hors saison, renseignez-vous.

Trois musées disséminés pour un portrait-puzzle des habitants de l'Ubaye. Quel était le dur quotidien des travaux de la terre au XIXe s. ? Rendez-vous à **Saint-Paul-sur-Ubaye** (grange de la maison Arnaud, ☎ 04 92 84 32 36). Pourquoi l'instruction publique a-t-elle permis à la vallée de se développer ? Courez à **Pontis** (mairie, ancienne école, ☎ 04 92 44 26 94)... Qu'allaient-ils donc faire au Mexique ? Réponse à **Barcelonnette** (La Sapinière, av. de la Libération, ☎ 04 92 81 27 15).

Shopping montagnard★
Découvrez les produits rares de l'Ubaye en une splendide balade. À La Bréole, visitez la **savonnerie de l'Ubaye**, aux senteurs montagnardes (☎ 04 92 85 54 73). À Serennes, faites le plein de jeux et de jouets en bois

fabriqués à l'**atelier de la Marmotte**. Vous y trouverez une marmotte porte-crayon à 50 F, ou encore un petit train en bois pour 145 F (☎ 04 92 84 35 01). À Barcelonnette, rue Grenette, découvrez les secrets de fabrication du genépi, la fameuse liqueur locale traditionnelle, dans l'**atelier de Marie-France Martin-Charpenel** (☎ 04 92 81 44 07) +6 118 F la bouteille de genépi par carton de 6 bouteilles. En été à partir de 16 h : explications sur le processus de fabrication et dégustation gratuite). Et tout le reste, achetez-le à la **Maison des produits de pays de Jausiers**, rte de Barcelonnette (☎ 04 92 84 63 88).

À la baille★★
AN Rafting, pont du Martinet, Méolans-Revel
☎ 04 92 85 54 90.
Ouv. mars-nov.

Dans l'Ubaye, tous les plaisirs de l'eau. Le **rafting**, où l'on franchit les rouleaux d'écume en criant pour couvrir le bruit de

l'eau... La nage en eau vive, avec palmes, combinaison et rochers à éviter... Ou le **hot-dog** : deux coups de pagaie à droite, un coup à gauche, et plouf... car le coéquipier n'a pas assuré ! De l'initiation de 1 h (160/200 F) aux parcours et journées complètes, vous finirez lessivé ! Encadrement par des professionnels.

Les Baux-de-Provence : le grand vaisseau de pierre

Au cœur de la Provence, sur le petit massif des Alpilles, le rocher des Baux se coiffe d'anciens remparts et d'une citadelle démantelée qui semblent rivaliser avec la falaise. Adossé aux ruines, le village des Baux-de-Provence arbore les pierres restaurées de ses façades Renaissance et ressemble à quelque décor de théâtre. Il a donné son nom à la bauxite, minerai découvert sur la commune en 1822.

La ville basse★★

La visite se fait à pied, de préférence le matin car très vite le soleil assomme. Depuis la porte Mage, arpentez les ruelles pentues, bordées de demeures chargées d'histoire et très bien restaurées. Une halte dans l'ancien hôtel de ville vous permettra de découvrir le musée des Santons. En vous dirigeant vers la place Saint-Vincent, vous passez devant la chapelle des Pénitents-Blancs : les peintures sur les murs sont

signées Yves Brayer. On peut d'ailleurs voir une rétrospective des œuvres de ce peintre au musée qui porte son nom, dans l'ancien hôtel des Porcellets.

À l'azar Bautézar★

Au sommet de l'éperon rocheux se dresse la citadelle, vestige de la puissance des orgueilleux seigneurs des Baux, qui prétendaient descendre d'un des Rois mages, Balthazar. L'histoire de l'édifice est marquée par les guerres, les

luttes ou les révoltes. Louis XI fit démanteler la forteresse en guise de représaille contre cette ville rebelle, et, quelques siècles plus tard, une nouvelle révolte amena Richelieu à faire démolir les remparts et le château. Mais il est une chose qu'aucun roi ni cardinal ne pouvait détruire, c'est la force du panorama qui s'offre du haut du rocher que couronne le donjon. Elle récompense amplement l'ascension un peu difficile jusqu'au sommet.

La citadelle★★
☎ 04 90 54 55 56
Ouv. t. l. j., 9 h-20 h 45 ;
hors saison, 9 h-17h/18 h.
Accès payant.
De ce passé glorieux ne subsistent que les murailles de la chapelle, du château et de son imposant donjon. Des tours isolées en commandaient les abords : au sud la tour Sarrasine et celle des Bannes, au nord la tour Paravelle. Dans l'enceinte, des maisons du

XVIe s. rappellent que la ville comptait à cette époque quelque 6 000 habitants. L'hôtel de la tour de Brau abrite un musée qui évoque les grandes dates de l'histoire de la citadelle et du village. Au pied des vestiges du château, on pourra voir de fabuleuses machines de guerre (trébuchet à balancier, catapulte, bélier, piloris).

Le val d'Enfer et la Cathédrale d'images★
La route qui conduit au val d'Enfer (ancien repaire, selon la légende, de sorcières et de lutins) serpente dans un chaos rocheux et offre une très belle vue d'ensemble sur les Baux. C'est là qu'un minéralogiste du nom de Berthier

découvrit en 1821 la bauxite. Ces falaises déchiquetées percées de grottes et de carrières souterraines ont servi à Jean Cocteau de décor naturel pour son film *Le Testament d'Orphée*. Certaines carrières accueillent un spectacle audiovisuel original, la **Cathédrale d'images** (☎ 04 90 54 38 65. Ouv. t. l. j. 10 h-19 h ;

UN VIN EXCEPTIONNEL
Le terroir des Baux produit un vin qui bénéficie depuis 1995 de l'appellation d'origine contrôlée les baux-de-provence. Le sol est propice au développement de la vigne, le raisin bénéficie d'un microclimat favorable et l'encépagement s'est ouvert au cabernet-sauvignon et à la syrah : toutes ces conditions permettent aux 13 vignerons des Baux de produire un vin né de la rencontre du soleil et du mistral. Les blancs et les rosés se boivent jeunes, les rouges atteindront leur plénitude au bout de 5 à 6 ans. Un itinéraire fléché vous guidera à travers le vignoble.

hors saison, 10 h-11 h. Accès payant). Le spectateur y flâne à son gré. Des photos sont projetées du sol au plafond par 45 sources différentes sur les parois de pierre blanche formant un écran naturel de plus de 4 000 m2. Mais attention, les carrières sont fraîches !

Biot : art de la terre et art du verre

L e nom de ce petit village perché des Alpes-Maritimes se prononce « Biotte ». Abrité derrière la mondaine Baie des Anges, arrimé à son piton rocheux, il domine toute la vallée de la Brague. Célèbre pour son artisanat de céramique et de verre soufflé, il vous séduira comme il a séduit Fernand Léger.

Le centre historique

La porte des Tines et celle des Minagriers sont les seuls vestiges de l'enceinte du XVIe s., mémoires d'une époque agitée. Aujourd'hui,

la tranquille place des Arcades accueille l'église paroissiale d'origine romane. Des fresques ornaient autrefois ses murs mais un évêque très prude les fit effacer en 1699 car il les jugeait trop coquines. Ne manquez pas le retable du Rosaire, attribué à Louis Bréa.

Une forêt miniature

Musée Bonsaï Arboretum, 299, ch. du Val-de-Pôme

☎ **04 93 65 63 99.**
Ouv. t. l. j. sf mar., 10 h-12 h et 14 h-17 h 30 ; avr.-sept. 15 h-18 h 30.

Sur 3 000 m2 de terrain, la famille Okonek collectionne

près de **5 000 bonsaïs**. Ces pépiniéristes installés à Biot depuis 20 ans ont créé des arbres miniatures avec des essences d'oliviers, de grenadiers, d'abricotiers, de tilleuls, de saules ou d'eucalyptus. Seulement 20 % des arbres nains exposés ici proviennent de l'empire du Soleil levant. Vous trouverez des ormes de Chine à 230 F.

Le musée d'Histoire et de Céramiques biotoises
9, rue Saint-Sébastien
☎ 04 93 65 54 54.
Ouv. t. l. j. sf lun. et mar., 10 h-12 h et 14 h-18 h ; hors saison, 14 h-18 h.
Accès payant.

Dans l'ancienne chapelle des Pénitents, découvrez toute l'histoire de l'ancienne cité gallo-romaine, devenue plus tard commanderie des Templiers. Célébrité de la ville, la poterie y tient une place honorable grâce à la belle collection de jarres et de fontaines d'appartement en terre cuite vernissée. Reconstitution d'une cuisine du XIXe s. et très beaux

costumes anciens. Les vieilles familles du village ont offert l'essentiel des pièces exposées.

Fernand Léger, génie des lieux
Le peintre possédait une très jolie villa à proximité du bourg et venait travailler à Biot avec le céramiste Roland Brice. À sa mort, en 1955, sa veuve Nadia Léger y fit édifier un espace signé par l'architecte niçois Svetchine et qui rassemble près de 400 œuvres de l'artiste.

Le Musée national Fernand-Léger
Ch. du Val-de-Pome
☎ 04 92 91 50 30.
Ouv t. l. j. sf mar., 11 h-18 h ; hors saison, 10 h-12 h et 14 h-17 h 30 h.
Accès payant.

L'architecture d'une grande sobriété fait la part belle aux

œuvres. En fait, le musée a été conçu autour de deux pièces monumentales, la grande mosaïque-céramique (500 m2) qui orne la façade et le somptueux vitrail du hall, aux dimensions imposantes (50 m2). Ici, Léger se laisse découvrir aisément à travers des peintures qui vont de sa rupture avec l'impressionnisme jusqu'aux *Constructeurs* de 1950. Une partie du musée est aussi consacrée à des aspects moins connus de son travail : tapisseries, céramiques, sculptures, architectures… Un voyage en pays Léger qui ne laisse pas indifférent.

La verrerie de Biot
Après son installation en 1956, l'entreprise a attiré de nombreux artistes. Les artisans du verre perpétuent la tradition. On recense aujourd'hui 16 galeries qui proposent chacune des objets de styles et de prix différents.

Une tradition de potiers
Biot a été un grand centre de la céramique au Moyen Âge, avant de céder la place à Vallauris au XIXe s. Même si la verrerie a

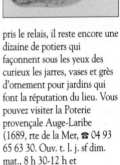
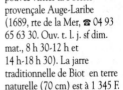
pris le relais, il reste encore une dizaine de potiers qui façonnent sous les yeux des curieux les jarres, vases et grès d'ornement pour jardins qui font la réputation du lieu. Vous pouvez visiter la Poterie provençale Auge-Laribe (1689, rte de la Mer, ☎ 04 93 65 63 30. Ouv. t. l. j. sf dim. mat., 8 h 30-12 h et 14 h-18 h 30). La jarre traditionnelle de Biot en terre naturelle (70 cm) est à 1 345 F.

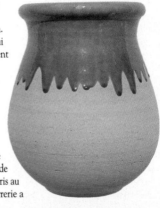

Les verriers de Biot : un art du bien-souffler

Longtemps réputé pour ses poteries et ses jarres destinées à la
conservation de l'huile de l'olive,
Biot a repris du ser-
vice – et retrouvé
une seconde vie – en
s'initiant à l'art du verre
à partir des années 50.
Gobelets, carafes ou hui-
liers sont désormais soufflés
à la bouche au lieu d'être
façonnés en terre. Le
résultat est impression-
nant.

Soufflé ou bullé ?

Dans les années 50, un
ingénieur céramiste de l'école
de Sèvres redécouvre les
secrets et les techniques du
verre soufflé. Aidé d'un ancien
verrier et d'un jeune souffleur,
il retrouve l'art et la manière
de faire du verre bullé. Ce qui
passait autrefois pour un défaut
d'affinage devient sous ses
mains un art véritable. En
1956, il fonde la Verrerie de
Biot. Après la disparition au
début du siècle de la dernière
verrerie provençale de La
Bocca, à Cannes, la région
renoue enfin à Biot avec un
artisanat qui lui tient à cœur.

Comment se fait le verre

La nature fournit la matière
première (le sable et le
calcaire), l'homme y ajoute son
grain de sel (silicates de
sodium, de potassium, de
calcium et de plomb) pour permettre la fusion du verre entre
1 400 et 1 500 °C. C'est en
saupoudrant du carbonate de
soude sur le verre en fusion
qu'on obtient le verre bullé :
le carbonate se consume en
formant ces jolies bulles.

L'art en trio

L'art du verrier se pratique en
équipe. Le gamin (ou apprenti)
« cueille » un peu de pâte
incandescente dans le four,
puis la roule sur une table de
fonte (le marbre). Une petite
ampoule rouge se forme alors
(la poste), qu'un assistant va
enrober d'une seconde
cueillette de verre avant de la
faire rouler dans un outil en

LES MAILLOCHES

*Les mailloches servent à
façonner la boule incandescente avant l'intervention
du maître-verrier.*

L'ÉLABORATION DU VERRE SOUFFLÉ

La pâte de verre est cueillie puis soufflée délicatement. L'assistant lui donne ensuite sa forme, en la faisant rouler dans une mailloche avant de la façonner avec des pinces. Les préliminaires sont achevés, le maître peut maintenant avoir le souffle de la fin…

bois humide (la mailloche) et de la façonner avec des pinces. De temps en temps, l'aide souffle pour gonfler le vase mais c'est au maître verrier que revient le mot de la fin : d'un tour de main expert accompagné d'un souffle non moins précis, il achève la pièce avec ce quelque chose d'indéfinissable qui fait toute la différence.

Le cœur de la verrerie

Le four fonctionne sans interruption pendant 8 à 10 ans. Fabriqué en briques réfractaires, il est maintenant alimenté au gaz. Pour atteindre la température de 1 400 °C, on injecte de l'air à la sortie des brûleurs. Les colorations du verre sont obtenues en ajoutant au verre en fusion des oxydes métalliques : cobalt pour le bleu, chrome et cuivre pour le vert, charbon en poudre pour le jaune… Un cocktail chimique qui donne des résultats magnifiques.

Un artisanat qui se visite

La Verrerie de Biot accueille chaque année des milliers de curieux attirés par le spectacle du verre et du feu. Dans le grand atelier, 80 personnes s'affairent autour des fours et façonnent carafes ou photophores, mais si vous souhaitez retrouver les outils millénaires qui président à la fabrication du verre, allez les admirer à l'écomusée du Verre, dans l'enceinte de la Verrerie. Ciseaux, mailloches, pontils ou pinces sont les ancêtres de ceux utilisés aujourd'hui par les verriers pour créer des pièces uniques.

UNE MARQUE DÉPOSÉE

La Verrerie de Biot, ch. des Combes ☎ 04 93 65 03 00. Ouv. lun.-sam., 9 h-20 (jusqu'à 18 h 30 h hors saison) ; dim. et j. fér., 10 h 30-13 h et 15 h-18 h 30. Accès gratuit.

Si les petites rues du village regorgent d'ateliers et de galeries de verre, seule la Verrerie de Biot est en droit de porter ce nom. Car c'est une marque déposée depuis 1961. Les objets réalisés par les autres verreries de Biot n'ont pas droit au label « verre de Biot » et ne peuvent être fabriqués et commercialisés que sous leur propre marque. Ouvrez l'œil et faites attention donc aux contrefaçons et aux imitations illicites.

Au marché du verre

La Verrerie de Biot souffle et façonne à la main plus de 500 000 pièces chaque année, mais la pièce la plus typique reste le « porron », carafe traditionnelle au long bec conique conçu pour boire à la régalade.

Dans la boutique, il y en a pour tous les goûts et pour toutes les bourses : gobelet moyen (69 F) ou verre à pied (109 F), pichet ventru (239 F) ou porron (332 F), sans oublier les très beaux photophores (379 F en 24 cm) ou l'huilier-vinaigrier (235 F), typiquement provençal.

Bormes-les-Mimosas et Le Lavandou : parfums du Midi

À l'ombre du massif des Maures, mimosas et sable fin font bon ménage. Le jardin suspendu de Bormes-les-Mimosas et les douze plages du Lavandou se font face tandis que l'île de Port-Cros, joyau de la Méditerranée, orne le large. Hier, la bonne société raffolait de cet endroit tout de jaune vêtu. Aujourd'hui, le président de la République y prend à son tour ses vacances d'été.

Bormes-les-Mimosas★★

Un véritable petit paradis fleuri. Accroché au flanc d'un versant abrupt, ce joli village du XIIe s. domine la mer et offre ses ruelles et sa luminosité à la promenade. Ne ratez pas le panorama, juste devant la chapelle Saint-François, et le **marché provençal** du mercredi matin. En bas, 17 km de plages ouvertes à la baignade entourent le cap Brénat. Le **fort de Brégançon**, à l'écart, accueille aux beaux jours le président de la République (pas de visites).

Les plages du Lavandou

La branchée, la souriante, la charmeuse, la fleurie, la mystérieuse… Les douze plages de sable du Lavandou s'étendent sur plus de 12 km. Vastes ou retranchées dans de petites criques, il y en a pour tous les goûts : de la vaste et familiale plage centrale du Lavandou à la plus discrète, celle du Layet, réservée aux naturistes. Pour une vision globale, le **Petit**

Train des plages en fait le tour chaque été (départs t. l. j., juin-sept., du port ou de Pramousquier, ☎ 04 94 12 55 12).

Le domaine de l'Angueiroun★
1077, chemin de l'Angueiroun, 5 km O. du Lavandou par D 559
☎ **04 94 71 11 39.**
Ouv. t. l. j., 8 h-12 h et 14 h-18 h. D'avr. à oct., jusqu'à 19 h

Au cœur du vignoble des côtes-de-provence, un mas traditionnel surplombe la mer dans un cadre exceptionnel de pins, de chênes-lièges, d'oliviers et de bruyères. Visitez les caves de ce domaine et goûtez aux spécialités maison : le blanc, plusieurs fois primé, et le rosé… Et levez votre verre aux tortues qui survivent encore en liberté dans les collines avoisinantes. Il vous en coûtera entre 30 et 35 F la bouteille (400 et 420 F le carton de 12).

L'abus d'alcool est dangereux pour la santé.

Sur un grand voilier★
Port du Lavandou
☎ **04 94 71 69 89** ou ☎ **06 09 37 30 62.**
Départ t. l. j. à 10 h. en été (réserver la veille).
Accès payant.

Passez la journée à bord du *Hoëdic*, un grand voilier de tradition. Le matin, l'embarquement se fait face à la capitainerie du nouveau port, et seule la musique du vent vous accompagne jusqu'aux palmiers de Port-Cros. Après la promenade, la baignade et une initiation sur place à la plongée en apnée, retour vers 18 h, toutes voiles dehors…

Les dessous de l'océan★
15, quai Gabriel-Péri et gare maritime (Seascope), Le Lavandou
☎ **04 94 71 01 02.**
T.l.j., 9 h-18 h (ttes les 40 min) si l'eau est claire (réserver).

35 minutes sous l'eau, les yeux écarquillés. À bord d'un trimaran, sillonnez les fonds marins où s'ébattent daurades, mulets, loups, sars et girelles… Spécialement équipée, la coque

centrale de ce vaisseau fend les flots au milieu des animaux marins et de la flore méditerranéenne, que vous pouvez contempler à loisir.

Le domaine du Rayol★★
Av. des Belges, Le Rayol-Canadel, 12 km E. du Lavandou
☎ **04 94 05 32 50.**
Ouv. t. l. j. sf lun, 9 h 30-12 h 30 et 16 h 30-20 h ; hors saison, 9 h 30-12 h 30 et 14 30-18 h 30 .
Accès payant.

Le domaine témoigne de ce que fut la vie fastueuse sur la corniche des Maures à la Belle

Époque. Récemment rénové, il abrite aujourd'hui un ensemble de jardins dont chacun se veut une évocation d'une région du monde de climat méditerranéen (Australie, Afrique du Sud, Chili, Californie…). En été, au-delà de la découverte des jardins, vous pouvez vous immerger dans la baie du Figuier pour découvrir la faune et la flore marines. (Inscriptions à l'avance. Matériel de plongée fourni.)

Cagnes-sur-Mer et l'estuaire du Var :
une Côte d'Azur de cartes postales

On y dispute chaque année le championnat de boules... carrées, pour qu'elles ne dévalent pas les pentes abruptes de cet ancien village de pêcheur. Adoptée par Auguste Renoir et de nombreux artistes, Cagnes-sur-Mer est désormais une station balnéaire très fréquentée. De la superbe cité médiévale (Hauts-de-Cagnes) à la gigantesque Marina, complexe immobilier contesté, sa corniche contemple l'une des plus belles baies de la Côte d'Azur.

Château-musée★
Cagnes-sur-Mer, Hauts-de-Cagnes

☎ 04 93 20 85 57.
Ouv. t. l. j. sf mar., 1er mai-30 sept., 10 h 30-12 h 30 et 13 h 30-18 h; hors saison 10 h-12h et 14 h-17 h.
Accès payant.

La famille de Monaco aurait pu habiter ici. Propriété d'un précédent Rainier chassé à la Révolution, ce château féodal possède un joli patio Renaissance et 8 salles basses

du Moyen Âge. Au 1er étage, les salles du XVIIe s. accueillaient les réceptions du marquis de Grimaldi. Au sommet de la tour, vue magnifique sur Nice, la Baie des Anges... et les Alpes.

Les Hauts-de-Cagnes★
Accès par la montée de la Bourgade.

Aux pieds des remparts et du château, arpentez les rues

pittoresques du vieux bourg et ses maison à arcades (XVe-XVIIe s.). Entrez (par la tribune) dans l'église Saint-Pierre, dotée d'une étonnante double nef (gothique d'un côté, baroque de l'autre). Au fil des escaliers et passages voûtés, admirez la chapelle Notre-Dame-de-Protection (XVe s.) qui a inspiré le peintre Renoir (abside couverte de fresques).

Le parc de Vaugrenier.

Le musée Renoir★★

Chem. des Collettes, Cagnes-sur-Mer

☎ 04 93 20 61 07.
Ouv. mai-sept. t. l. j. sf mar., 10 h 30-12 h 30 et 13 h 30-18 h ; oct.-avr., 10 h-12 h et 14 h-17 h.
Accès payant.

LA MARINA-BAIE DES ANGES

Juste avant l'entrée de Cagnes, au sud, sur le front de mer. Intellectuellement, ça fonctionnait : bâtir, en bordure de plage, un immeuble d'habitation dont les formes ondulantes étaient censées s'intégrer dans le relief montagneux de l'arrière-plan... Mais à l'arrivée, ça grippe. Faites-vous une opinion sur l'objet du grand débat local : la Marina-Baie des Anges. Fallait-il la construire ? Cette immense barrière immobilière, les pieds dans l'eau, ne vous laissera sûrement pas indifférent.

Renoir aimait la lumière de ces lieux. Entrez dans sa maison, aujourd'hui transformée en musée. Dans le jardin, des oliviers millénaires entourent un terre-plein planté d'orangers et une terrasse couverte de rosiers. À l'image du maître, profitez ici du supplément d'inspiration que représentaient pour lui les couleurs et les odeurs... Vue exceptionnelle sur le vieux Cagnes.

Le musée de l'Art culinaire (fondation Auguste-Escoffier)
Villeneuve-Loubet

☎ 04 93 20.80.51.
Ouv. t. l. j. sf lun., 14 h-18 h ; jusqu'à 19 h en été. F. en nov.
Accès payant.

Ici a vécu l'inventeur de la pêche Melba... Dans sa maison natale, Auguste Escoffier a laissé la trace d'un savoir-faire célébrissime qui lui a permis

d'exporter au début du siècle la cuisine française dans le monde entier. Feuilletez ses livres de cuisine, visitez sa cave, son potager provençal et admirez l'incroyable collection de 1 500 menus qui côtoient d'invraisemblables pièces montées en sucre (mais pas de Cannes...).

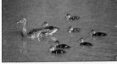

Le parc de Vaugrenier★
Av. du Logis-de-Bonneau, Villeneuve-Loubet, accès par N 7 en partant de Cagnes, sud de la gare.

Sur 21 ha de prairies et 72 ha de bois, plan d'eau douce et flore protégée ornent ce joli parc où s'ébattent canards, aigrettes, hérissons et renards. Les Romains ne s'y étaient pas trompés, qui s'étaient installés dans ce havre il y a 2 700 ans (allez voir les vestiges). 11 km de promenades balisées.

La Camargue, fille de la mer et du fleuve

À l'embouchure du Rhône, la Camargue était dans l'Antiquité une île consacrée au dieu égyptien Râ, père du soleil. Vaste plaine alluviale de 1 400 km2, elle forme un triangle qui a pour sommet Arles et pour base le littoral depuis le golfe de Fos jusqu'à Aigues-Mortes. Il convient toutefois de distinguer la Grande Camargue, couvrant 750 km2 entre les deux bras du Rhône, la Petite Camargue, à l'ouest du petit Rhône, et le plan de Bourg, à l'est du grand Rhône.

Un delta maîtrisé

L'influence conjuguée des eaux douces du Rhône et des eaux salées a façonné un milieu contrasté que les hommes ont cherché à fixer. À la fin du

XIXe s., pour se protéger des crues dévastatrices du Rhône, on construisit la Digue à la Mer, entre les embouchures du grand et du petit Rhône. La Camargue devient alors un vaste champ clos. Pour lutter contre la salinité des sols et accroître la superficie agricole, il a fallu aussi installer un vaste réseau d'irrigation et de drainage (plus de 400 km de canaux, ou roubines, et de nombreuses stations de pompage). Si la Camargue ne peut pas nier avoir été apprivoisée par l'homme, elle reste pourtant une vaste étendue sauvage : les Saintes-Maries-de-la-Mer y sont la seule zone d'urbanisation importante.

Un paysage vert soyeux quadrillé de canaux

La Camargue est une terre fertile pour la culture du riz : le sol plat et riche en argile et limons, l'eau douce à volonté, le mistral et la lumière

favorisent son développement. Importée dans le delta afin de dessaler les terres, cette culture occupe aujourd'hui environ 13 500 ha sur les 22 000 mis en culture. Long, blanc ou rouge, ayant conservé sa pellicule de son, le riz camarguais est un délice à découvrir ou à redécouvrir en pilaf, en salade ou avec les viandes en sauce. Il a la particularité d'être pauvre en matières grasses et riche en iode.

Les crins blancs du delta du Rhône

Épris de liberté, rapide et maniable, le cheval camarguais ne peut être confondu avec aucun autre. Sa robe est grise, sa tête carrée, son encolure

courte et sa crinière fournie. Fidèle compagnon du gardian, il est aussi son allié indispensable pour surveiller les troupeaux dans les marais inaccessibles par la route. La légende le veut cadeau de Neptune, mais d'autres affirment qu'il descend du cheval des steppes d'Asie centrale. Quoi qu'il en soit, il est remarquablement adapté aux marécages, aux écarts de température et, surtout, il est insensible aux piqûres de moustiques. Ce qui n'est pas notre cas !

Le taureau de Camargue

Présent dans le delta depuis la haute Antiquité, le taureau de camargue a d'abord été utilisé comme bête de somme pour les travaux agricoles avant d'être exploité pour sa viande au goût racé et dénuée de matières grasses (elle fait d'ailleurs l'objet d'un label A. O. C. depuis peu). Mais le taureau de Camargue est aussi le héros des courses et des arènes : cette tradition ancienne est parvenue jusqu'à nous grâce aux valets de ferme qui, pour s'amuser le dimanche, employaient l'animal à toutes sortes de jeux. Son pelage noir, ses longues cornes fines en forme de lyre en font une bête aussi redoutée qu'admirée. Environ 15 000 taureaux répartis sur une centaine de manades (troupeaux) vivent ici en semi-liberté, trouvant dans la nature de quoi se nourrir.

LES MARAIS SALANTS

Le sel imprègne la terre camarguaise. Les salins de Giraud, les plus grands d'Europe, produisent environ 700 000 t de sel par an. Le principe est simple : l'eau de mer est pompée puis envoyée dans des lagunes de pré-concentration, où l'eau est de plus en plus salée. Elle finit par s'évaporer, laissant des « tables » prêtes pour la récolte mécanique d'un sel destiné à l'industrie chimique ou au déneigement. À la sortie de Salin-de-Giraud, un point de vue a été aménagé à côté d'une camelle (montagne de sel) : vue impressionnante et panneaux d'information très bien faits. On peut visiter les salins de Giraud toute l'année sauf en septembre et octobre, période de récolte du sel (renseignements et inscriptions à l'office du tourisme d'Arles, ☎ 04 90 18 41 20).

La Camargue : flamants, chevaux, taureaux…

Arles

Mas du Pont de Rousty

Grand Rhône

Étang de Vaccarès

Petit Rhône

Phare de la Gacholle

Salins de Giraud

Saintes-Maries-de-la-Mer

Phare de Beauduc

Entre les deux bras d'un fleuve impétueux, la Camargue demeure une terre d'exception, un pays du bout du monde. Paradis des oiseaux migrateurs, terre des taureaux et des chevaux, elle se découvre dans le respect de la nature et se parcourt au rythme lent des balades à pied, à cheval, à vélo ou en bateau.

Le Musée camarguais
Mas du Pont-de-Rousty (10 km d'Arles sur la route des Saintes-Maries-de-la-Mer)
☎ 04 90 97 10 82.
Ouv. t. l. j., juill.-août 9 h 15 à 18 h 45 ; oct.-mars 10 h 15-16 h 45 (f. mar.) ; avr.- juin 9 h 15-17 h 45.
Accès payant.

Dans une ancienne bergerie, voici une intéressante évocation de l'histoire de la Camargue depuis sa formation géologique jusqu'à nos jours, à travers les activités de ses habitants. La visite s'accompagne d'un parcours pédestre de 3,5 km qui permet de découvrir

successivement les cultures, les herbages et les marais qui composent le paysage camarguais.

Le parc régional de Camargue
Ses 86 000 ha. sont consacrés à la protection du milieu naturel et des espèces ; ce qui ne veut pas dire que ses visiteurs

doivent s'abstenir d'être vigilants… Au **centre de Ginès** (pont de Gau, ☎ 04 90 97 86 32. Ouv. t. l. j. sf ven., 9 h-18 h ; hors saison, 9 h 30-17 h), vous trouverez les informations pour organiser vos promenades, mais aussi une exposition sur les milieux protégés de la Camargue.

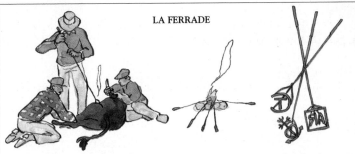

LA FERRADE

Ce terme désigne le marquage des bêtes. Le taureau est capturé et maintenu au sol tandis qu'un des gardians imprime au fer chaud sur son corps la marque du troupeau.

Des flamants à gogo
Accès payant

Le **parc ornithologique** du **Pont-de-Gau** (☎ 04 90 97 82 62. Ouv. t. l. j. de 9 h [10h en hiver] au coucher du soleil) est le paradis des oiseaux. Dans cette véritable vitrine vivante, on peut découvrir, en volière ou en liberté, plus de 350 espèces dont des aigrettes, des hérons, des canards et, surtout, des flamants roses. N'oubliez pas les jumelles.

Côté plages

Bordée de 60 km de sable fin, la Camargue est aussi le paradis des amoureux du soleil et des naturistes. Au sud de Salin-de-Giraud, la **plage de Piémançon** (25 km) est la seule surveillée pendant l'été. Mais vous pouvez aussi choisir **Beauduc** (à l'ouest de Piémançon) ou, plus loin, **Pertuis-de-la-Comtesse**, près du phare de la Gacholle (plage naturiste).

Bateaux rois au pays des canaux

Au départ du port des Saintes, pourquoi ne pas vous offrir une petite croisière à l'intérieur du delta ? Deux bateaux vous embarqueront : **Le Camargue** (☎ 04 90 97 84 72, Pâques à mi-nov., promenades de 1 h 30) et **Les Quatre Maries** (☎ 04 90 97 70 10). À l'ouest des Saintes par la D 38, à l'embouchure du petit Rhône, **Le Tiki III** (☎ 04 90 97 81 68) vous invite à remonter le temps à son bord, grâce à ses roues à aubes. Enfin, les **Barques de Camargue** (☎ 04 90 97 55 52, mars-oct., sur réservation pour la journée, 280 F repas inclus), à l'embouchure du petit Rhône, peuvent vous conduire à la plage du **Grand-Radeau**, inaccessible par la route.

La Camargue à cheval

La promenade à cheval est le moyen rêvé pour accéder aux coins les plus reculés de cette terre sauvage et pour en découvrir la faune.

L'**Association camarguaise du tourisme équestre** (☎ 04 90 97 86 32) pourra vous fournir la liste des loueurs de chevaux de la région.

La Camargue à vélo

Les 20 km de la route de la Digue à la Mer, construite au XIXe s. entre l'étang de Vaccarès et la Méditerranée depuis Les Saintes jusqu'à Salin-de-Giraud, est fermée aux voitures. Pour le plus grand bonheur des cyclotouristes, qui peuvent la parcourir en toute sérénité. **Locations de vélos** au mas Saint-Bertrand (Salin-de-

PRÉLUDES À LA COURSE

Participer aux moments importants de la vie d'un troupeau et de ses gardians, rien de plus facile. Le domaine Paul-Ricard (Méjanes, ☎ 04 90 97 10 10) vous propose d'assister à la capture, à la ferrade (marquage des bêtes au fer), mais aussi à une course à la cocarde. À voir absolument ! (Dim. et j. fér. des Rameaux à fin juin. Accès payant.)

Cannes :
la cité des étoiles

A ctive, élégante, de renommée mondiale, la ville qui attire les stars déploie ses fastes au fond d'une splendide baie… Palaces, Rolls et casinos animent sans entracte la célèbre Croisette. Mais, derrière cette scène brillante, le vieux Cannes, légèrement indifférent au film, s'accroche à la colline du Suquet, juste au-dessus du vieux port.

La Croisette★★

La promenade la plus cinégénique du monde. En 1 h, faites la revue des palaces (Majestic, Hilton, Carlton, Martinez…) en reliant le palais des Festivals (extrémité ouest) à la pointe de la Croisette (extrémité est). À votre gauche, 3 km de jardins en fleurs et de palmiers séculaires et, sur votre droite, la mer et

ses plages privées. Juste avant le Palm Beach, arrêtez-vous devant le port Pierre-Canto (roseraie splendide), où mouillent des yachts somptueux.

Le palais
des Festivals

Visites guidées (mer. hors saison) : voir à l'office de tourisme, à droite du grand escalier.
☎ 04 93 39 24 53.

Faites-vous photographier sur les 24 marches de la gloire… Le grand escalier des stars est libre d'accès et garde même son tapis rouge toute l'année. Amusez-vous à reconnaître, à ses pieds, les mains des vedettes dont les moulages

signés forment l'allée des Étoiles… À l'intérieur, le grand auditorium Lumière, le théâtre Debussy et les innombrables salons et salles de concert ou d'exposition ne se visitent qu'en hiver.

Ciné-Folies

14, rue des Frères-Pradignac
☎ 04 93 39 22 99.

Pour les mordus du cinéma, à 5 min du palais des Festivals, le septième art a trouvé son deuxième temple. Faites le plein de cassettes, photos, livres, objets, cartes postales et affiches de films du monde entier… Et emportez surtout celles du Festival, les vraies, que l'on trouve exclusivement ici. Demandez par exemple celles du cinquantenaire (1997), futures pièces de collection…

Le musée de la Castre★
Château
☎ 04 93 38 55 26.
Ouv. t. l. j. sf mar., juil-août 10 h-12 h et 15 h-19 h ; avr.-juin, 10 h-12 h et 14 h-18 h ; oct.-mars, 10 h-12 h et 14 h-17 h. F janv.
Accès payant.

Sur les hauteurs du quartier du Suquet, les communs de l'ancien château des moines de Lérins (XIIe s.) abritent des collections de riches donateurs, tous amateurs de voyages : archéologie, ethnographie, arts primitifs… Vous voilà transporté à leur suite sur les

cinq continents. Au milieu, plusieurs salles de peinture évoquent Cannes et la Provence, et le sommet de la tour carrée (22 m) offre une **belle vue** sur la Croisette.

Canolive★
16 et 20, rue Venizelos
☎ 04 93 39 08 19.
Une véritable caverne d'Ali Baba. Dans cette maison centenaire, la Provence est tout entière enfermée dans deux magasins contigus. À gauche, les produits artisanaux : vêtements proven-çaux, santons, poteries, étains, faïences de Moustiers, tissus d'art… (jupe provençale : 125 F ; santons habillés : 110 F). À droite, l'épicerie régionale : huile d'olive, miel

de haute Provence, herbes, vins, thon, sardines, savons, senteurs… (de 39 à 69 F la

bouteille d'huile d'olive de 1 l). Un sympathique souk dans cette cité si bien rangée.

En mer★
Faites comme les Cannois : un tour « sur les îles » comme ils disent… Les deux îles de Lérins, à 4 km au large et à 20 min en bateau, font partie intégrante de la commune (Vieux-Port, embarcadère des Îles, ☎ 04 93 39 11 82. Aller-retour : 60 F). Ou bien faites votre **baptême de plongée** (dès 8 ans !) ou partez explorer, seul

ou en groupe, les fonds marins remplis d'épaves… (**Nature et plongée**, 70, bd Eugène-Gazagnaire ; ☎ 04 93 94 29 00.

180 F le baptême ; 190 F la plongée en individuel avec équipement. Départs du port de Moré-Rouge à 9 h et 14 h toute l'année).

SHOPPING ET MARCHÉS
Au marché Forville, rue Louis-Blanc, les pêcheurs vendent eux-mêmes le produit de leur sortie en mer, tous les matins de 7 h à 13 h (sf lun.). Allée de la Liberté, même chose pour les fleuristes. Rue Meynadier, piétonne et haute en couleur, les commerçants mêlent leur accent pittoresque au flot cosmopolite des touristes. Plus loin, la très élégante rue d'Antibes, parallèle à la Croisette, déborde d'antiquaires, de joailliers, de boutiques de haute couture et de galeries d'art. Les palaces sont juste à côté.

La Côte d'Azur fait son cinéma

Cogolin a son musée consacré à Raimu, Nice héberge les fameux studios de la Victorine et, un peu partout sur la Côte d'Azur, des villes ont servi de décors aux plus grands cinéastes : Jean-Luc Godard a tourné *Pierrot le fou* à Porquerolles, François Truffaut a planté sa caméra dans les rues de Hyères pour son très pétillant *Vivement dimanche*. Aucun doute, depuis que les frères Lumière ont filmé *L'Entrée d'un train en gare de La Ciotat*, depuis que le Festival international du film a installé ses pénates à Cannes en 1946, le Midi adore faire son cinéma.

Truffaut et Godard à Hyères

Sur un des murs de la cité administrative, place Théodore-Lefèvre, une fresque d'Ernest Pignon-Ernest représente la dernière scène de *Pierrot le fou*, tourné à l'Ayguade et à Porquerolles. Belmondo arpente la garrigue tandis qu'Anna Karina répète inlassablement : « Qu'est-ce que j'peux faire, j'sais pas quoi faire ! » Dans les petites rues de Hyères voisines de l'église, Truffaut avait installé le maga-sin de photos de *Vivement dimanche* avec Fanny Ardant et Jean-Louis Trintignant.

Sur les traces de Raimu

À Bandol, Ker Mocotte, l'ancienne maison de l'acteur préféré de Marcel Pagnol, a été transformée en hôtel. On peut la visiter ou, mieux, y séjourner le temps d'une halte (hôtel Ker Mocotte, 103, rue Raimu, Bandol, ☎ 04 94 29 46 53. Chambres de 290 à 890 F, restaurant avec vue panoramique, menus de 130 à 190 F). Mais c'est surtout Cogolin qui célèbre Raimu, à travers le musée que sa fille et sa petite-fille lui ont dédié (18, av. Georges-Clemenceau, ☎ 04 94 54 18 00. Ouv. 10 h-12 h et 15 h-18 h ; f. dim. mat.).

SUR LES TRACES DES STARS

Les Américains ont souvent déserté leurs studios d'Hollywood pour planter leurs caméras sur la Beach Riviera. L'occasion de véritables émeutes. Les midinettes n'oublieront jamais l'arrivée de Sean Connery sur la Croisette, l'année où il tourna *Jamais plus jamais*... Plus près de nous, savez-vous que c'est dans l'arrière-pays niçois que Michael Douglas et Kathleen Turner se lançaient follement *À la poursuite du diamant vert* ? Tout l'art du cinéma est dans cette jolie supercherie...

Silence, on tourne

Sur les hauteurs de Nice, face à l'aéroport, les studios de la Victorine (ne se visitent pas) ont été créés en 1919. Les grands classiques du cinéma y ont vu le jour : *Catherine ou une vie sans joie* d'Albert

Dieudonné sur un scénario de Jean Renoir, *Les Visiteurs du soir* de Marcel Carné, les joyeuses fantaisies de *Mon oncle* par Jacques Tati, *Fanfan la Tulipe* et *Till l'Espiègle* incarnés par Gérard Philipe ou encore la triste destinée de *Lola Montes* par Max Ophuls. Revendus en 1992, les studios accueillent aujourd'hui des entreprises cinématographiques d'un genre nouveau : Michael Jackson les a inaugurés en y tournant un de ses clips.

Cannes à l'heure du festival

Le septième art, qui s'éclairait sous le soleil du Midi, s'est offert, un jour, un royal pied-de-nez au cinéma hollywoodien en faisant de la Côte d'Azur l'antichambre de la Californie. Le premier festival aurait dû être inauguré en septembre 1939 à Cannes, sur La Croisette, mais la guerre l'en empêcha. Ce n'est que le 20 septembre 1946 qu'il ouvre enfin ses portes pour une aventure promise au succès.

La compétition se déroule désormais au mois de mai dans le Palais, édifié en 1982 et rapidement baptisé « le bunker ». On y compte plus de 20 000 visiteurs par an. Une véritable industrie cinématographique.

La Provence de Marcel Pagnol

Le grand ami de Jean Giono a toujours rêvé de faire du cinéma pour donner de la chair à ses écrits. C'est en 1935 qu'il fonde sa société de production et installe ses studios à Marseille. Mais les tournages en extérieur auront toujours sa préférence : une façon de rendre hommage et de chanter sa Provence adorée. Avec

l'accent inoubliable de ses acteurs fétiches, Fernand Joseph Désiré Contandin dit Fernandel et l'inénarrable Jules Auguste César Muraire, plus connu sous le nom de Raimu.

Et Vadim choisit Saint-Tropez...

Certes, il est difficile d'imaginer Saint-Tropez sans Louis de Funès et sa brigade de gendarmes traquant le monokini sur les plages de Pampelonne ! Mais c'est quand même Brigitte Bardot qui, en 1956, a fait se tourner tous les regards de ce côté du golfe avec le scandaleux film de Roger Vadim, *Et Dieu créa la femme*. Son déhanchement sur le port de Saint-Tropez a fait le tour de la Terre...

46ᵉ FESTIVAL INTERNATIONAL DU FILM CANNES 1993 • 13 AU 24 MAI

Carpentras :
capitale
du berlingot

Au cœur d'un amphithéâtre bordé à l'est par le Ventoux et les monts du Vaucluse, à l'ouest par les dentelles de Montmirail, dressée sur un promontoire dominant l'Auzon, Carpentras est l'une des villes les plus poétiques du Midi. Sa gloire passée de capitale du Comtat et son ancien statut de ville épiscopale se lisent dans l'importance de ses monuments. Témoin d'un passé prestigieux, elle est aujourd'hui une ville animée et un pôle d'activité important.

Ville d'art
et d'histoire

S'il ne reste rien des anciens remparts détruits au XIXe s., Carpentras regorge de trésors. De l'occupation romaine et de la *pax romana*, elle conserve un **arc de triomphe** à une arche datant de 16 ap. J.-C. La **cathédrale Saint-Siffrein** (XIIe-XVIIe s.) a connu de multiples transformations. Elle est surtout réputée pour sa **Porte juive** (XVe s.), bel exemple de gothique flamboyant orné de la mystérieuse « boule aux rats » ; c'est par cette porte que les

juifs convertis pénétraient dans la cathédrale le jour de leur baptême. L'hôtel-Dieu (XVIIIe s.), avec sa noble façade à l'italienne et son apothicairerie encore garnie de boiseries et de faïences, semble avoir traversé le temps sans changer.

La synagogue★★
Pl. de la Mairie
☎ 04 90 63 39 97.
Ouv. 10 h-12 h et 15 h-17 h (16 h le ven.) sf sam., dim., j. fér. et fêtes juives.
En 1229, le Comtat Venaissin devient propriété papale indépendante du royaume de France. C'est pendant cette période que les juifs chassés du royaume par Philippe le Bel

Le « trône du prophète Élie », dans la synagogue.

vont trouver refuge à Carpentras (et à Cavaillon), où ils peuvent se sédentariser. La ville leur offre une protection particulière et les assigne à résider dans des quartiers appelés « carrières » (du provençal « rue ») jusqu'à ce que le rattachement du Comtat à la France (en 1791) fasse des juifs comtadins des Français à part entière. De cette époque, la ville a gardé une admirable synagogue (XIVe-XIXe s.), l'une des plus anciennes de France.

Les berges de l'Auzon★

Seul vestige de l'enceinte du XIVe s., la **porte d'Orange** fit l'admiration de Prosper Mérimée, avec sa tour de 27 m de hauteur. Elle fera aussi la vôtre car le point de vue est admirable. En contrebas, les berges de l'Auzon ont été aménagées en un parc ombragé et fleuri. Sa fraîcheur vous offrira une halte reposante. Dans un paysage bucolique, vous découvrirez la chapelle Notre-Dame-de-Santé, un barrage et une vanne d'alimentation des anciennes tanneries, un petit pont-canal du XIXe s., en bref mille et un

petits trésors. Le départ de la promenade commence au chemin de la Roseraie.

Le marché★★

Si vous êtes à Carpentras un vendredi matin, ne manquez pas le marché. Depuis 1857, l'irrigation, rendue possible grâce au canal de Carpentras, fait du Comtat Venaissin le jardin de la France. La richesse du terroir agricole et du vignoble des côtes-du-ventoux s'étale dans toute la ville. Élu **marché d'exception** pour la qualité de ses produits et son ambiance, il ne vous décevra pas. Et puis, de fin novembre à début mars, sur la place Aristide-Briand, se tient aussi le **marché aux truffes**. Saviez-vous que le Vaucluse est le premier département français producteur de « rabasses » ?

Cassis et le cap Canaille : la cour de récré des Marseillais

Prononcez Cassis sans le « s » final… Promenade préférée des Marseillais, ce petit port de pêche niché à l'abri des falaises abruptes du cap Canaille est littéralement envahi par les touristes en été. Mais il a séduit bien des artistes (Pagnol y a tourné, Matisse et Derain y ont peint), car ses promenades alentour sont enchanteresses : calanques et route des crêtes notamment. Et, sous les flots, la grotte de Cosquer…

La promenade des Lombards★
30 min env.

Elle offre une très belle vue sur l'ensemble de la baie, au pied du cap Canaille. Partez de la plage de la Grande-Mer (à côté du port) et rejoignez l'anse de Corton en dépassant la pointe des Lombards. Au bout, depuis la plage de l'Arène, vous pouvez monter aux ruines du château du XIIIe s. en empruntant les escaliers et un passage couvert qui mènent au haut du plateau.

Le bar de la Marine★
5, quai des Baux
☎ 04 42 01 76 09.

C'est le bar de Raimu. Marcel Pagnol y a tourné tant de scènes de ses films qu'on reconnaît les lieux et on y revoit les personnages : Marius, Fanny, Monsieur Brun… Derrière le comptoir, dans la salle, buvez un pastis ou, si vous l'osez, faites une partie de cartes, face au port. Ce lieu qui fend le cœur attire des clients qui ressemblent étrangement à ceux entrevus à l'écran. Parce que la Provence, té, c'est pas que du cinéma…

Le musée des Arts et Traditions populaires★
Rue Xavier-D'Authier
(1er ét. de la maison du Tourisme)
☎ 04 42 01 88 66.
Ouv. mer., jeu. et sam., avr.-sept. 15 h 30-18 h 30 ; oct.-mars. 14 h 30-17 h 30.
Accès gratuit.

Modeste mais sympathique : il renferme la mémoire de Cassis, mise au jour au cours de

LA GROTTE DE COSQUER

Les merveilles de Cassis ne sont pas toutes visibles. Sous l'eau, la grotte de Cosquer fait rêver tout le monde, car personne ne l'a vue. À 36 m de profondeur, cette grotte rupestre découverte en 1991 par le célèbre scaphandrier nous a été léguée il y a 27 000 ans par l'homme de Cro-Magnon. À l'intérieur, bien au sec, une collection inestimable de peintures réalisées à l'époque où la mer ne recouvrait pas son entrée. Ne la cherchez surtout pas, l'accès en est strictement interdit. Mais imaginez-la... en souhaitant qu'un jour tous ces trésors soient mis à la portée de nos yeux.

fouilles réalisées au pied du cap Canaille. Vestiges d'habitation et de mosaïques, pièces de monnaie romaines et amphores côtoient un épisode pictural plus récent : toiles de la fin du XIXe s. et contemporaines (Kundera, Crémieux, Ponçon).

La route des Crêtes★★★
45 min en voiture jusqu'à La Ciotat, 3 h 30 à pied.

Elle monte jusqu'au cap Canaille et suit **la plus haute falaise maritime d'Europe** (416 m). En voiture, prenez la D 141 : trajet stupéfiant et arrêts possibles à tous les tournants. Profitez de la **vue extraordinaire** en laissant votre véhicule au carrefour de la route conduisant au Relais de la Saoupe et de la route des Crêtes (pas de la Colle). À environ 50 m du deuxième virage, suivez à pied sur votre droite le sentier balisé. Vertigineux.

Les excursions dans les calanques★★★
La mer leur va si bien... Extasiez-vous devant ces ex-vallées fluviales dans lesquelles la mer s'engouffre aujourd'hui, à l'ouest de Cassis. Leur pierre blanche sculptée par le temps, surmontées de pins d'Alep, offre **l'un des plus prodigieux décors de la côte provençale.** Circuit à pied, par le haut : garez-vous au bout de l'avenue des Calanques et rejoignez Port-Miou, Port-Pin et En-Vau (les plus célèbres des calanques) en suivant le GR 98. Par bateau, embarquements permanents au port.

Le vin blanc de Cassis★
Clos Sainte-Magdeleine, av. du Revestel
☎ 04 42 01 70 28.
Ouv. lun.-ven., 10 h-12 h et 15 h-19 h ; w.-e. et visites, sur r.-v.

La famille Zafiropulo se consacre depuis plus de 50 ans au célèbre blanc de Cassis. Au-dessus du village, goûtez et succombez à ce vin de couleur jaune très pâle dans un **domaine splendide** : 9 ha de vignes surplombent la mer. Aux goûts de romarin, de bruyère et de myrte, ce vin d'A. O. C. (un des tout premiers à se voir octroyer le label) accompagne magnifiquement les poissons et la bouillabaisse (55 F la bouteille en blanc ou de rosé).

L'abus d'alcool est dangereux pour la santé.

Cavaillon :
le pays du melon

Entre Durance, Alpilles et Luberon, blottie au pied de la colline Saint-Jacques, Cavaillon est une cité dont l'histoire et le patrimoine restent encore trop souvent méconnus. Cette ancienne ville du riche Comtat des papes a eu une importance majeure dans l'histoire des juifs en Luberon. Cavaillon est devenue un centre agricole important qui accueille le plus grand marché de gros de France pour les primeurs. Quant au célèbre melon, faut-il vraiment rappeler que la ville en est la capitale ?

La vieille ville★★

Prenez le temps de parcourir les rues du centre ancien et de découvrir quelques beaux édifices. La cathédrale romane

Saint-Véran s'orne de boiseries sculptées et possède un charmant cloître (ouv. t. l. j. 15 h-18 h ; hors saison, 14 h-16 h). Dans la **chapelle du Grand Couvent** (1684), belle porte sculptée ; le lieu accueille des expositions temporaires (ouv. t. l. j., 9 h-12 h 30 et 14 h-18 h 30 ; 10 h-12 h et 14 h-17 h). Enfin, le **Musée archéologique**, installé dans l'ancien l'hôtel-Dieu, expose des vestiges préhistoriques de la région (☎ 04 90 76 00 34. Ouv. t. l. j. sf mar. et mer., 9 h 30-12 h 30 et 14 h 30-18 h 30 ; hors saison, t. l. j. sf mar., sam. et dim., 10 h-12 h et 14 h-16 h 30. Accès payant.)

La synagogue★★

Élevée place Castil-Blaze entre 1772 et 1774, c'est l'une des plus belles d'Europe, avec sa décoration d'origine et ses ferronneries. Installé dans l'ancienne boulangerie, le Musée juif-comtadin évoque l'histoire de la communauté juive en terre pontificale (mêmes horaires que le Musée archéologique).

La colline Saint-Jacques★

Au cœur de Cavaillon, ce rocher abrupt qui semble s'être détaché du Luberon au cours de quelque tempête sismique est un lieu d'escalade réputé. Il reste quelques vestiges de l'an-

cien site fortifié romain du IIe s. av. J.-C. Aujourd'hui, Saint-Jacques invite à de pacifiques promenades avec **vue panoramique** sur le Luberon, la Durance et les Alpilles.

Le sentier de la colline Saint-Jacques★

Entre ville et colline, un sentier de promenade a été aménagé dans la garrigue. Il conduit à un **charmant petit ermitage** et à la chapelle Saint-Jacques (XIIe s.). Le départ du sentier se trouve place François-Tourel, à proximité d'un arc romain du Ier s. déplacé ici pierre par pierre en 1880.

Une tranche d'histoire

Originaire d'Afrique ou d'Asie, le melon est cité dans les archives de la ville dès 1495. Celui de Cavaillon doit sa renommée à un terroir et à un climat incomparables, mais agriculteurs et négociants ont fort bien su en

asseoir la réputation. Si vous voulez tout connaître sur le melon de Cavaillon, sachez que l'office de tourisme (pl. François-Tourel, ☎ 04 90 71

32 01) organise des **visites de melonnières** (mi-mai à fin août. Accès payant).

Oppède-le-Vieux★★

Depuis Cavaillon, une superbe route vous y conduit en traversant les très beaux villages de Robion et de Maubec, accrochés à flanc de rocher. Oppède se dresse lui aussi sur un éperon rocheux. Ses ruelles en pente aboutissent à l'église Notre-Dame-d'Alidon (XIIe s.). Si vous suivez le sentier qui passe devant la cha-

Spécialité de CAVAILLON
MELONETTE
☎ ...
chocolatier

pelle des Pénitents-Blancs, vous atteindrez les ruines du château médiéval, surtout remarquable pour la **vue sur la vallée**. À vous couper le souffle. Au retour, ne manquez pas les 4 lavoirs restaurés et les terrasses paysagères de Sainte-Cécile, un jardin de 3 ha où l'on a plaisir à découvrir la flore du Luberon et d'anciennes variétés fruitières de la région.

Le melon, roi de Cavaillon

Le roi de Cavaillon est aussi réputé roi des melons. Cultivé sur une étroite bande de 4 km qui longe sur 7 km la Durance (merci à François Ier qui autorisa le détournement des eaux de cette rivière pour favoriser l'irrigation des terres), sa réputation n'est plus à faire. C'est le plus sucré, le plus parfumé, en un mot le plus merveilleux des melons.

Petite histoire des grandes espèces

Les botanistes les classent en 10 catégories selon les fruits, les feuilles et le mode de croissance. Beaucoup de variétés ont pratiquement disparu de nos étals et seules 3 grandes familles se partagent le marché : le cantaloup ou charentais, rond, à chair orangée et très parfumé ; le brodé ou galia, dont le dessin de la peau rappelle un filet ; le melon d'hiver, oblong, très doux, à chair blanc verdâtre, le seul à ne pas embaumer tout le garde-manger ou le bac à légumes du réfrigérateur… Certains fruits ne sont pas plus gros qu'une prune alors que d'autres peuvent peser jusqu'à 30 kg.

Du melon en toute saison

C'est un peu exagéré. En fait, dès avril-mai, on peut trouver

des melons cultivés en serres chauffée ; de mai à mi-juin arrivent les melons de serre ; de mi-juin à septembre, c'est le règne des melons de plein champ (de loin les meilleurs). Mais pour en déguster un bon, encore faut-il savoir le choisir.

Il est bon, mon melon

On est tous tombé un jour sur un fruit insipide, plus près de la courge que du melon. Pour éviter cette déconvenue, sachez que le principal critère de choix est le poids : si le melon est lourd, c'est signe qu'il est gorgé de sève, de soleil et de sucre, et si un petit éclatement à la base de la queue est perceptible, c'est encore mieux ! Enfin, si le « pécou », ou pédoncule, est prêt à se détacher, c'est que la chair du fruit élu vous offrira un feu d'artifice de saveur et de goût.

Fin des balivernes

Beaucoup de choses ont été racontées sur les prétendument bons melons. Mâles ou femelles ? Inutile de scruter le dessin du pécou comme on lirait dans le marc de café, cela ne veut rien dire. Quant à l'odeur parfumée qui se dégage du fruit, méfiez-vous-en : elle peut être le signe d'un trop fort mûrissement. De toutes façons, sachez qu'avant de le mettre sur le marché on prélève un minuscule

fragment de pulpe pour vérifier la teneur en sucre de chaque melon. Si celle-là est inférieure à 8 %, il est mis au rebut.

Spécialités

On connaît surtout le melon servi en hors-d'œuvre et en dessert (essayez les associations en salade avec de la pastèque ou des fruits rouges…). Mais quelques chefs inspirés l'ont inclus dans des préparations plus sophistiquées et le proposent en soupe, en légume, en sorbet, en condiment, en liqueur ou en confiture. La seule règle d'or est celle du bon plaisir. Ne le servez avec beau-

coup de porto que pour sauver un fruit médiocre. En revanche, un verre de rasteau ou de beaume-de-venise se marie à la perfection avec un bon melon.

Le melon sur tous les tons
Restaurant Prévot,
353, av de Verdun
☎ 04 90 71 32 43.
Ouv. t. l. j. sf dim. soir et lun.

Dans un décor qui constitue à lui tout seul un véritable musée du melon (très beaux objets exposés), le chef semble s'être pris de passion pour ce fruit pour lequel il a imaginé une manière de festival. De mai à septembre, le menu dégustation (295 F/pers.) le décline sur tous les tons : cru, cuit et salé en accompagnement de crustacés ou de poissons, poêlé avec des viandes blanches, séché et

servi avec du bœuf, confit au sirop de pêche de vigne pour un mariage délicat avec le foie gras, en dessert dans un inoubliable nougat glacé au melon en coque de caramel avec beaume-de-venise… Une carte nouvelle tous les ans. Et si vous n'optez pas pour du melon sur toute la ligne, un menu à 160 F vous permettra de goûter quelques accommodements de ce fruit sans en abuser.

Digne-les-Bains : capitale du pays de la lavande

Idéalement située au carrefour de trois vallées, Digne-les-Bains est réputée pour son établissement thermal spécialisé dans les soins des voies respiratoires et des rhumatismes. Mais cette cité très ancienne (elle était connue des Romains au Ier s. av. J.-C.) séduira tout autant les amateurs d'art et d'histoire que les promeneurs désireux de sortir un peu des sentiers battus.

La vieille ville★★

Concentrée autour de la cathédrale Saint-Jérôme, elle offre une **agréable promenade** à la découverte d'anciens passages (rue Pied-de-Ville) et de vieilles rues pentues, tortueuses et étroites aux noms amusants (dont la rue Prête-à-Partir, ainsi baptisée à cause des crues qui la menaçaient autrefois). **La cathédrale**, construite en 1490, a été beaucoup remaniée au siècle dernier (façade néogothique du XIXe s.). Sur la droite, une tour carrée du XVIe s. faisant office de beffroi et de clocher a été surmontée

d'un campanile en fer forgé qui offre un très bon point de repère pour s'orienter dans la ville.

La cathédrale Notre-Dame-du-Bourg★★

Quelques vestiges de l'ancienne cité romaine sont encore visibles dans le vieux quartier du Bourg, dominé par la très belle cathédrale romane Notre-Dame (fin du XIIIe s.). À l'intérieur, la nef est très dépouillée, avec une belle voûte en berceau brisé. Sur le mur sud, percé de larges

baies qui appellent la lumière, belle fresque du Jugement dernier, tandis que le mur nord est rehaussé d'une Annonciation et d'une Crucifixion.

La fondation Alexandra-David-Neel★★★

27, av. du Maréchal-Juin
☎ 04 92 31 32 38.
Visites guidées juil.-sept. à 10 h 30, 14 h, 15 h 30 et 17 h ; oct.-juin à 10 h 30, 14 h et 16 h. Ouv. t. l. j. Durée 1 h 15.
Accès gratuit.

Cette grande orientaliste saisie du démon du voyage aura parcouru en tous sens l'Extrême-Orient et traversé le Tibet à pied. Dans la maison qu'elle acheta en 1928 et où elle vécut de 1946 à sa mort en 1969, vous pourrez découvrir les nombreux documents (cartes, photographies…) accumulés

au cours de ses 30 années de pérégrination mais aussi les très beaux objets d'art orientaux (bouddhas, bols, tankas…) offerts à la première Européenne qui entra à Lhassa, la capitale du Tibet alors interdite aux étrangers.

À LA BELLE ÉTOILE

L'astronome Pierre Gassendi est né à Champtercier (à 10 km de Digne). Sachez que l'observatoire astronomique qui porte son nom (☎ 04 92 31 91 45), dans sa ville natale, organise des séances thématiques et des observations de nuit après le coucher du soleil (tte l'ann. sur r.-v., les mar. et sam.).

Un musée à ciel ouvert★

La réserve géologique de haute Provence, créée en 1984, est la plus grande zone protégée de ce genre en Europe. Sur les 18 sites qu'elle comprend (et les 29 communes périphériques à ces sites), les extractions géologiques sont très surveillées. À La Robine (10 km de Digne), un musée abrite sous un dôme en Plexiglas les restes d'un ichtyo-saure, reptile de l'ère secondaire. Digne accueille quant à elle le Centre de géologie (quartier Saint-Benoît), qui organise des visites guidées de la réserve de juillet à fin août (sur inscription à l'office de tourisme, ☎ 04 92 36 62 62. Tarif : 90 F la journée). C'est l'occasion de découvrir des paysages étonnants recelant d'extraordinaires richesses en fossiles et minéraux, dont la célèbre dalle aux ammonites : sur 160 m2, plus de 500 coquilles fossilisées mesurant de 10 cm à 1 m de diamètre.

Le train des pignes à toute vapeur★

Av. Pierre-Sémard
☎ 04 92 31 01 58.

Baptisé ainsi en souvenir des pommes de pin qu'on utilisait à la place du charbon pendant la guerre, le train des pignes assure la liaison Nice-Digne. La locomotive de 1909, classée monument historique, continue de circuler mais sur certains tronçons et certains jours seulement. Au départ de Digne, vous pourrez ainsi vous rendre à Saint-André-les-Alpes : 44 km en plus de 2 h, **c'est plus que pittoresque !** Le retour se fait en autorail. Départs t. l. j. à 7 h et 10 h 30.

La lavande : parfum provence

Utilisée pour parfumer le bain, entretenir le linge ou nourrir les abeilles, la lavande est typiquement provençale. De la même famille que le thym, le romarin ou la sarriette, cette plante millénaire, rude et sauvage, tiendrait son nom du latin *lavare* (« laver »). Ses odeurs et ses couleurs admirables enchantent la Provence, sa terre d'élection, pour notre plus grand bonheur.

Un brin de botanique

Il convient de distinguer 3 variétés : la lavande « aspic », sa production a été abandonnée en raison d'un prix de revient élevé et d'un faible rendement. Ensuite, la lavande « vraie » ou « fine », de 30 cm de hauteur, qui pousse en altitude et fournit une essence odorante et recherchée : c'est aussi la plus chère ! Enfin, le « lavandin », un hybride de l'aspic et de la lavande vraie, plus grand, cultivé dans les plaines ; sa reproduction se fait par bouturage.

Lavande, mode d'emploi

Glissée dans les armoires, elle embaume le linge et chasse les mites. Utilisée en parfumerie, elle entre dans la composition des eaux de toilette, savons, bains parfumés ou déodorants. Dans les produits industriels, on la trouve dans les lessives, adoucissants ou insecticides. Sans oublier le miel de lavande qui, soigneusement extrait à froid, est mélangé à nul autre : c'est alors que toute la Provence fond dans votre bouche.

Allons cueillir la fleur

La lavande fleurit en juillet et est alors coupée. La récolte est devenue mécanique, remplaçant le travail d'une douzaine de coupeurs (chacun pouvait couper de 500 à 800 kg de fleurs par jour, payé, en 1960, 10 centimes le kg !). Liée en bottes, elle est conduite à la distillerie. Là, sous l'action de la vapeur d'eau, les microgouttes d'arôme contenues dans la fleur éclateront. Puis, par réfrigération, l'eau plus lourde se séparera de l'essence.

Lavandes en chiffres

Pour obtenir 1 kg d'essence de lavande, il faut distiller 120 à 130 kg de paille. Le rendement du lavandin est plus élevé puisque 50 à 60 kg suffisent. Actuellement, le cours du kg d'essence fine se situe aux alentours de 350 F,

VISITEZ **Le Musée de la Lavande**

Route de Gordes
COUSTELLET

celui du lavandin est en moyenne à 65 F.

La route de la lavande

À la Garde-d'Apt, le château du Bois (☎ 04 90 76 91 23 ; ouv. en été 9 h-19 h) vous ouvre les portes de son domaine lavandicole : au programme, récolte et transformation de la lavande en huile essentielle (parcours pédestre dans les champs). Le domaine poursuit sa célébration florale par un joli **musée de la Lavande**, à Coustellet (ouv. t.l.j. sf lun., 10 h-12 h et 14 h-18 h, jusqu'à 19 h juil.-août. F. jan.-mars). Enfin, pour découvrir les secrets de la distillation,

BOBO OU DODO ?

La plus populaire des plantes aromatiques est aussi la plus bienfaisante. On connaît plus couramment ses facultés cicatrisantes et désinfectantes (à utiliser sur les coupures, brûlures et hématomes), mais il ne faut pas oublier ses nombreuses vertus thérapeutiques. 3 têtes de lavande en infusion ont des pouvoirs sédatifs, analgésiques, diurétiques et antirhumatismaux incontestables. Essayer, c'est l'adopter !

prenez rendez-vous à **Lavande 1100**, toujours à Apt (Mr Fra, ☎ 04 90 75 01 42. Ouv. t. l. j., 25 juil.-25 août, 10 h-18 h).

LA DISTILLATION DE LA LAVANDE

Les tiges de lavande, coupées puis séchées, sont tassées dans une cuve plongée dans un bain-marie chauffé à haute température. Sous l'action de la chaleur, la vapeur traverse les pailles à distiller d'où s'échappe un mélange de vapeur d'eau et d'essence. Ce mélange traverse ensuite un serpentin installé dans une cuve réfrigérante. En se refroidissant, le mélange donne un liquide recueilli dans l'essencier ; après décantation, l'essence, plus légère que l'eau, remonte à la surface.

Draguignan : rosé de Provence et huile d'olive

Capitale du Var en 1797, Draguignan a compensé la perte de sa préfecture en 1974 (au profit de Toulon) en accueillant l'École militaire d'application de l'artillerie. Depuis, elle porte un nouveau titre, celui de « ville de garnison » (c'est la plus importante de France). Droite comme ses boulevards qu'elle doit au baron Haussmann, sérieuse comme ses musées, on la quitte à

l'heure des perms pour flâner dans ses environs où coulent la Nartuby, les vins de Provence et l'huile d'olive…

Le musée municipal★
9, rue de la République
☎ 04 94 47 28 80.
Ouv. t. l. j. sf dim. et j. fér., 9 h-12 h et 14 h-18 h.
Accès gratuit.

Rembrandt, Rubens, Mignard, Renoir, Camille Claudel… les plus grands peintres et sculpteurs européens illuminent ce musée installé dans l'ancien couvent des Ursulines (XVIIe s.). 6 salles meublées renferment par ailleurs de jolies collections de faïences, porcelaines, vases étrusques, vestiges gallo-romains et armes anciennes. Au rayon livres, un superbe exemplaire du *Roman de la rose* (XIVe s.).

Le musée des Arts et Traditions populaires★
15, rue Roumanille
☎ 04 94 47 05 72.
Ouv. t. l. j. sf dim. mat. et lun., 9 h-12 h et 14 h-18 h.
Accès payant.

Toutes les activités traditionnelles de moyenne Provence… des champs à la maison. Entrez dans une ferme à l'heure du dépiquage du blé, suivez l'élevage de la vigne, la production d'huile d'olive et le soin donné aux abeilles… Puis poussez la porte de l'atelier du bouchonnier, en costume,

avant de terminer la visite dans la cuisine, centre incontournable de la vie domestique.

Le musée du Canon et des Artilleurs
École d'application de l'artillerie, 4 km S.-E. par D 59

☎ 04 94 60 23 85 ou ☎ 04 94 60 23 86.
Ouv. t. l. j. sf w.-e., 8 h 30-11 h et 14 h-17 h (jusqu'à 16 h le ven.).
F. 15 déc.-15 janv.
Accès gratuit.

Le visage militaire de Draguignan. Au sein de l'École d'application de l'artillerie, un grand espace pédagogique résume les progrès de la poudre, de l'Antiquité à 1945. Moment fort : la naissance du canon et son rôle clé dans tous les grands conflits (palme à Napoléon). Détendez-vous : des centaines d'armes sont pointées sur vous et, dans la mezzanine, un camp militaire tout entier est dressé...

Les gorges de la Nartuby★★

Comme toutes les gorges, on y plonge avec délices. Au nord de Draguignan, la Nartuby qui a lentement creusé son lit s'écoule sous la haute protection de falaises truffées de **grottes préhistoriques**. Suivez la route étroite (D 955) qui s'élève en corniche dans ce superbe décor et débouche sur le village médiéval de **Châteaudouble**, à 130 m au-dessus du torrent... Vertigineux.

Le rosé de Provence★
Château de Selle, D 73, Taradeau, 15 km S. de Draguignan

☎ 04 94 47 57 57.
Ouv. t. l. j. sf dim., 9 h-12 h et 14 h-17 h 30 ; sam., 10 h-12 h et 15 h-18 h.

Dans une belle demeure du XVIIIe s., les vignerons du haut pays varois vinifient dans la grande tradition. Admirez dans ses caves les foudres (énormes tonneaux) impressionnants en chêne, où vieillissent les vins de Provence. À proximité, le château Sainte-Roseline (Les Arcs, ☎ 04 94 73 32 57) ouvre également ses caves, dans un très joli parc à la française.

L'abus d'alcool est dangereux pour la santé.

Le moulin du Flayosquet★
Route d'Ampus, Le Flayosquet, 8 km O. de Draguignan

☎ 04 94 70 41 45.
Ouv. 9 h-12 h et 14 h-18 h 30.
Accès payant.

Dans ce vieux moulin du XIIIe s. affublé d'une sympathique roue à aubes, la famille Doleatto se consacre depuis plusieurs générations à l'huile d'olive. Suivez les étapes traditionnelles de la pression à froid... Puis découvrez dans la boutique ce que deviennent les restes des olives : du savon de Marseille ! Au milieu de nombreux produits provençaux.

LA PIERRE DE LA FÉE

1 km N.-O. de Draguignan par D 955.

Les civilisations celto-ligures (avant l'arrivée des Romains) ont laissé un témoignage spectaculaire de leur passage aux portes de Draguignan : un énorme dolmen. Des pierres dressées de plus de 2 m de hauteur, qui supportent une table colossale de 6 m de large, 4 m 70 de long et 50 cm d'épaisseur... Cette pierre de la Fée est à l'origine d'incroyables légendes.

La vallée de la Durance
de Manosque à Avignon

On a oublié qu'elle fut longtemps un vrai fleuve, et non un simple affluent du Rhône. C'était, il est vrai, il y a quelque 100 000 ans. Et puis, soudain, la Durance changea son cours, quittant la plaine de Crau pour un nouveau lit. Assagie de force depuis 1960 (on a construit retenues et usines hydro-électriques sur ses eaux), elle coule aujourd'hui dans un lit trop grand pour elle. Et dire qu'on la considérait jadis comme un des trois fléaux de la Provence…

De Manosque à Avignon

Alors qu'en aval de Sisteron, la rivière a conservé ses allures torrentielles (nourrie par de nombreux affluents descendant des Alpes), son cours s'assagit quelque peu après Manosque. Les eaux de la Durance et du Verdon se mêlent au niveau du barrage de Cadarache (10 km S. de Mansique). Plus bas, au défilé Mirabeau, la rivière s'oriente vers l'ouest en quittant la haute Provence. Un pont suspendu permet de la franchir en aval. Puis la rivière longe le Luberon par le sud en une **superbe promenade** qui vous conduira jusqu'aux portes d'Avignon.

Les canaux de basse Provence

S'étirant entre Durance et Méditerranée, ils sont destinés à l'irrigation, à l'alimentation en eau des villes et des usines et à la production d'électricité. Un travail de titan qui a mis à l'abri de la pénurie d'eau les villes du littoral entre Toulon et Marseille… et leurs très nombreux estivants ! Les canaux de Marseille et du Verdon, en aval de Manosque,

sont aujourd'hui désaffectés mais comportent quelques beaux ouvrages comme le bassin Saint-Christophe (S. de Cadenet sur D 973), l'aqueduc de Roquefavour (12 km O. d'Aix-en-Provence par D 9, puis D 65) ou le réservoir du Réaltor (10 km S.-O. d'Aix par D 9).

Observatoire ornithologique de la Durance
Maison du Parc, Mérindol
☎ 04 90 04 42 00.

La retenue de Mallemort (S. de Mérindol) est un plan d'eau formidable pour l'**observation des oiseaux**. Préférez l'hiver et le printemps, c'est pendant ces deux saisons que vous verrez les plus beaux spécimens nichant sur la Durance. Oiseaux sédentaires

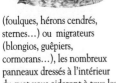

(foulques, hérons cendrés, sternes…) ou migrateurs (blongios, guêpiers, cormorans…), les nombreux panneaux dressés à l'intérieur du guet vous aideront à tous les identifier.

Les oiseaux du Luberon
Aux confins du pays d'Aix, la rive nord de la Durance court sur le Luberon. Au pont de Pertuis, empruntez la

rive sud. Une large digue-chaussée en ciment longe la rivière. Pas très esthétique, mais ne l'oublie facilement en contemplant la **vue sur le Luberon**. Cet itinéraire permet d'observer les migrations d'oiseaux au printemps (comptez entre 3 et 6 h, selon le nombre d'arrêts pour l'observation).

L'abbaye de Silvacane
La Roque-d'Anthéron
☎ 04 42 50 41 69.
Ouv. t. l. j. avr.-sept., 9 h-19 h; oct.-mars, 10 h-13 h et 14 h-17 h . F. mar. en hiver.
Accès payant.

Comme ses sœurs cisterciennes du Thoronet (vallée de l'Argens) et de Sénanque (près de Gordes), elle se cache dans un site isolé blotti sur la rive

gauche de la Durance. Construite entre 1175 et 1300, elle marie délicatement les

LES GORGES DU RÉGALON
Puisque la Durance est désormais bien domestiquée, allons chercher ailleurs la sauvagerie. Sans égaler les impressionnantes gorges du Verdon, celles du Régalon sont assez stupéfiantes. C'est une longue fissure qui ne dépasse pas 1 m de large par endroits. Des blocs de pierre ont même réussi à y rester coincés. On atteint l'entrée des gorges en suivant, depuis Mérindol, les balises du GR 6. Attention, ne vous engagez pas dans la fissure par temps de pluie car le torrent pourrait grossir subitement !

styles roman et gothique. Sa grande et belle sobriété répond à l'austérité de la règle cistercienne : ses bâtisseurs l'ont voulue dépouillée, sans ornementations inutiles. Un rêve de pierre invitant à l'ascèse.

La Roque-d'Anthéron
Le cœur de ce petit village est dominé par la silhouette massive de son château (à l'intérieur, bel escalier à décor de gypserie). C'est dans le parc du château que se tient, chaque année, le Festival international de piano qui voit se produire les plus grands noms du clavier.

La côte de l'Estérel : criques sauvages et rochers rouges

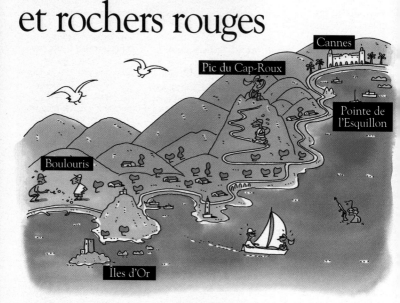

C'est la corniche d'Or, somptueuse, rocheuse et rougeoyante… Son tête-à-tête avec la mer bleue mérite d'innombrables haltes : de Saint-Raphaël à Cannes, profitez du Festival du panorama, d'excursions sur les hauteurs et des petites plages protégées. Partout, criques et îlots s'insèrent dans un décor autrefois rehaussé d'une touche de vert. Hélas, les forêts de pins et de chênes-lièges ont presque toutes été ravagées par des incendies.

Boulouris★
Sortie E. de Saint-Raphaël

Son nom vient de « jeu de boules ». Rendez-vous sur l'« estanque » (bd de la Paix), les concours permanents y sont ouverts à tous (☎ 04 94 95 23 70). Côté baignade, 9 plages nichées au creux de criques communiquent entre elles grâce au joli sentier du littoral, en haut de la falaise. Empruntez-le à partir du port de Saint-Raphaël ou d'Agay (2 h 30 de bout en bout).

Le Dramont★★
5 km E. de Saint-Raphaël par N 98.

C'est sur cette plage que les soldats américains ont débarqué le 15 août 1944. À droite de la route, une stèle rappelle l'événement. Garez-

vous un peu plus loin, au parking du Camp-Long, et montez par le sentier balisé en bleu (2 h aller-retour) au sémaphore (superbe vue) en traversant le parc forestier du cap du Dramont. À vos pieds, de magnifiques calanques et, au large, l'île d'Or, qui a inspiré Hergé pour son album de Tintin *L'Île noire*.

Agay★

Guy de Maupassant l'a décrite comme l'**une des plus belles**

rades de la Côte d'Azur… Les roches rouges du Rastel qui la surplombent embellissent ce site, point de départ de splendides excursions en mer. Au port, embarquez pour Saint-Tropez ou les îles de Lérins (en été), les calanques et les merveilles de la corniche d'Or (avr.-sept.). Ou bien disparaissez sous l'eau à la découverte des **fonds marins**, dans des bateaux spécialement aménagés (**Les Bateaux Bleus**, ☎ 04 94 95 17 46 ; Aquavision, ☎ 04 94 82 75 40).

Le pic du Cap-Roux★★★
11 km N.-E. de Saint-Raphaël par N 98

Le long de la N 98, à la pointe de l'Observatoire, garez votre voiture et montez à pied vers le splendide **pic du Cap-Roux** (452 m). Une route forestière vous conduit en 2 h au plus **somptueux panorama** de la corniche d'Or (attention, la dernière portion est un peu chaotique !). En chemin, le rocher de Saint-Barthélemy (escalier taillé dans la pierre) et la grotte de la Sainte-Baume offrent un bel avant-goût du sommet…

La pointe de l'Esquillon★★
Sortie N. de Miramar, 10 km S. de Cannes.

On y aperçoit les îles de Lérins, où fut enfermé le Masque de Fer, et la grande baie de Cannes… Ne ratez pas la **splendide vue circulaire** de cette pointe à laquelle on accède, à la sortie nord de Miramar, par un sentier qui part du virage (N 98) situé au niveau de l'hôtel La Tour de l'Aiguillon. Arrêtez-vous au parking et dévorez des yeux le panorama via la table d'orientation.

Les fonds marins★★

Au large du cap de l'Estérel, les fonds s'étagent de 0 à 48 m, et attirent les plongeurs les plus chevronnés. Profitez de ce site réputé pour faire votre **baptême de plongée sous-marine** : sous l'eau, le paysage y est particulièrement remarquable (roches, faune, flore). Michel Ayot (port Miramar à Théoule-sur-Mer, ☎ 04 93 75 48 51) vous accueille dans son centre ouvert à tous (les enfants aussi) pour entrer dans la grande famille des sous-marins humains. Toute l'année sur réservation, en fonction du temps. 250 F le baptême de plongée.

Èze et La Turbie : la tête dans les étoiles

Extraordinaire grande corniche : accrochés à elle, des villages médiévaux surplombent la côte entre Nice et Menton. Èze et La Turbie notamment. Dans ce paysage sculpté par l'eau, les trois routes qui sillonnent les hauteurs ne quittent jamais la mer des yeux... Vertiges d'un univers en pente, où le ciel et la mer se rejoignent par la montagne.

Astrorama★★
Col d'Èze, route de la Revère, à 2 km du croisement avec la route de la Grande-Corniche

☎ 04 93 41 23 04.
Ouv. t. l. j. juil.-août, 18 h 30-23 h ; hors saison, mar. et ven., 17 h 30-22h (jusqu'à 23 h avr.-sept.).
Accès payant.

On y touche les étoiles, à 650 m au-dessus de la mer. Incroyable sensation d'infini : avant d'arriver, sur la grande corniche, la mer devient soudain immense, en bas... Puis, sur la terrasse, au-dessus de vos têtes, l'espace se rapproche à son tour grâce aux lunettes et aux télescopes mis à votre disposition. Exceptionnel pour les enfants, ce voyage astral s'entreprend le soir, dès que le ciel s'allume...

Le fort de La Revère★★
Accès à partir du col d'Èze

On ne le visite pas, mais sa situation offre un **panorama incroyable** sur la mer, 800 m plus bas, et sur les reliefs de la corniche. Montez vers Astrorama : 1 km plus loin,

entre ciel et terre, ce belvédère naturel contemple la région. On remarque à peine que ce site, désormais protégé, a été ravagé par le grand incendie de 1986. Ce qu'explique en détail la maison de la Nature, juste à côté (ouv. mer., 13 h-17 h ou sur r.-v. au ☎ 04 93 18 51 42).

Le Jardin exotique★★
Èze-Village, 6 km E. Nice, par N 7
☎ **04 93 41 10 30.**
Ouv. t. l. j. en été et vac. scol., 9 h-20 h ; hors-saison, 9 h-12 h et 14 h-19 h.

Connaissez-vous les « coussins de belle-mère » ? Cette plante piquante orne, avec des centaines d'autres cactées, ce

jardin haut perché : à plus de 400 m d'altitude, plantes grasses et espèces rares entourent les vestiges d'un vieux château, au sommet de la falaise. Maîtrisez vos émotions et gardez votre équilibre car, ici, les coussins sont chatouillants et la mer vous tend les bras... en bas.

Le sentier Friedrich-Nietzsche★
Èze-Village, au bout de l'av. du Jardin-Exotique

Sous les pins et les oliviers, Nietzsche y a pensé la dernière partie de son chef-d'œuvre, *Ainsi parlait Zarathoustra*. Empruntez ce sentier qui vous mène en 1 h à la corniche inférieure, au niveau de la station balnéaire d'Èze-Bord-de-Mer. Après le bain de mer, remontez, car Nietzsche a été productif...

dans le sens ascendant de ce charmant sentier.

La savonnerie Galimard
Place de Gaulle, Èze-Village
☎ **04 93 41 10 70.**
Ouv. t. l. j. 8 h 30-18 h ; nov.-mars, 9 h-12 h 30 et 14 h-18 h.
Accès gratuit.

La célèbre parfumerie de Grasse possède ici son unité de **production de savons**. De toutes couleurs, de toutes saveurs et de toutes formes, venez les voir se créer dans l'usine artisanale où l'on y intègre les parfums les plus délicats. Moulé à chaud, le savon est cuit comme un gâteau et fond dans la main.

Le trophée d'Auguste (ou trophée des Alpes)★
Av. Albert Ier, La Turbie, 18 km N.-E. de Nice
☎ **04 93 41 20 84.**
T. l. j. avr.-juin 9 h-18 h ; juil.-sept. 9 h-19 h ; oct.-mars 9 h 30-17 h.
Accès payant.

Il marque la frontière qui séparait il y a 2 000 ans la Gaule de l'Italie. Ce gigantesque monument, initialement surmonté d'une statue de l'empereur de Rome, fut construit 6 ans av. J.-C. pour marquer la victoire d'Auguste sur les Ligures. À le voir, la puissance romaine apparaît inusable : il n'a perdu en 20 siècles que le quart de sa hauteur (38 m aujourd'hui) !

Le pays de Fayence : au royaume des fous volants

Dans cet petit coin de Var, la nature offre un véritable feu d'artifice de couleurs, du rouge flamboyant des roches de l'Esterel au gris argenté des oliviers, en passant par l'or poudré des mimosas. Fayence fait le bonheur de tous ceux qui adorent quitter un temps le plancher des vaches pour s'adonner aux joies du vol à voile et du vol libre. Dans ce pays béni, les places s'enrichissent d'une multitude de fontaines et le ciel est aussi bleu que la mer.

Fayence★

Au cœur de la vallée de Camandre, de nombreux **artisans** ont élu domicile dans cette petite ville, séduits par le calme et par le charme des lieux. Ils y travaillent le bois, la pierre ou le métal, tissent leurs étoffes ou tournent des

SURVOLER LE PAYS DE FAYENCE

SURVOLER LE PAYS DE FAYENCE

Centre de vol à voile, aérodrome, quartier Malvoisin
☎ 04 94 76 00 68.

Pour mieux admirer la dentelle de la côte et s'imprégner de toutes les nuances du paysage, rien de tel qu'une envolée dans l'azur. L'aérodrome de Fayence-les-Tourrettes est un ancien terrain militaire devenu au fil des ans le centre de vol à voile le plus réputé d'Europe. Avec des instructeurs patients et de bons guides, vous pouvez vous offrir un baptême de l'air en planeur (200 F).

poteries. En parcourant ses vieilles ruelles étroites et pentues, on peut accéder au sommet de la colline où s'élançait autrefois le château. Dans l'**église Saint-Jean-Baptiste** (XVIIe s.), les murs sont couverts de belles fresques du XIXe s.

Au bois d'olivier
14, av Saint-Christophe, au pied du village
☎ 04 94 76 00 62.
Ouv. t. l. j. sf lun., 9 h-12 h 30 et 15 h-18 h 30 (dim. sur r.-v.).

Éliane et René Ragot travaillent le bois d'olivier, qu'ils associent parfois à des faïences de Moustiers. Dans leur boutique, vous pourrez trouver des saladiers, des plateaux à fromage, des dessous-de-plat... Essayez aussi de vous faire ouvrir la porte de leur atelier. De 300 à 1 000 F le saladier.

Lune de miel
La Grette (près de Notre-Dame-des-Cyprès)
☎ 04 94 76 29 14.

Avant de quitter Fayence, laissez-vous aller à quelques douceurs. Chez Armelle Barbiéri, apicultrice, tout incite à s'offrir quelques gâteries. Dans sa petite boutique aménagée avec beaucoup de goût, vous trouverez tous les produits de la ruche : miels (50 F le kg, 20 F le pot de 250 g),

pollens, nougats (entre 25 F et 27 F pièce), nougatines, pains d'épice (25 F pièce) et crèmes de fruits secs au miel. Vous pouvez aussi demander à visiter la miellerie (plus intéressante l'été).

Mons ou la folie des hauteurs★★

Perché entre ciel et terre, à 800 m d'altitude, Mons domine un territoire aménagé en restanques couvertes d'oliviers. Dans les ruelles étroites, les maisons séculaires sont bâties pour la plupart en pierres sèches et la jolie **église romane** possède un mobilier d'une rare beauté. Depuis la table d'orientation (place Saint-Sébastien), on découvre par temps clair toute la région. Et s'il venait à pleuvoir, réfugiez-vous au **musée Marine et Montagne** (rue Pierre-Porre,

☎ 04 94 76 35 66) pour jeter un coup d'œil sur les maquettes de navire réalisées en allumettes par Robert Audibert.

Le circuit des dolmens★

Depuis Mons, rejoignez à pied les dolmens des Riens, de la Colle et de la Brainée. Empruntez dans le village le sentier qui conduit à la chapelle Saint-Pierre. Vous trouverez les dolmens disséminés sur plusieurs kilomètres : le **dolmen des Riens** se trouve à 400 m de la chapelle, le **dolmen de la Colle** à 3,5 km du village (près de la

ferme du même nom) et à 900 m d'altitude, et le **dolmen de la Brainée** à environ 7,5 km de Mons.

L'aqueduc de la Roche-Taillée★
S. de Mons par D 56.

Cet impressionnant ouvrage romain destiné à alimenter les villes de la côte en eau potable fut creusé à même le roc. À cet endroit, de vaillants ouvriers ont ouvert une tranchée de 50 m de longueur sur 3,6 de largeur et plus de 10 m de hauteur. Une construction titanesque qui fit couler beaucoup de sueur.

Les gorges du Blavet
Bagnols-en-Forêt, env. 12 km S. de Fayence

Au creux de ces gorges, les hommes ont aménagé depuis des siècles des tailleries de meules à grains dont l'exploitation a perduré depuis l'Antiquité jusqu'au XVIIIe s. Compter 2 h à pied pour atteindre ce site étonnant.

Le cap Ferrat : un paradis pour grosses fortunes

À proximité immédiate de Nice et de Monte-Carlo, le cap Ferrat et ses environs est un lieu rutilant, couvert de villas somptueuses. Son microclimat, son extraordinaire douceur hivernale, la beauté de la rade de Villefranche-sur-Mer (l'une des plus belles de Méditerranée) et le calme de la presqu'île ont attiré ici, au début du siècle, les plus grosses fortunes du monde…

La villa Île-de-France★★★
Av. Éphrussi-de-Rothschild, Saint-Jean-Cap-Ferrat
☎ 04 93 01 33 09.
Ouv. t. l. j., juil.-août, 10 h-19 h ; mars-oct., 10 h-18 h ; nov.-mi-mars, 14 h-18 h ; w.-e., 10 h-18 h.
Accès payant.

Le paradis est peut-être ici. Dans un **site incomparable**, des merveilles peuplent cette villa d'Ali Baba. Tout est beau : les volumes, les décors, les meubles, les objets rares, les toiles de maîtres, les tapisseries, les tapis… C'en est presque trop mais les 5 000 œuvres qui peuplent le musée-souvenir de la baronne Béatrice Éphrussi de Rothschild rayonnent comme un hymne à l'argent… bien dépensé.

Les jardins de la villa★★
Villa Île-de-France
☎ 04 93 01 33 09.
La baronne a voulu recréer les émotions botaniques de ses voyages… Faites le tour de ses 7 jardins entourés par la mer :

éden espagnol agrémenté d'une grotte en marbre rose, paradis florentin qui intègre un escalier en fer à cheval et conduit au discret jardinet japonais… Attardez-vous dans la roseraie, le Jardin lapidaire et le jardin des Muses, pays qu'explora aussi la (chanceuse) baronne. Enchanteur.

La villa grecque Kérylos★★
Rue Eiffel, Beaulieu-sur-Mer
☎ 04 93 01 01 44.
Ouv. t. l. j. juil.-sept., 10 h-19 h. ; 15 fév.-11 nov., 10 h 30-12 h 30 et 14 h-18 h ; 15 déc.-14 fév., lun.-ven., 14 h-18 h (w.-e. 10 h 30-12 h 30 et 14 h-18 h. **Accès payant.**

Périclès s'y sentirait chez lui. Copie conforme d'un palais grec antique, on s'y projette au

temps béni des Athéniens… Œuvre d'un féru d'hellénisme, cette reconstitution fidèle possède toutes les pièces d'une villa grecque : péristyle, grand salon, marbres, fresques, mosaïques… Sa bibliothèque est remplie de trésors du VIe au Ier s. av. J.-C. et, dans le jardin, la vue sur la mer est divine.

La chapelle Saint-Pierre★
Quai Courbet, Villefranche-sur-Mer
☎ 04 93 76 90 70.
Ouv. t. l. j. sf lun., 10 h-12 h et 16 h-20 h 30 ; hors saison, 9 h 30-12 h et 14 h-18 h (jusqu'à 17 h en hiver, jusqu'à 19 h au printemps). **Accès payant.**

Jean Cocteau l'a décorée spécialement à l'intention de ses « amis pêcheurs ». En 1957, cet enfant du pays a consacré une partie de l'année à embellir l'intérieur de cet édifice aux formes romanes, aidé par les artisans de Villefranche (céramistes, tailleurs de pierre)… Les filets qui couvrent les murs et les voûtes

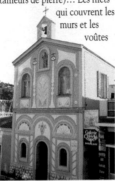

rappellent, disait-il, que « Dieu, lui aussi, pêche les âmes… ».

La citadelle Saint-Elme★★
Villefranche-sur-Mer
☎ 04 93 76 33 44.
Ouv. t. l. j. sf mar., dim. mat. et nov., 10 h-12 h et 15 h-18 h (jusqu'à 19 h en juil.-août, jusqu'à 17 h oct.-mai).

Érigée en 1557, les militaires l'ont quittée en 1965 pour laisser la place aux collections artistiques de la ville. Au menu, le **musée d'Art et d'Histoire**, la **collection Goetz-Boumeester** (œuvres de Picabia, Picasso…) ou la **collection du 24e B.C.A.** (bataillon de chasseurs alpins). Sans oublier la **fondation-musée Volti**, sculpteur contemporain qui expose ses œuvres en

bronze, en cuivre martelé ou en terre cuite dans les casemates de la citadelle (☎ 04 93 76 33 27. Ouv. t. l. j. sf mar. et dim. mat., 10 h-12 h et 15 h-19 h ; hors saison, 10 h-12 h et 14 h-17 h).

À l'ombre des jardins en fleurs

É parpillés sur la côte, dans les collines qui dominent la mer ou à flancs de montagnes, des jardins extraordinaires plantés d'essences rares font oublier le temps d'une balade l'animation des villes. Le promeneur y découvrira des variétés venues d'ailleurs et des senteurs délicieuses. Îlots de verdure sous l'azur du ciel méditerranéen, ces jardins sont un enchantement pour l'œil et souvent une jolie page d'histoire et de botanique. Allez y prendre un bol d'air.

Les jardins de la villa Île-de-France, à Saint-Jean-Cap-Ferrat.

Jardin de buis au château de la Gaude

Rte des Pinchinats, 5 km N. d'Aix-en-Provence par RN 96 et D 63

☎ 04 42 21 64 19.
Ouv. t. l. j. 9 h-19 h. Visites sur r.-v.

Une bastide dressée au bout de terrasses à l'italienne, un vignoble et un parc lovés au fond d'un vallon. Une allée de marronniers ouvre la visite. On flâne autour des parterres de buis dont les motifs géométriques s'inspirent des labyrinthes du XVIe s. Les bosquets se reflètent dans les nombreux bassins entourés d'arbres de Judée, de fusains et de cistes. Des espaces plus secrets se laissent découvrir au gré d'une promenade délicieuse. La tèse, allée d'arbres et d'arbustes merveilleusement

rafraîchissante, est l'une des dernières de Provence.

Barbentane au rendez-vous des orchidées

Parc floral tropical de Provence, route de Terre-Fort, Barbentane, 10 km S. d'Avignon par N 570 et D 35

☎ 04 90 95 50 72.
Ouv. t. l. j., mai-sept., 10 h-19 h ; oct.-avr., 10 h-17 h. F. Noël et 1er janv.
Accès payant.

Sous une verrière de plus de 4 000 m2, une véritable forêt

tropicale élève ses lianes au soleil. C'est le royaume de l'orchidée. Près de 70 % des orchidées, soit environ

1 200 espèces, ne se nourrissent pas dans la terre mais s'accrochent aux arbres par leurs racines. Pour germer, elles se nourrissent d'un champignon parasitaire. La première fleur voit le jour 7 à 8 ans plus tard. Cela vaut le coup d'œil.

Des fleurs du bout du monde à Menton
Jardin botanique et exotique du val Rameh, av. Saint-Jacques.
☎ 04 93 35 86 72.
Ouv. t. l. j. mai-sept., 10 h-12 h 30 et 15 h-18 h ; oct.-avr., 10 h-12 h 30 et 14 h-17 h.
Accès payant.

Niché dans la baie de Garavan depuis sa création à la fin du XIXe s., ce jardin bénéficie

d'un microclimat exceptionnel, chaud et humide. Les plantes tropicales s'y sentent comme chez elles et vous le prouvent par leur abondance et leur diversité. Les jardins, agencés en terrasses, croulent sous les agrumes, les bambous japonais, les hibiscus et les fleurs de la Passion.

Senteurs en terrasses
Ch. de la Roche-Redonne, tout en haut du village, près du moulin
Renseignements à la mairie de Goult,
☎ 04 90 72 20 16.
Ouv. tte l'ann.
Accès gratuit.

Au pays de l'ocre, ce petit jardin est le fleuron du conservatoire des Terrasses, qui perpétue la tradition des restanques. Sur ces terrasses soutenues par des murs en pierres sèches poussent des oliviers, des amandiers et des pieds de vigne. Fougères et nombrils de Vénus multicolores ont élu domicile à l'ombre de ces cultures typiquement provençales.

Entre le ciel et l'eau
Parc municipal du Mugel, La Ciotat, 2 km S.-O. de La Ciotat par l'av. des Calanques
☎ 04 42 08 09 62.
Ouv. t. l. j., 8 h-20 h ; oct.-mars, 9 h-18 h.
Surplombant les portiques géants et les grues du chantier naval, les flancs du cap de l'Aigle dressent contre le ciel leurs gigantesques pains de poudingue ocre. Au pied des rochers, le

JARDINS DES VILLES OU JARDINS DES CHAMPS

Les jardins fleurissent en Provence... À l'origine, il y eut le jardin de bastide, aux accents italiens : allées ombragées conduisant à la maison, terrasses et parterres ornés de sculptures et de fontaines. Les jardins d'Albertas (p. 73) en sont l'exemple le plus abouti, même si la bastide n'a jamais été construite... Quand les rivages de la Méditerranée deviennent Côte d'Azur, les cités balnéaires se multiplient et les jardins vont chercher leur inspiration au bout du monde. Ceux de Sanary-Bandol (p. 102), de Monaco (p. 215) ou d'Èze (p. 143) témoignent de cette mode pour le jardin tropical.

Les jardins d'Albertas, à Aix-en-Provence.

parc du Mugel offre l'ombre de ses caroubiers, chênes-lièges et châtaigniers tandis que le sol rougeoit de bruyères arborescentes. Dans une terre souvent assoiffée, des rigoles bâties sur les rochers et un imposant réseau de chemins de galets permettent de récupérer les eaux pluviales dans des bassins en contrebas.

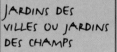

Forcalquier : entre Lure et Luberon

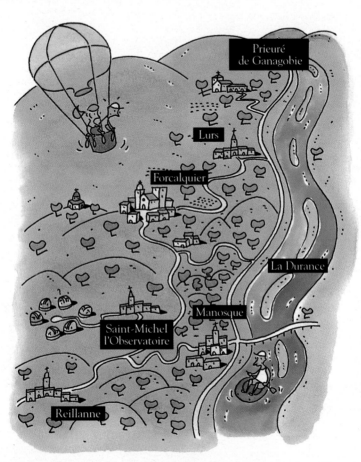

Prieuré de Ganagobie

Lurs

Forcalquier

La Durance

Manosque

Saint-Michel l'Observatoire

Reillanne

Son nom, la ville le doit à la source qui alimente encore aujourd'hui fontaines et lavoirs (font calquier signifie la « source du rocher » en langue d'oc). Capitale d'un petit État indépendant au Moyen Âge, Forcalquier a gardé comme un reflet de sa gloire passée avec ses très belles maisons anciennes et certains de ses édifices. Tous les ans en septembre, à l'occasion des Montgolfiades, son ciel s'orne de fabuleux ballons colorés.

La cathédrale Notre-Dame-du-Bourguet⋆
Ouv. t. l. j., 9 h-12 h et 14 h-18 h.

Aux abords de la place qui accueille chaque lundi matin un très joli marché se dresse la cathédrale, coiffée d'un massif clocher fortifié du Moyen Âge

auquel répond, sur la façade nord, une tour du XVIIe s. Ils appartiennent en réalité à deux églises distinctes, réunies au XIIIe s. L'intérieur prolonge

cet association de styles : à la nef romane répond le chœur et le transept gothiques.

Les vestiges de la citadelle★

Vestiges est un bien grand mot car des 14 tours d'origine il n'en reste qu'une ou plutôt ses ruines. La citadelle fut rasée en 1601. En 1875, la plate-forme accueille la chapelle Notre-Dame-de-Provence, de style néobyzantin. À son côté, un carillon à clavier manuel de 1920

fait résonner dans toute la ville, chaque dimanche à midi et pour les grandes fêtes, des mélodies médiévales. Tous les 8 septembre, un pèlerinage en l'honneur de Marie rassemble de fervents fidèles.

Lurs★★

Au nord-est de Forcalquier, ce puissant castrum devenu résidence des évêques de Sisteron dès le XIIe s. est aujourd'hui un **village pittoresque** qui bénéficie de l'une des plus belles vues sur

la Durance. Il fut sans le vouloir placé sous les feux de l'actualité en 1952 pour la tristement célèbre affaire Dominici (l'assassinat d'une famille anglaise campant au pied du village). Le village connaît aujourd'hui des heures plus calmes. À la fin août s'y réunissent les professionnels des arts graphiques et de la communication écrite, à l'occasion des Rencontres internationales de Lurs lancées par le typographe Maximilien Vox.

Le prieuré de Ganagobie★★★

Ouv. mar.-dim., 15 h-17 h.

Pour accéder au prieuré, on emprunte une route en lacet découvrant peu à peu un vaste panorama sur la vallée de la Durance. Fondé vers le milieu du Xe s. et cédé peu après à Cluny, le prieuré resta prospère jusqu'à la fin du XIVe s. Ravagé pendant les guerres de religion, puis vendu comme bien national en 1791, il est alors en partie détruit puis laissé à l'abandon. Une petite communauté de moines bénédictins y occupe aujourd'hui de nouveaux

bâtiments. Du prieuré roman d'origine subsistent le cloître et une partie de l'église, qui constitue l'une des plus belles œuvres romanes de haute Provence. Dans l'église, beau pavement en mosaïques romanes en cours de restauration.

Saint-Michel-l'Observatoire★★

Entre Reillanne et Forcalquier, au cœur du pays qui porte le joli nom d'Alpes de Lumière, se dresse le vieux village de Saint-Michel. Cyprès, maisons accrochées à la pente et vieilles ruelles sont dominés par l'église haute, dédiée à l'archange saint Michel (« le plus proche de Dieu »). Au pied du petit bourg, les 13 coupoles de l'observatoire de Haute-Provence offrent un contraste saisissant.

UN OBSERVATOIRE À VOIR

☎ 04 92 70.64.00
Ouv. le mer., oct.-mars 15 h-16 h ; avr.-sept., 14 h-16. F. j. fér.
Accès payant.

S'étendant sur près de 100 ha, l'observatoire de Haute-Provence a des allures de cité futuriste. Le site, choisi en 1936 à cause de la luminosité et de la limpidité exceptionnelle du ciel, accueille chaque année une centaine de chercheurs français et étrangers venus observer le système solaire et la galaxie. Lors de sa visite, on pourra admirer 2 grands télescopes (1,93 m et 1,52 m), se promener dans le parc et visionner une vidéo sur les activités de l'observatoire.

La presqu'île de Giens : entre le ciel et l'eau

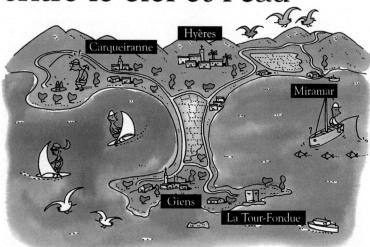

Carqueiranne
Hyères
Miramar
Giens
La Tour-Fondue

A u large de Hyères, la presqu'île de Giens semble avoir décidé de redevenir une île... C'est du moins ce que prédisent les scientifiques qui voient lentement se rétrécir le « double tombolo », ce lien ténu qui la relie au continent... En attendant, toujours accrochée à la terre, elle expose les mêmes trésors que ses voisines, les îles d'Or, mais l'on y accède à pied sec... Autour, la Provence passe irrévocablement le relais à la Côte d'Azur.

La presqu'île de Giens★★★

On y accède par un double tombolo, c'est-à-dire deux langues de sables qui ont lentement comblé l'espace qui séparait l'île du continent. Promenez-vous ur la plus méridionale des stations balnéaires de la Côte d'Azur, couverte de pins et entourée de plages et de fonds marins qui n'ont rien à envier aux îles grecques.

N'oubliez pas les ports pittoresques de Niel et de **La Madrague**, ni la très sauvage (et venteuse) **pointe des Chevaliers**. Coups de cœur garantis.

Les plages du tombolo★

L'Almanarre (accès par D 559), sur le versant ouest du double tombolo, est le paradis

des véliplanchistes. Sur 6 km, cette plage de sable accueille chaque année le Championnat du monde de planche à voile. Côté est, les **plages de La Capte et de La Bergerie** (accès par D 97) sont les plus sûres de toute la côte : on y garde pied jusqu'à plus de 60 m du rivage ! Idéal pour les enfants.

Le sentier du Littoral★★
De Madrague à Tour-Fondue et inversement (17,2 km)
Durée : 5 h.

Faites le tour complet de la presqu'île de Giens par le sud, appareil photo en bandoulière : les sensations et les images sont extraordinaires. Accessibles à pied ou à vélo, les petits ports de pêcheurs de La Madrague et du Niel (à croquer) contemplent les îles de Porquerolles et Port-Cros, au large. Ne ratez

pas la **Tour-Fondue**, ancien fortin érigé par Richelieu au XVIIe s. Attention à l'à-pic de la falaise !

Les pépinières Decugis★
1211, chemin de Nartettes, 2 km O. d'Hyères
☎ 04 94 57 67 78.
Ouv. t. l. j. 8 h-12 h et 14 h-19 h ; le dim. sur r.-v.
F. 25 déc-15 janv.

Pour emporter le décor local dans vos bagages. Ici, on cultive depuis 1904 les plantes exotiques qui ornent toute la région. L'occasion de repartir avec un morceau (vivant) de la côte de Hyères en vous laissant guider par Violette Decugis parmi ses innombrables palmiers résistant au froid : palmiers sabals, palmiers des Canaries (600 F pour un arbre de 1 m 80 de hauteur), jubeas du Chili (parmi les plus chers)... Repérez aussi le Trachycarpus Fortunei, qui pousse même à Paris. Et goûtez la spécialité maison, une étonnante confiture de palmier (21 F le pot de 120 g).

La mine de Cap-Garonne★
Ch. du Bau-Rouge, Le Pradet, 5 km O. de Carqueiranne
☎ 04 94 21 71 69.
Ouv. t. l. j. ,15 juin-15 sept, 14 h-17 h 30 ; hors saison, les mer., sam. et dim., 14 h-17 h.
Accès payant.

L'univers impressionnant des mines de cuivre du XVIIe s. Dans la pénombre, des femmes et des hommes s'échinent à la creuser sous vos yeux la roche qui scintille et lance ses reflets vert et bleu... Au cours de cette visite aux allures de pèlerinage, le guide ne manquera pas de vous raconter comment, un jour, une petite biquette tomba dans un trou... et fit la fortune de toute la région.

LA PÊCHE EN MER

Port de Miramar, La Londe-les-Maures, embarquement au bout du quai central
☎ 04 94 66 91 19.

N'apportez ni appâts ni cannes, tout est fourni. Faites simplement sonner votre réveil à temps : la pêche matinale commence à 7 h 30 précises. Le club Lou Gabian vous emmène en haute mer traquer à la fraîche les sarans, girelles, sars, pageots et gerles... Si vous êtes du soir, l'embarquement de 20 h (suivant la saison) est celui des calamars et des daurades. Sorties en famille possibles (maxi. 13 pers.).

Le jardin d'Oiseaux tropicaux★
Route de Valcros, La Londe-les-Maures, 10 km E. de Hyères par N 98
☎ 04 94 35 02 15.
Ouv. t. l. j., juin-sept, 9 h 30-19 h 30 ; oct.-mai, 14 h-18 h.
Accès payant.

Ils sont casqués, huppés ou montés sur de grandes échasses... Certains « parlent », tous chantent. Dans ce parc naturel de 6 ha, des centaines d'oiseaux exhibent leur joli plumage et font écouter leurs exotiques babillages... Sous les pins, les chênes-lièges et les eucalyptus, goûtez à ce spectacle sonore haut en couleur, mais gardez-vous surtout d'ouvrir les volières...

Gordes et l'abbaye de Sénanque :
rêves de pierres

Dressé face au Luberon et accroché aux contreforts du plateau du Vaucluse, Gordes tend vers l'azur ses constructions de pierres sèches tandis qu'oliviers et amandiers étendent à ses pieds leurs verts irisés de lumière. Au sommet, le château forteresse et l'église dominent les maisons qui semblent se fondre au roc. La beauté du site n'est pas étrangère à son intense fréquentation et chaque été les murs de lauzes du village résonnent aux accents de son festival (théâtre et jazz).

Un enchevêtrement de pierres★★

Édifié au XIe s. et reconstruit vers 1500 dans un style Renaissance (remarquable cheminée dans la grande salle du premier étage), le **château** accueille tous les ans des expositions d'art contemporain (ouv. t. l. j., 9 h-12 h et 14 h-18 h). L'art règne aussi dans les rues, bordées d'**ateliers** d'artistes et de **boutiques d'artisanat**. Calades traversées d'arcades, escaliers de pierres sèches, les splendides nuances des beiges dorés par le soleil incitent à la flânerie.

Le moulin des Bouillons★
5 km S. de Gordes, D 148 vers Saint-Pantaléon
☎ **04 90 72 22 11.**
Ouv. t. l. j. sf mar.,
10 h-12 h et 14 h-18 h.
F. 15 nov.-1er fév.
Accès payant.

Dans un mas des XVIe-XVIIe s. qui se dresse au milieu d'un parc, vous pourrez découvrir un antique **pressoir à huile**. Quelque soit l'intérêt

que vous portez à « l'or jaune » de la Méditerranée, vous aimerez en découvrir l'histoire et les secrets de fabrication dans ce très joli lieu. Juste à côté, le **musée du Vitrail** retrace l'histoire du verre coloré ou peint et célèbre le travail du peintre-verrier Frédérique Duran.

Le village des bories★★★

Presque au pied du village, voilà un passionnant ensemble de constructions de pierres sèches. Habitations, bergeries, fours à pain, murs

ciment et les toits voûtés se dispensent de charpentes. Étonnant… Sachant qu'une borie nécessite entre 200 000 et 300 000 pierres et qu'on en compte près de 3 000 dans la région, imaginez l'énergie qu'il a fallu déployer pour construire ces abris de berger…

Un petit musée de pierre★

Le village des bories est un joli prétexte à découvrir, en même temps que cet habitat rural très particulier, les aspects les plus simples de la vie de ses habitants. Véritable petit

d'enceinte, tous témoignent d'un savoir-faire impressionnant. Ces constructions en pierres plates n'utilisent aucun

musée paysan, il présente les objets usuels et les instruments agricoles utilisés jusqu'au XIXe s. dans la région : cuve à vin, fouloir, four à pain…

Une abbaye dans la lavande★★★
3 km N. de Gordes par D 177

☎ 04 90 72 05 72.
Ouv. t. l. j., mars-oct., 10 h-12 h et 14 h-18 h (f. le mat. les dim. et fêtes catho.) ; nov.-fév., 14 h-17 h (jusqu'à 18 h les sam., dim. et vac. scol.).
Accès payant.

Dans un paisible vallon, l'abbaye de Sénanque se dresse au milieu de champs de lavande. Pur exemple du dépouillement voulu par l'ordre monastique qui la fonda, elle est un témoin extraordinaire de l'architecture cistercienne primitive (XIIe s.). La sobriété des pierres, la grande simplicité des formes, tout rappelle le principe premier de l'ordre cistercien : le renoncement au monde. À l'intérieur, l'église est une merveilleuse caisse de résonance, conçue pour le chant. À vous donner envie d'y faire des vocalises…

Grasse :
capitale du parfum

La ville qui sent bon. Capitale des parfums, on y fabrique les deux tiers de la production française, et son marché aux fleurs se tient tous les jours place aux Aires, dans un décor pittoresque de vieilles maisons aux jardins étagés. Ici, le climat est d'une douceur telle que la sœur de Napoléon venait y passer l'hiver, tout comme la reine Victoria (d'Angleterre). Fleurs célèbres au pays des fleurs...

Les industries de la parfumerie★★
Fragonard :
20, bd Fragonard,
☎ 04 93 36 44 65.
Galimard : 73, rte de **Cannes, ☎ 04 93 09 20 00.**
Molinard : 60, bd Victor-**Hugo, ☎ 04 93 36 01 62.**
Visites guidées gratuites t. l. j.

Voilà les fleurons de la ville. Découvrez comment s'élaborent les fragrances délicates qui inondent le monde entier, en visitant les ateliers des trois grands par-

fumeurs locaux (Fragonard, Galimard et Molinard). De la fleur au flacon, toutes les étapes de la fabrication des grands parfums débouchent dans l'étonnant laboratoire du « nez », sorcier des senteurs, qui peut reconnaître jusqu'à 500 odeurs différentes ! Dans la boutique, remontez vos manches : l'aspersion peut être copieuse... attention aux mélanges ! (80 F le flacon d'eau de toilette de 50 ml.)

Le musée international de la Parfumerie★
8, pl. du Cours
☎ 04 93 36 80 20.
Ouv. t. l. j. sf j. fér., juin-sept., 10 h-19 h ; oct.-mai, t. l. j. sf lun., mar. et j. fér., 10 h-12 h et 14 h-17 h. F. nov.
Accès payant.

Dans ce musée qui ne sent pas la poussière, découvrez

l'histoire des industries du parfum, les techniques d'extraction des essences et l'évolution des arts de la toilette et du flacon.
Vous pouvez aussi tester votre aptitude à la composition parfumée (visite guidée et animation olfactive sur r.-v.).

Le musée d'Art et d'Histoire de Provence★
2, rue Mirabeau
☎ **04 93 36 01 61.**
Mêmes horaires que musée de la Parfumerie.
Accès payant.

Le meilleur de la Provence, dans un superbe hôtel du XVIIIe s. Plongez dans l'histoire

régionale, de l'époque préhistorique (objets provenant des fouilles locales) aux derniers apports de la modernité, sans oublier les arts (peinture, faïences, céramiques...), le mobilier (chambres meublées) et les traditions populaires (santons et crèches provençales).

La Villa Fragonard★
23, bd Fragonard
☎ **04 93 36 01 61.**
Mêmes horaires que musée de la Parfumerie.
Accès payant.

Fragonard, *La Chemise enlevée.*

Le célèbre peintre, enfant de Grasse, s'y réfugia pendant la Révolution. Admirez au rez-de-chaussée la copie des superbes panneaux (désormais à New York) qu'il avait peints pour madame du Barry, puis les talents des membres de sa famille : dans l'escalier, les œuvres de son fils qui s'essayait dès 14 ans à l'art du trompe-l'œil, à l'étage celles de son petit-fils et de sa belle-sœur… Un génie contagieux.

Le domaine de Manon★
Ch. du Servan-Plascassier
☎ **04 93 60 12 76.**
Roses : mai à mi-juin, de préférence en début d'a.-m. Jasmin : 20 juil.-fin oct, visites tôt le mat.
Accès payant.

On y cultive depuis 3 générations les roses et le jasmin, destinés aux parfumeries de Grasse.

Hubert Biancalana vous accueille dans ses immenses champs colorés et odorants à l'époque des cueillettes (les roses d'abord, puis le jasmin, tout blanc). Un grand bol de senteurs sur un coteau baigné de soleil... Savez-vous qu'il faut 200 à 1 000 kg de pétales (soit environ 1 million de fleurs !) pour obtenir 1 kg d'essence ?

Senteurs et parfums

Les parfums de Grasse règnent sur le monde entier. Depuis deux siècles, la capitale incontestée des fragrances brasse dans ses trente usines les senteurs de rose, jasmin, violette, lavande, mimosa, oranger… et celles de fruits et plantes odorantes divers. Conçues à l'origine pour masquer la puanteur du cuir, ces

« eaux admirables » naissent sur des couches de graisse ou dans des nuages de vapeur, et finissent dans de divins flacons ou dans le lit de Marilyn…

Contre l'odeur du cuir…

Réputée au Moyen Âge pour ses tanneries de peaux et ses ganteries fines, Grasse a développé l'industrie du parfum afin de masquer l'odeur trop forte des gants de cuir. Sous l'impulsion de Catherine de Médicis, séduite par la vogue des gants parfumés, les gantiers sont alors devenus gantiers-parfumeurs… Puis, la mode et la Révolution aidant, ils se sont entièrement consacrés au métier de parfumeur dès la fin du XVIIIe s…

L'extraction

La technique du solvant est aujourd'hui la plus utilisée pour extraire les essences florales, c'est la plus rapide et la plus performante. Lavées à plusieurs reprises avec du benzène ou de l'hexane, les fleurs livrent leur intimité au cours de multiples et complexes opérations qui

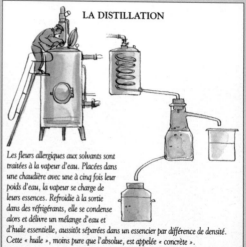

LA DISTILLATION

Les fleurs allergiques aux solvants sont traitées à la vapeur d'eau. Placées dans une chaudière avec une à cinq fois leur poids d'eau, la vapeur se charge de leurs essences. Refroidie à la sortie dans des réfrigérants, elle se condense alors et délivre un mélange d'eau et d'huile essentielle, aussitôt séparées dans un essencier par différence de densité. Cette « huile », moins pure que l'absolue, est appelée « concrète ».

passent par l'évaporation du solvant, le filtrage, le glaçage, la pression, etc. Au terme du processus, on récupère « l'absolue », concentré de parfum extrêmement pur.

L'enfleurage à froid

Exactement comme le beurre qui, dans votre réfrigérateur, prend l'odeur du poisson placé à côté. On extrait le parfum des fleurs très fragiles (jasmin, jacinthe) en posant leurs pétales sur une épaisse couche de graisse (porc ou bœuf) qui absorbe lentement leurs essences jusqu'à saturation. La pâte obtenue est ensuite lavée à l'alcool et livre la matière première du parfum. 700 kg de fleurs (environ 5 millions de pétales) sont nécessaires pour obtenir 1 kg d'absolue…

Rare et cher

Les essences de fleurs sont plus chères que l'or. Pour obtenir 1 kg d'essence de jasmin, une cueilleuse doit d'abord travailler 2 000 h pour récolter 1 million de fleurs,

à la main. Puis s'ajoutent les coûts d'extraction… et le litre d'absolue atteint rapidement les 120 000 à 150 000 F ! Mais il permet à lui seul de produire 3 000 l de parfum, ce qui calme les prix… vite relancés par le nom prestigieux qui leur est souvent accolé.

Le rôle du « nez »

La création d'un parfum repose essentiellement sur les épaules du « nez », maître ès fragrances qui règne sur chaque maison de parfumerie. Entouré d'ordinateurs, de formules chimiques et d'une capacité à reconnaître des milliers d'odeurs différentes, il mélange à longueur d'année les senteurs et élabore des mixtures subtiles qui tiennent compte de son élan créateur et des critères de la mode. On naît nez, on ne le devient jamais. Sa production annuelle : 3 à 4 parfums maximum.

Grimaud et Port-Grimaud : le fond du golfe de Saint-Tropez

À l'extrême pointe du massif des Maures, la D 14 descend vers le golfe de Saint-Tropez. Les plages et la foule vont bientôt remplacer la solitude des hauteurs et l'ombre bienfaisante de leurs chênes-lièges. On retiendra un peu de cette fraîcheur et de cette sérénité en flânant dans les ruelles caladées de Grimaud, dressé sur son piton rocheux. À quelques kilomètres, Cogolin contraste par sa joyeuse animation.

Grimaud★★

Coiffé par les ruines de son château féodal, Grimaud regorge de corbeilles fleuries et de soudaines échappées sur les forêts vertes et la mer bleue. Face à la maison des Templiers, de style Renaissance, se dresse une très jolie église romane (XIe s.). Elle abrite un superbe bénitier en marbre du XIIe s.

Cogolin★

Ce gros bourg est surtout connu pour ses **fabriques de pipes et de tapis**. Des activités qui lui donnent cet air de fourmilière toujours très animée. La ville haute a conservé un certain charme. Ses maisons anciennes aux encadrements de portes en serpentine, sa jolie église Saint-Sauveur (construite au XIe s.) avec son portail Renaissance qui vient de la chartreuse de la Verne, ses agréables ruelles invitent à la promenade.

LES DIFFICULTÉS D'UNE RÉALISATION

C'est en 1962 que monsieur Spoerry, architecte alsacien, découvre un marécage que l'insuffisance de fond rend impropre à la navigation. Il envisage alors la construction de Port-Grimaud. En 1966, les palanques en fer sont enfoncées dans le sol, les ponts sont construits, les canaux creusés, et la mer se réinstalle naturellement autour d'une cité lacustre qui a poussé sur un désert aquatique... 24 000 t de granit ont été nécessaires pour construire les remblais sur lesquels reposent aujourd'hui plus de 2 000 maisons (toutes privées).

Le musée Raimu★★
18, av. Georges-Clemenceau
☎ 04 94 54 18 00.
Ouv. t. l. j. sf dim. mat., 10 h-12 h et 16 h-19 h ; hors saison, 10 h-12 h et 15 h-18 h.
Accès payant.

Qui ne se souvient des inoubliables interprétations de Raimu dans les films de Pagnol ? *Fanny, César, La Femme du boulanger...* Voilà l'un des comédiens français les plus marquants de sa génération. Et pourtant, c'est à sa famille que l'on doit le musée qui lui est consacré. Aménagé dans un ancien cinéma, il raconte à travers affiches, photos, lettres et objets personnels l'histoire de Jules Muraire, dit Raimu, né à Toulon (1883-1946).

Les pipes de Cogolin★★
Maison Courrieu, av. Georges-Clemenceau
☎ 04 94 54 63 82.
Ouv. t. l. j., 9 h-12 h et 14 h-19 h. F. dim. et j. fér.
Les fumeurs de tabac blond ne rateront pas l'occasion d'assister à la fabrication de leurs pipes préférées. À Cogolin, elles sont faites en bois de bruyère récolté dans la forêt des Maures. Une tradition de plus de 200 ans qu'honore très bien la maison Courrieu, connue dans le monde entier. Une pipe en bois de bruyère vous coûtera de 85 à 1 000 F selon la qualité.

Au tapis
Ets Louis-Blanc, bd Louis-Blanc
☎ 04 94 54 66 17.
Ouv. lun.-ven., 9 h-12 h et 14 h-19 h. F. j. fér.
Tapis de laine, de coton, de jute ou de raphia, ceux des établissements Louis-Blanc sont tissés à la main. Des pièces uniques que vous pourrez découvrir dans les salles d'exposition de la manufacture. Cogolin a aussi son style : des tapis ornés de motifs géométriques, conçus pour des intérieurs contemporains. Vous pouvez emporter votre tapis sous le bras ou le commander aux dimensions et aux coloris souhaités. Compter 8 400 F pour un tapis tissé main de 1 m 40 sur 2 m.

L'église Saint-François-d'Assise★
Elle vaut le détour pour ses vitraux signés Vasarely et parce que, du haut de sa tour, on embrasse des yeux la cité et le golfe de Saint-Tropez...
Pour le reste, sa simplicité « provençale » s'explique par le fait qu'elle n'appartient à personne : œcuménique, elle est utilisée par toutes les religions chrétiennes...
3 clients pour un seul logement (calcul d'agent immobilier ?).

Port-Grimaud★★
Chaque région de France a sa « petite Venise » : pour la Côte d'Azur, c'est Port-Grimaud. Construit de toutes pièces, ce village bâti sur la mer se découvre en coche d'eau (☎ 04 94 56 21 13. Départs t. l. j. sur la place du Marché. F. du 11 nov. à mi-déc.).
Sillonnez les 7 km de voies navigables de la cité lacustre, passez sous les ponts vénitiens, longez les îlots et les portes fortifiées... Et dans ce décor, songez que tout cela n'est qu'une (superbe) réalisation immobilière, habitée par des locataires qui disposent depuis le premier jour du confort moderne...

Hyères : le charme rétro de la Côte d'Azur

Retirée à 5 km des plages et des bains de mer, l'ancienne cité phocéenne d'Olbia, retranchée au Moyen Âge sur le flanc de la colline, veille sur la plaine de Palyvestre et la presqu'île de Giens. Les ruelles de ses vieux quartiers se prolongent vers la mer par des avenues bordées de magnifiques palmiers. Maison mauresques, immeubles cossus de la Belle Époque, flore exotique… Hyères a le charme des anciennes stations balnéaires, un peu rétro mais simple et authentique.

La tour des Templiers

Ouv. t. l. j., 9 h-12 h et 14 h 30-18 h.
Accès gratuit.

Place Massillon, la tour Sainte-Blaise, surnommée la « tour des Templiers », est devenue un lieu d'exposition. Cette chapelle du XIIe s. était une abside fortifiée qui abritait une commanderie de l'ordre des Templiers. Depuis sa terrasse, la **vue panoramique** sur la plaine est à couper le souffle.

La collégiale Saint-Paul

Ouv. mer.-sam., avr. à oct., 10 h 30-12 h et 15 h 30-18 h ; hors saison, 10 h 30-12 h et 15 h-17 h.
Gratuit.

En partie édifiée au XIIe s., elle abrite retables, reliquaires et statues dorées. Mais on s'arrêtera surtout sur son incroyable collection d'ex-voto. Plus de 400 tableaux offerts par des marins que la mer a épargnés. Le plus ancien date de 1613. Enfin, à gauche en entrant, impossible de rater la vaste **crèche de santons provençaux.**

La vieille ville

Pittoresque, elle s'étend au pied des vestiges du château des XIe-XIIIe s. Ses vieilles ruelles invitent à la flânerie. Rue Sainte-Claire, belles façades du Moyen Âge et portes armoriées de la Renaissance. Au n° 6 de la rue Paradis, vous trouverez une

belle maison romane restaurée. Enfin, la jolie place Massillon révèle tous ses charmes à l'heure du marché (t. l. j.).

Plaisirs de bouche, plaisirs des yeux

Dans un dédale de ruelles pavées, en empruntant la pittoresque rue Barbacane aux maisons à fenêtres géminées, on arrive à la place de la République.

Ombragée de platanes, elle attire tous les samedi (et le 3e jeudi du mois) les amateurs de produits régionaux qui viennent trouver leur bonheur au **marché paysan**. On y achète miel et confitures des fermes alentour mais aussi des brassées de fleurs, une des spécialités du lieu.

Le château Sainte-Claire et les jardins Saint-Bernard
Ouv. t. l. j.
Accès gratuit.

La « cité des palmiers » commença la culture de ses arbres fétiches à la fin du siècle dernier. Cette flore exotique s'épanouit joyeusement dans le parc du château Sainte-Claire. Le colonel Voutier, découvreur de la Vénus de Milo, y construisit une villa somptueuse en 1850. À 50 m de là, le parc Saint-Bernard étale ses jardins en terrasses jusqu'au pied des ruines du château. Une sorte de labyrinthe végétal aux parfums envoûtants.

La villa de Noailles
☎ 04 94 65 18 55
(office de tourisme)
Ouv. juin-août, visites guidées.
Accès payant.

Jouxtant le parc Saint-Bernard, cette villa dessinée par l'architecte Robert Mallet-Stevens a reçu dans les années 30 les grands artistes de notre siècle :

Cocteau, Man Ray, Giacometti… Dans ce bâtiment conçu comme un paquebot, avec des superpositions de cubes en béton et de terrasses, de drôles de fêtes s'y déroulaient. Les Noailles ont voulu pour ce lieu une villa d'hiver très moderne. Pari réussi : ce « château cubiste » reste un des rares témoins de l'avant-garde architecturale. Se visite hors saison quand il y a des expositions :

UN AIR DE BOUT DU MONDE

L'ancêtre des stations balnéaires de la Côte d'Azur offre une très jolie image du rêve oriental qui saisit la France aux XVIIIe-XIXe s. Deux maisons, *la Mauresque* (av. Jean-Natte) et *la Tunisienne* (av. Beauregard), ont un air venu d'ailleurs très charmant : minarets, coupoles, carreaux de faïences polychromes. Elles siègent au milieu des palmiers qui ont fait la gloire de la ville.

une belle manière de conjuguer les plaisirs.

Le jardin d'acclimatation Olbius-Riquier
Av. Amboise-Thomas, à 600 m du centre
Ouv. t. l. j., 7 h 30-18 h ; jusqu'à 20 h en été.
Accès gratuit.

Sur ces 6,5 ha poussent en pleine terre des arbres rares ou exotiques. Dans les serres, les **plantes tropicales** voisinent avec les oiseaux du bout du monde. Le jardin est aimable comme un coin de fraîcheur et de paix. Vos enfants aimeront aussi flâner au milieu des enclos aménagés qui abritent quelques **animaux** (émeus, daims, singes…), à moins qu'ils ne vous conduisent *prestissimo* à l'aire de jeux spécialement conçue pour eux.

L'Isle-sur-la-Sorgue : capitale de la chine provençale

Dans ce paysage verdoyant doucement vallonné, vous découvrirez un nouveau visage de la Provence. Terre prise dans les eaux de la Sorgue, patrie du poète René Char qui la chanta de sa voix rocailleuse, L'Isle-sur-la-Sorgue a été baptisée la Venise comtadine à cause des nombreux canaux qui la traversent. En amont, Fontaine-de-Vaucluse regarde naître la Sorgue d'un gouffre au pied d'une falaise.

Au fil des rues★★

La vieille ville est riche en maisons Renaissance se reflétant dans les eaux vertes des 5 bras de la Sorgue. Une quinzaine de **roues à aubes** moussues subsistent sur les 70 qui actionnaient autrefois moulins à grains et à huile, papeteries, teintureries et ateliers textiles. L'église Notre-Dame-des-Anges est renommée pour son intérieur baroque de la fin du XVIIe s. Dans la pharmacie de l'hôtel-Dieu, une belle **collection de faïences de Moustiers** et un énorme mortier en bronze du XVIIe s.

Au fil de l'eau★

La Sorgue donne lieu à d'originales manifestations, comme le corso nautique (fin juillet), un défilé nocturne de chars fleuris sur l'eau. Début août se tient le marché flottant où les forains vendent leurs produits sur des barques amarrées aux quais de

la Sorgue. Durant l'été, vous pourrez aussi peut-être assister aux **joutes nautiques** qui s'y déroulent régulièrement.

L'Isle aux brocantes★★

Antiquaires et brocanteurs abondent dans cette ville, paradis des chineurs. Pendant le marché aux puces du dimanche matin et 2 fois par an (Pâques et 15 août), la ville s'anime dans un désordre poétique le long des quais. L'Isle possède aussi de nombreuses galeries d'art.

Fontaine-de-Vaucluse★★

La *Vallis Clausa* ou vallée close a donné son nom à la ville et au département. Et c'est ici, au fond d'une vallée étroite, que naît la Sorgue, surgissant d'un gouffre mystérieux. Ce paysage de fraîches vallées et de grottes a inspiré les poètes, et parmi eux Pétrarque (XIVe s.) dont

les odes à Laure résonnent encore dans toutes les rues et jusqu'au musée qui lui est consacré (☎ 04 90 20 37 20. Ouv. t. l. j. sf mar., 24 mars-30 sept., 10 h-12 h et 14 h-18 h ; hors saison, w.-e. seulement. Accès payant).

D'un musée l'autre

Sur le chemin du gouffre, on peut visiter le **moulin à papier** Vallis Clausa (☎ 04 90 20 34 14) et assister à la fabrication du papier à la forme ou à la cuve. Un **musée de la Résistance** (☎ 04 90 20 24 00) évoque la vie dans le Vaucluse pendant l'Occupation et expose des œuvres d'écrivains ou d'artistes engagés. Le **Monde souterrain de Norbert Casteret** (☎ 04 90 20 34 13), prélude à la découverte de la fontaine, présente les matériels utilisés par les spéléologues et les cristallisations calcaires recueillies par Casteret au cours de ses explorations souterraines.

En descendant la Sorgue

En quittant Fontaine-de-Vaucluse, pourquoi ne pas se laisser tenter par une descente de la Sorgue en canoë-kayak (Kayak vert, ☎ 04 90 20 35 44. Ouv. avr.-nov.). Détente,

LES MYSTÉRIEUSES SOURCES DE LA SORGUE

Fascinante et attirante, la fontaine interroge. Si le gouffre garde son mystère, une plongée réalisée en 1985 fait état d'un fond sablonneux à -308 m de profondeur. Qui dit mieux ? Quant à la provenance des eaux, le mystère est un peu éclairci : des expériences par coloration ont montré qu'elles émergent d'un immense réseau souterrain provenant de l'infiltration des eaux de pluie et de la fonte des neiges du Ventoux, des monts du Vaucluse et de la montagne de Lure, représentant un impluvium de 1 100 km2 dont l'unique issue serait la fontaine. L'écoulement total moyen est de 630 millions de m3 par an. Le débit n'étant jamais descendu en dessous de 4,5 m3, même en période de sécheresse, il reste aujourd'hui une interrogation majeure : où se trouve la réserve d'eau qui permet à la fontaine d'être alimentée en permanence ?

plaisir et émotions garanties dans un **décor splendide** (ceux qui préfèrent goûter aux joies de la pêche à la truite peuvent la pratiquer au même endroit). À 12 km, le village du Thor abrite la grotte de Thouzon (☎ 04 90 33 93 65. Ouv. avr.-oct., 10 h-12 h et 14 h-18 h ; juil.-août ,10 h-19 h ; le dim. de mars et nov., 14 h-18 h. Accès payant). Découverte en 1902, cette caverne naturelle possède des stalactites d'une extrême finesse.

La chine en Provence

L es antiquaires de Provence accumulent les souvenirs de la vie des bastides d'antan : sièges paillés, mobilier ancien, objets divers...

Utilitaires ou décoratifs, en bois, en argile, en fer ou en pierre, les emblèmes de la culture provençale continuent de se fabriquer dans le secret des ateliers...

Le mobilier en noyer

Spécifiquement provençales, la panetière, l'armoire garde-manger (*manjadou*) et les étagères en bois sont devenues au fil du temps des meubles d'apparat, de plus en plus richement sculptés. Repérez l'*estagnié*, pour ranger la vaisselle d'étain, le *veiriau* pour les verres ou le *coutelié* pour les couteaux... Et dans votre chambre à coucher, installez une armoire de mariage, avec son décor symbolique de cœurs entrelacés, d'épis de blé ou de colombes...

Les objets en fer forgé

Le fer transformé en œuvre d'art... De tout temps, les ferronniers provençaux ont réalisé des objets utilitaires agrémentés de formes décoratives. Pour l'intérieur : tringles, clés, bougeoirs, lustres, pieds de tables,

rampes d'escaliers, et même lits à baldaquin… Pour l'extérieur : marteaux de portes, chaises, tables de jardin, girouettes, portails… Dans les ateliers actuels, les copies d'ancien voisinent avec les créations contemporaines.

L'argile

En Provence, les tommettes en argile rouge recouvrent le sol des habitations depuis le XVIIe s. Chez les maîtres potiers, on les trouve en bonne place à côté des services de table, des poteries culinaires traditionnelles (soupières, pots…), des vases, des lampes… Plus élaborées (et trempées dans l'émail), les

faïences aux tons jaunes, orangés ou vert émeraude sont décorées à la main, comme les célèbres santons de Provence (parfois même en plâtre…).

Les pierres de Provence

Dénichez (ou commandez) un cadran solaire, une fontaine, un dallage, un banc de jardin ou une cheminée chez les tailleurs de pierre de Provence. Comme leurs ancêtres, ils utilisent la grande panoplie des pierres régionales, et certains créent même des mosaïques qui les rassemblent toutes : marbre rose de Brignoles, pierre du Luberon (celle du palais des Papes d'Avignon),

pierre de Cassis, de Fontvieille, de Rognes, etc.

Antiquaires et brocanteurs

Ils sont légion. Généralistes ou spécialistes très chics – et très chers –, ils rassemblent la mémoire régionale (et bien au-delà), de la carte postale ancienne au meuble authentique. Parfois regroupés en « villages » (L'Isle-sur-la-Sorgue, dans le Vaucluse), on les trouve notamment à Avignon (rue Petite-Fusterie), à Ménerbes, à Arles, à Marseille, à Aix-en-Provence, à Puyricard, à Toulon, à Saint-Tropez, à Montauroux, à Salernes, à Sanary-sur-Mer, à Fayence, La Roquebrussanne…

Les étoffes

Tissées en coton, en lin ou en soie, les étoffes provençales

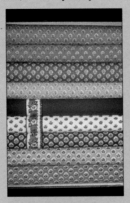

arborent des motifs de couleurs imprimés, inspirés à l'origine par les toiles venues du

Bengale (il y a 3 siècles)… Cette filiation « indienne » s'est enrichie de créations contemporaines qui ornent désormais nappes, serviettes, rideaux, couvre-lits, tentures, vêtements… et même les robes de mariées ! Deux maisons réputées règnent en maîtres(ses) sur cet artisanat très vivant : Souleïado et Les Olivades, incontournables en Provence-Alpes-Côte d'Azur.

LA PASSION DES INTROUVABLES

Profiter des vacances pour dénicher un livre cherché en vain, s'abandonner à la découverte d'un auteur inconnu ou trouver quelque ouvrage ancien sur la Provence. À Aix, dans la librairie Rue-des-Bouquinistes-Obscurs (2, rue Boulegon, ☎ 04 42 96 03 19 ; ouv. t. l. j. sf dim. 8 h30-19 h), vous trouverez assurément votre bonheur. Et 10 m plus loin, à L'Abécédaire (c'est le même propriétaire et l'accueil y est lui aussi sympathique), tirages de têtes et éditions rares vous ouvrent toutes grandes leurs pages, avec en plus un coin lecture et jeux pour les enfants.

De La Ciotat à Bandol : au bord du golfe d'Amour

E ntre La Ciotat et Bandol, les villages jouent à chat perché. Entourés de vignobles en terrasses, où grandissent les vins de Bandol, ils se contemplent depuis leurs panoramas respectifs. On y flâne, on y fait des emplettes tandis que, sur la côte, les falaises du golfe d'Amour offrent les plus belles promenades du littoral et que, dans l'arrière-pays, les bolides vrombissent sur le circuit du Castellet.

Le Castellet★★
10 km N. de Bandol
C'est là que Marcel Pagnol a tourné *La Femme du boulanger*. Dans ce village féodal entouré de vignes en terrasses, on pénètre par 2 portes fortifiées. Les ruelles anciennes s'ornent de maisons des XVIIe-XVIIIe s. où travaillent de nombreux **artisans** locaux : potiers, maroquiniers, tisserands, santonniers…

De l'esplanade du château (XVe s.), vue imprenable sur le massif de la Sainte-Baume.

La Cadière-d'Azur★
8 km N. de Bandol
Tout son charme réside dans ses ruelles fleuries. Dans ce village, déambulez le soir, boussole en main (car on s'y perd !), et progressez vers le nord : de ce côté de la colline, la vue est superbe sur le massif

La Cadière-d'Azur.

de la Sainte-Baume et Le Castellet, au premier plan. Remarquez, au cours de votre périple, les vestiges de l'**enceinte médiévale**, la **tour de l'Horloge** et le portail flamboyant de l'église Saint-André (XVIe s.).

Le domaine Ott★
Château Romassan, Le Castellet, D 66
☎ 04 94 98 71 91.
Ouv. t. l. j. sf dim. et j. fér., 9 h-12 h et 13 h 30-18 h 30
Visite guidée (français et anglais). Accès gratuit.

Dans une bâtisse du XVIIIe s., la famille Ott se dévoue depuis près d'un siècle aux vins de Bandol. Visitez le domaine (caves et cuverie) et goûtez à ce nectar local, A. O. C. depuis 1941. Après la dégustation, vous retiendrez un chiffre, 51 : le nombre de pays du monde où s'exportent ces grands vins de Provence. Prix de la bouteille : 89 F pour un rosé 1996, 102 F pour un rouge ou un blanc 1993.

Le Beausset-Vieux
4 km S. du Beausset
Pas besoin de dire merci pour le coup d'œil : la chapelle hissée sur le sommet du Beausset-Vieux renferme une collection de 80 ex-voto qui s'en chargent pour vous depuis des siècles… Pourtant, la tenta-

tion est grande : la rade de Toulon, la Sainte-Baume, La Ciotat, les gorges d'Ollioules et les villages médiévaux sont à vos pieds. En contrebas, Le Beausset possède un intéressant **musée** consacré aux poupées anciennes (46, rue de la République, ☎ 04 94 98 63 37).

Le circuit Paul-Ricard★
8 km N. de Le Beausset par RN 8
☎ 04 94 98.45.00.
Visites (hors courses) t. l. j. sur r.-v.
Accès gratuit.
Faites vous-même le tour du célèbre circuit du Castellet, en monoplace ou en formule 3, comme Alain Prost il y a quelques années ! Dans ce site à donner des ailes, l'école de pilotage Winfield vous ouvre ses portes et les ateliers Renault présentent devant vous les bolides du XXIe s. Attention, ce haut lieu de la course automobile est ouvert

LE LITTORAL
**On se baigne sur la plage de sable fin de Saint-Cyr-sur-Mer/Les Lecques, et le large est une destination privilégiée pour les plongeurs (renseignements au ☎ 04 94 26 42 18). Pour les randonneurs ou promeneurs, suivre le sentier du Littoral, historique chemin des douaniers, entre le port de La Madrague et l'anse de Renecros (Bandol) : 11 km aller-retour sur les pointes sauvages qui surplombent notamment le site du port d'Alon et ses très belles calanques.
Durée : 3 h 30.**

uniquement hors des périodes de « roule » ! Évitez notamment le Bol d'or ou le Grand Prix des camions, en mai.

Deltaplane et parapente
Toujours au rayon sports, faites le grand saut libérateur depuis les sommets de la Cadière-

d'Azur… Les conditions climatiques et aérologiques de la côte provençale en font un lieu particulièrement adapté à la pratique des « vols libres ».
Renseignements au club **Les Rapaces d'azur** (☎ 04 94 90 05 29).

Les îles de Lérins :
la prison du Masque de Fer

Prenez le bateau à Cannes et rejoignez « les îles », comme disent les Cannois… Dans la première (Sainte-Marguerite), le mystérieux Masque de Fer fut enfermé par Louis XIV. Dans l'autre (Saint-Honorat), de paisibles moines occupent encore une superbe abbaye, loin des brouhahas du monde… Ici, la nature intacte – quoiqu'un peu aménagée – offre d'inoubliables promenades. La circulation automobile est interdite.

Île Sainte-Marguerite
Le fort Royal ★★
☎ 04 93 43 18 17.
Ouv. t. l. j. sf mar., juil.-sept., 10 h 30-12 h 15 et 14 h 15-18 h 30 (jusqu'à 16 h 30 hors saison).
Accès payant.

Ancré sur la falaise, au nord, on y entrait pour ne jamais en ressortir. Visitez les cellules des prisonniers célèbres qui s'y sont succédé : le Masque de Fer, les sept huguenots, le maréchal Bazaine. Repérez l'abrupt par lequel se serait évadé le maréchal en 1874, par une simple corde au-dessus des flots déchaînés… À l'entrée, le **musée de la Mer** rassemble les épaves romaines découvertes autour de l'île.

Les sentiers écologiques ★
Départs de l'embarcadère
☎ 04 93 43 49 24.

Arpentez les 140 ha de la très riche forêt méditerranéenne qui recouvre Sainte-Marguerite. En été, les **circuits d'initiation écologique** sont commentés (t. l. j., juil.-sept.,

10 h 20, 14 h 20 et 16 h 20. Accès gratuit), et le superbe **sentier botanique** vous emmène, à partir du fort de Vauban, à la découverte des principales essences locales. Ne ratez pas l'étonnante allée des Eucalyptus, plantée en 1865, et l'étang salé du Batéguier, peuplé d'oiseaux marins.

Île Saint-Honorat
Le tour de l'île★★
Départ de l'embarcadère

Sous les pins, longez la côte par un magnifique sentier ombragé. Vous croiserez les 7 chapelles qui ornent cette île cistercienne, dont La Trinité (à la pointe est) et Saint-Sauveur (au nord-ouest), qui ont conservé leur aspect d'origine (Ve s.). À la pointe Saint-Féréol, l'étonnant four installé par Bonaparte était destiné à chauffer les boulets de canon. Au centre de l'île, vignes, orangeraies et champs de lavande sont cultivés par les moines…

Le monastère-forteresse★★
☎ 04 93 48 68 68.
Ouv. t. l. j. 9 h 30-16 h 30 (jusqu'à 17 h 30 en été).
Accès payant en juil.-août (visites guidées).

Il a les pieds dans l'eau, sur une pointe avancée de la côte sud. Les moines cisterciens ont vécu ici pendant plus de sept siècles, à l'abri des attaques de pirates. On y pénètre par une porte placée à 4 m du sol, autrefois dotée d'une simple échelle, et la visite des étages

supérieurs laisse imaginer ce qu'était leur vie cloîtrée… jusqu'à la Révolution. En haut, vue remarquable sur l'île et sur la mer.

Le monastère moderne
☎ 04 93 48 68 68.
Visite tte l'ann., sf dim. et j. fér., 8 h-17 h.

Ici vivent les moines cisterciens. Seuls l'église et le musée sont accessibles. Dans ce dernier, des fragments d'objets de l'époque romaine évoquent les premiers temps de

l'histoire de l'île. L'église (la liturgie est ouverte au public) a été construite il y a un siècle sur l'emplacement de l'ancienne collégiale et conserve comme unique vestige de ce premier édifice une chapelle des Morts du XIe s.

La liqueur des moines★
En vente au monastère moderne

Ils lui ont donné le nom originel de l'île, Lérina,

en référence à l'époque où saint Honorat est venu s'y retirer (IVe s.). En hommage à leur fondateur, les frères cisterciens réalisent artisanalement cette liqueur en utilisant les plantes aromatiques qu'ils trouvent sur l'île. Goûtez ce nectar inspiré par des lieux sanctifiés depuis près d'un millénaire. La Lérina se décline en 2 couleurs, verte (165 F la bouteille de 70 cl) ou jaune (155 F la bouteille de 20 cl).

L'abus d'alcool est dangereux pour la santé.

DERNIÈRES NOUVELLES DU MASQUE DE FER

Si les dernières suppositions se révèlent fondées, l'histoire de France s'en trouvera bouleversée… Louis XIII avait, paraît-il, peu de goût pour les femmes, et son fils présumé, Louis XIV, aurait fait enfermer dans le fort de l'île Sainte-Marguerite non pas son frère jumeau, mais son propre (et véritable) père…, le duc de Beaufort. Ayant découvert qu'il était le fils d'un « ami galant » de sa mère, Anne d'Autriche, le Roi-Soleil aurait pris des dispositions pour conserver son trône (illégitime), sans jamais oser attenter aux jours de celui à qui il devait la vie.

Pour vivre heureux, vivons perchés

Accrochés à un piton ou enroulés autour d'une colline, les villages perchés puisent leurs racines dans l'histoire ancienne. Souvent fortifiés et couronnés d'un château ou d'une église, se tenant comme en équilibre sur le roc, ils sont difficilement accessibles mais de leur point le plus haut on ne se lasse pas de découvrir la mosaïque des toits imbriqués les uns dans les autres, le lacis des ruelles caladées et les vues grandioses sur la plaine.

Citadelles du vertige

Ces vestiges du Moyen Âge trahissent les préoccupations de leur premiers habitants : car en ces temps de guerres incessantes, il fallait songer à se mettre à l'abri. Du haut d'un rocher, on voit venir l'ennemi et on peut s'en protéger… Sans compter l'air malsain des plaines envahies par l'eau à la première crues. Si aujourd'hui on se plaît à contempler la vue du haut de ces villages, leurs fondateurs ont choisi les sommets pour survivre, tout simplement.

Villages abndonnés

À partir du XVIe s., nombre de leurs habitants préfèrent redescendre dans les

Les Baux-de-Provence, dans les Bouches-du-Rhône.

À CHACUN SA TOPOGRAPHIE

Les hommes ont exploité les particularités de chaque site. Tantôt le village occupe toute la colline et s'enroule autour du château comme un escargot, tantôt il se cache sur un plateau protégé par une barre rocheuse, tantôt il s'accroche à mi-pente. Mais l'espace bâti y est partout très dense (pour se protéger des ardeurs du soleil) et les habitations sont toutes en pierre du pays.

plaines, mieux desservies par les voies de communication et plus favorables à l'exploitation agricole. Au fil des ans, certains villages ont ainsi été désertés, d'autres ont tenté de survivre coûte que coûte. Aujourd'hui restaurés, beaucoup ont retrouvé une seconde jeunesse avec l'afflux des visiteurs.

Dans le Vaucluse

On pourra découvrir avec ravissement les villages édifiés autour du Ventoux (Bédoin, Crillon-le-Brave, Le Barroux, Brantes ou Aurel), ceux du plateau du Vaucluse (Vénasque, Gordes, Roussillon, Goult, Murs, Cazenenve et Viens) ou ceux du Luberon (Oppède-le-Vieux,

Ménerbes, Lacoste, Bonnieux, Buoux, Saignon ou Ansouis).

Dans les Bouches-du-Rhône

Ici peu de villages perchés, car le relief ne s'y prête guère. C'est dans les Alpilles que l'on visitera les plus beaux : Eygalières, qui domine la plaine de Saint-Rémy, ou Les Baux-de-Provence, en équilibre sur le rebord de son piton rocheux.

Dans les Alpes-de-Haute-Provence

Le paysage du département est émaillé de plus de 100 villages perchés. Les plus connus sont Moustiers-Sainte-Marie, Entrevaux, Thoard, Saint-Vincent-

Moustiers-Sainte-Marie.

les-Forts, Simiane-la-Rotonde, Banon, Dauphin, Montfort ou Lurs. D'autres, moins célèbres, séduiront ceux qui aiment sortir des sentiers battus : Villevieille, Rougon, Montfuron, Montjustin, Vachères, Montsallier, Oppedette ou encore Le Rocher-d'Ongles.

Dans le Var

Le plus haut village du Var est Bargème, perché à 1 097 m d'altitude. Non loin, Mons ou Seillans ont eux aussi la folie des hauteurs. Au centre du département, Cotignac et Barjols sont accrochés au flanc de la montagne. Au-dessus de Bandol, La Cadière-d'Azur fait face au Castellet, Le Beausset et Évenos surplombent les gorges d'Ollioules. Dans le massif des Maures, Colobrières, Grimaud et La Garde-Freinet ont un avant-goût d'éternité tandis que, plus près de la côte, Gassin et Ramatuelle flirtent avec le vide.

Dans les Alpes-Maritimes

Là aussi les hommes ont façonné au fil des siècles un paysage où les villages ont épousé les collines, les vallées, les plateaux et les montagnes de ce département. On citera Touët-sur-Var (entre les gorges de la Mescla et celles du

Une ruelle du village du Peillon.

Cians), Saorge (étagé en amphithéâtre à plus de 100 m au-dessus de la vallée de la Roya), Gourdon (le balcon de la Côte d'Azur à 760 m au-dessus de la vallée du Loup), Tourettes-sur-Loup ou encore Bonson, Auvare, Peillon, Sainte-Agnès, Coaraze et Lucéram, dans l'arrière-pays niçois.

La structure en escargot de Ramatuelle, sur la presqu'île de Saint-Tropez.

La vallée du Loup :
Tourrettes, Le Bar,
La Colle et Gourdon

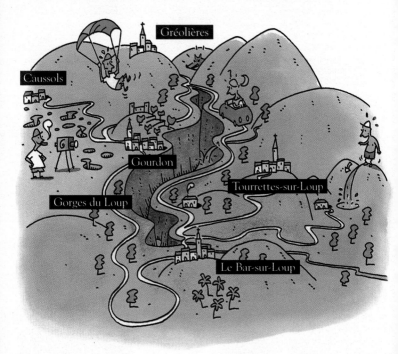

Gréolières

Caussols

Gourdon

Tourrettes-sur-Loup

Gorges du Loup

Le Bar-sur-Loup

Ce Loup-là avait vraiment de très grandes dents : torrent carnassier, il a creusé le calcaire sur plus de 40 km, pour rejoindre à Cagnes la Méditerranée, 1 200 m plus bas ! Le résultat, c'est un chemin de pierre somptueusement sculpté, parsemé de sites enchanteurs et d'extraordinaires villages perchés. Dans ce décor, les violettes et les orangers s'épanouissent, et l'on s'étourdit de randonnées, de canyoning et de vol en parapente…

Tourrettes-sur-Loup★
Altitude : 400 m

C'est la cité des violettes. Elles embellissent les champs alentour et fleurissent d'octobre à mars. Au sommet de son éperon rocheux, le village médiéval fortifié n'a pas changé depuis le XVe s. Parcourez la Grand-Rue – en partant du beffroi, au sud de la place centrale – et entrez dans les **ateliers d'artisans** qui ont choisi la quiétude de ce lieu pour travailler (céramistes, peintres, graveurs, potiers, sculpteurs, tisserands…).

Violettes au menu
La Tanière du Loup, pl. de la Libération
☎ 04 93 24 12 26.

Dans cette boutique, découvrez les principales déclinaisons de l'emblème du lieu : violettes naturelles cristallisées à déguster comme des bonbons, confit de pétales de violettes récoltées spécialement lors de la grosse floraison en début

d'année, ou sirop de violette. Et, bien sûr, le parfum, fabriqué à partir de la feuille, pour ceux qui ne le sentent pas assez, paraît-il…

La confiserie des Gorges du Loup★★
Le Pont-du-Loup, 8 km O. de Tourrettes-sur-Loup
☎ 04 93 59 32 91.
Visite guidée (dégustation de bonbons et de confitures)
t. l. j., 9 h 30-18 h 30 ;
hors saison, 9 h 30-12 h et 14 h-18 h 30.
Accès gratuit.

Tout y est à croquer…
Au bord de la rivière, dans un ancien moulin, cette jolie fabrique artisanale ressemble au pays des mille et un bonbons. Écoutez le récit délicieux de la fabrication des

fleurs cristallisées (108 F les 250 g), des clémentines confites (80 F les 500 g), des écorces de citrons et des multiples douceurs qui intègrent toutes les saveurs provençales. En sortant, fondez sur la dernière création, le (très réussi) confit de pétales de roses (50 F les 500 g)…

Les gorges du Loup★★★
D 3 à partir du Pont-du-Loup ; 4 h mini.

Engagez-vous dans ce couloir extraordinaire, havre de fraîcheur et de hauteur…

Le torrent a magnifiquement creusé le calcaire et les occasions de haltes sont nombreuses : la **cascade de Courmes** saute de 40 m de hauteur, la **rivière au Saut-du-Loup** (site privé, accès payant) est dans tous ses états… À Bramafan, tournez à gauche vers Gourdon : à 700 m d'altitude, les vues sur le fond des gorges sont vertigineuses.

Le Bar-sur-Loup★★
Altitude : 350 m

Sa situation a longtemps fait de cette cité perchée la gardienne des gorges du Loup. Place de la Tour, au pied de

---

LE VIN D'ORANGE

Le Terroir provençal (☎ 04 93 42 47 93), centre cial Les Jasmins, 350, av. Amiral-de-Grasse, Le Bar-sur-Loup.

Le vin d'orange, spécialité du Bar-sur-Loup, cité des orangers, est encore fabriqué selon une recette ancestrale qui demande un mois et demi et requiert la lune comme ingrédient ! Notez bien : mettre à macérer pendant 45 jours 5 bigarades, 1 orange douce, 1 citron, 1 mandarine, 1 bâton de vanille ou de canelle, 1 kg de sucre, 5 l de bon vin et 1 l d'alcool. À la fin, filtrez le tout... mais seulement un soir de pleine lune.

L'abus d'alcool est dangereux pour la santé.

---

l'ancien donjon, contemplez la beauté du site et visitez l'église Saint-Jacques (XVe s.), dotée d'un remarquable retable et d'une rarissime *Danse macabre* (au fond de l'église) où le diable multiplie ses méfaits dans la maison de Dieu... Faites aussi le tour du vieux village, à l'intérieur des remparts des IXe-XVe s.

Le canyoning★★
Séquence évasion, parc Saint-Donat-Centre UMO, La Colle-sur-Loup. Accès : par D 6 en direction de Bar-sur-Loup, au niveau du stade.
☎ 04 93 32 06 93.
Ouv. t. l. j., avril-15 nov. Réserver (tous niveaux)
Matériel fourni.

Dans un décor magique, initiez-vous aux joies du canyoning. Franchissez pour débuter les petites cascades, qui n'excèdent pas 5 m de haut... (dès 10 ans). Puis, découvrez les frissons des toboggans naturels et de la descente en escalier (avec cordes) de la cascade de Courmes (rappel géant de 70 m.) et des gorges du Loup. Les moniteurs d'État restent à vos côtés et vous demandent seulement de ne pas détester l'eau...

Gourdon★★
14 km N.-E. de Grasse par D 3.

À 760 m d'altitude, l'immense panorama de la place de l'église

(chevet) embrase toute la côte, de Nice à Théoule ! Dans ce nid d'aigle accroché au bord de la falaise, les vieilles maisons de pierre du XVIe s., lovées autour du château, abritent un foisonnement de boutiques d'artisans où l'on trouve, pêle-mêle, santons, nougat, pain d'épice, poteries, objets en bois d'olivier...

Le château★
☎ 04 93 09 68 02.
Ouv. t. l. j. sf mar., juin-sept., 11 h-13 h et 14 h-19 h ; hors-saison, 14 h-18 h.
Accès payant.

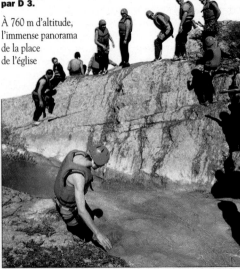

Il domine solidement les gorges du Loup... Bâti au IXe s. par les Sarrasins pour préserver leurs conquêtes locales, puis transformé en résidence par un protégé d'Henri IV, il a conservé de nombreux meubles, armes, documents et peintures des XVIIe-XVIIIe s. À côté, un intéressant **musée de peintures naïves** (2e étage) domine le parc qui, du haut de son piton rocheux, tutoie familièrement le vide…

Les jardins du château★★
☎ 04 93 09 68 02.
Mêmes horaires que le château.
Visites guidées sur r.-v.
Accès payant.

Suspendus au-dessus du précipice, les différents niveaux de ces incroyables jardins conçus par Le Nôtre (XVIIe s.) défient le trou béant des gorges du Loup… Avec ravissement et frisson, traversez successivement la cour d'honneur plantée de buis, le **jardin médiéval,** puis le **jardin italien**, récemment rénové… Et admirez – sans précipitation – le décor fabuleux qui sert de toile de fond (500 m de dénivelée !).

La source parfumée
Rue Principale
☎ 04 93 09 68 23.
Ouv. t. l. j.
Visite guidée payante des champs de fleurs.

Cette véritable institution date de 1946. On y récolte, comme dans le passé, la lavande, le thym, la sauge et le genêt, au cœur de champs disséminés dans la vallée du Loup. Visitez ces grands parterres fleuris et initiez-vous, dans la distillerie artisanale, parmi les alambics en cuivre patiné, aux différentes étapes de la fabrication des parfums alpestres, savons et bougies odorantes… (25 F la bougie parfumée). La plantation se trouve sur la D 3, entre Le Pont-du-Loup et Le Saut-du-Loup.

Le plateau de Caussols★
Depuis Gourdon par D 12.

Pour les amoureux de la lune et les spéléologues. Grimpez en voiture jusqu'au plateau de Caussols et arpentez-le à pied (par le GR 4, qui part de la D 12 vers le nord). Dans ce paysage lunaire, à plus de 1 000 m d'altitude, les cinéastes viennent souvent tourner des scènes qui se passent dans le quasi-désert… Sillonnez ce site extraordinaire, ami des étoiles (le ciel y est incroyablement pur) et truffé de grottes et de crevasses.

Le parapente★★★
Gréolières, 30 km N. de Grasse
Inscriptions au ☎ 04 93 38 25 92 (école de parapente Cumulus, Cannes).

À plus de 1 300 m, le grand saut dans les airs… D'abord, sur une pente douce, initiez-vous au maniement du parapente. Puis faites vos premiers grands vols en décollant de 6 points successifs, de plus en plus élevés au-dessus des gorges du Loup… Adossé à la muraille du Cheiron, le **site de Gréolières** offre des dénivellations progressives de 300 à 1 000 m… et des sensations fortes à n'en plus finir ! De la journée-découverte (380 F) au stage de 6 jours (2 400 F).

Le Luberon :
une terre secrète et riche

Prenant naissance du côté de Cavaillon, le Luberon est bordé au nord par la vallée du Cavalon et au sud par la vallée de la Durance. Combinant des influences très diverses, ses paysages tour à tour sauvages ou apprivoisés par l'homme, ses sites incomparables, son patrimoine architectural et historique et ses villages perchés ont forgé l'identité du Luberon à travers les siècles.

Calcaires blancs et marnes grises

Le massif du Luberon est constitué de deux systèmes : à l'ouest, le Petit Luberon (700 m d'altitude maximale) au paysage accidenté ; à l'est, le Grand Luberon constitué par un chapelet de collines élevées (le point culminant est le Mourre-Nègre, 1 125 m) aux formes massives et arrondies.

Le cours d'eau d'Aigue Brun traverse le massif du nord au sud en une profonde faille débouchant à Lourmarin et qui forme la frontière entre Grand et Petit Luberon.

Signes particuliers : une flore et une faune très riches

Étonnamment diverses et riches, la faune et la flore ont su conserver un équilibre naturel. On y trouve des espèces rares ou en voie de disparition partout ailleurs en France et en Europe. Parmi les espèces animales, plusieurs variétés de rapaces. La végétation sur les hauteurs est composée de chênes verts et kermès, de pins

d'Alep, de hêtres, et même de cèdres à Bonnieux et à Cabrières.

Un immense jardin

Région de tradition agricole et pastorale, le Luberon offre une moisson de produits de terroir : les fruits (cerises, amandes,

UN PETIT PARIS

Le Luberon, c'est aussi la ville à la campagne. Cette terre est devenue le lieu de villégiature de bon nombre de citadins (dont beaucoup de Parisiens). En fait, c'est dans les années 50 que quelques artistes et écrivains se prennent de passion pour la région et viennent y installer leurs pénates... d'été.
Attachés à la magie du pays, ils ont souvent contribué à faire renaître des villages et sont à l'origine de l'actuel succès du lieu.
Aujourd'hui, on peut rencontrer François Nourissier à Ménnerbes, Pierre-Jean Rémy à Goult, Jean Lacouture à Roussillon... Sans oublier tous les musiciens qui ont créé leurs festivals ici ou là. Certains redoutent que la région y perde son identité, mais allons, le Luberon ne serait plus le Luberon sans ses artistes, sans ses concerts... et sans ses visiteurs.

melons, fraises, pêches…), les légumes (asperges, courgettes, tomates…), la vigne et ses côtes-du-luberon, la viande d'agneau dont la réputation n'est plus à faire, le fromage de chèvre, la truffe (appelée ici « rabasse »), la lavande des collines ou le miel aux parfums exquis. Vous trouverez tous ces produits sur les marchés paysans.

Le Luberon sauvage
Créé en 1977, le parc régional du Luberon est l'un des plus anciens de France. Réparti sur deux départements (Vaucluse et Alpes-de-Haute-Provence), il s'étend sur 165 000 ha. Concilier protection de l'environnement (et des nombreuses espèces dont le Luberon a la charge) et développements économique et touristique en prenant garde que le lieu ne devienne pas une réserve artificielle dépourvue d'âme, telle est la difficile mission de ce parc. À la maison du Parc du

Parc naturel régional du Luberon

Luberon, à Apt (60, pl. Jean-Jaurès, ☎ 04 90 04 42 00), vous trouverez toutes les informations sur la flore et la faune, ainsi que sur les itinéraires de randonnées possibles.

Que voir dans le Luberon ?
L'observatoire ornithologique de Merindol.
Le fort de Buoux, un haut lieu de la préhistoire au sommet d'un socle naturel bordé d'à-pics impressionnants.
Le prieuré de Saint-Symphorien, du XIIe s., dressant son clocher à 25 m de haut en plein cœur du Luberon. Le conservatoire des terrasses de culture de Goult, qui présente sur plus de 1,5 ha un vaste échantillon de fleurs, plantes et vergers.
Les spectaculaires gorges du Régalon (entre Merindol et Cavaillon).

Le Luberon tonique
Pourquoi ne pas découvrir le Luberon à pied (en suivant le GR 4 ou le GR 6), à cheval (au départ de Bonnieux, par exemple) ou en bicyclette ?
Ici, les activités de pleine nature ne manquent pas : escalade (Buoux), parapente (Rustrel, Mourre-Nègre), voile et planche (plan d'eau d'Apt), spéléologie (aven du Calavon).
Renseignez-vous auprès de la maison du Parc du Luberon à Apt.

Le Grand Luberon : le circuit des châteaux

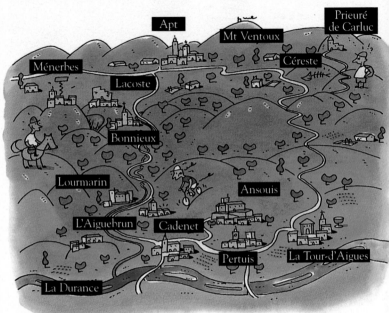

Ici, pas de vallons rocheux ni de falaises comme dans le Petit Luberon. Si le relief y est plus élevé, il y est aussi plus doux et planté de chênes verts ou blancs et de pins d'Alep. Dans cette belle nature, des villages pointent leurs clochers, leurs vieilles pierres et surtout les murs souvent en ruine de leurs châteaux.

Cadenet ★★

Lieu chargé d'histoire, Cadenet offre au passant ses belles maisons des XVIIe-XVIIIe s., le site de son château féodal et son habitat troglodytique. Sans oublier sa célèbre **statue d'André Estienne**, jeune tambour qui, lors de la bataille du pont d'Arcole en 1796, traversa la rivière à la nage et battit la charge sur l'autre rive, mettant en fuite les Autrichiens qui se croyaient pris entre deux feux. **L'église Saint-Étienne**, avec

route des Châteaux du Sud-Luberon ↑

ses fonts baptismaux en marbre du IIIe s. sculptés de personnages mythologiques et son beau clocher provençal, forme un bel ensemble architectural. Au **musée de la Vannerie**, différents outils et objets retracent l'histoire d'une des activités principales de la région du XVIIIe s. jusqu'à 1978 (☎ 04 90 68 24 44. Ouv. t.l.j. sf mar. et dim. matin, avr.-oct., 10 h-12 h et 14 h 30-18 h 30. F. hors-saison. Accès payant).

Ansouis ★

Le **château** (☎ 04 90 09 82 70. Ouv. 14 h 30-18 h) qui domine le village appartient à la même

famille depuis 1178. On y visite de belles pièces ornées de tapisseries et de mobilier Renaissance. Notre préférence va à la cuisine provençale et aux jardins en terrasses au bel ordonnancement à la française. Ansouis a aussi inspiré Georges Mazoyer. Dans des caves voûtées du XVe s., le **Musée extraordinaire** (accès payant) présente des sculptures monumentales, des peintures, des céramiques et des vitraux de cet artiste.

Pertuis★

La vallée d'Aigues s'étend sur la partie sud du Luberon

et compte 11 villages, dont Pertuis, la « capitale ». Bâtie en bordure de la vallée de la Durance, cette petite agglomération porte bien son nom (*pertuis* signifie « le passage ») puisqu'elle a très tôt été un carrefour de communication dans la région. Elle a conservé sa vieille cité où l'on peut découvrir quelques beaux édifices anciens : la maison de la reine Jeanne (1585), le vieil étal, la

maison de François Ier, l'église Saint-Nicolas (triptyque de 1520), sans oublier le donjon du château détruit en 1596 et la tour Saint-Jacques, un des derniers vestiges des remparts qui ceinturaient la ville.

La Tour-d'Aigues★★

Bâti sur un territoire de plaines et de côteaux où pousse une vigne qui donne un vin fameux, le village doit son nom à une fortification du XIe s. qui fut remplacée par le donjon de l'actuel château Renaissance. Détruit par un incendie en 1792, ce château n'est plus que ruines mais

ses vestiges restent admirables, notamment la porte triomphale inspirée des arcs antiques. Les caves abritent le **musée de l'Histoire du pays d'Aigues** et le **musée des Faïences**. Dans la cour d'honneur a lieu chaque année le festival Sud-Luberon.

Cereste★

Une ancienne cité romaine à visiter absolument pour les vestiges de son village médiéval s'enroulant autour du château. Mais aussi pour ses sites géologiques appartenant à la réserve du Luberon : on y trouve de remarquables **fossiles** (poissons, végétaux) formés dans les calcaires schisteux.

Carluc★★

Ce petit hameau abrite de vieilles pierres singulières : un monastère bénédictin du XIe s., mi-bâti, mi-creusé dans le roc. Son église au chevet pentagonal porte un décor sculpté plein de délicatesse. Une galerie taillée dans la pierre et bordée de tombes mène à une muraille du XIIIe s.

La porte triomphale d château de la Tour-d'Aigues.

Le Petit Luberon : des villages qui ont la folie des hauteurs

Les ruines du château du marquis de Sade, à Lacoste.

Disséminés sur le flanc nord du Petit Luberon, les villages perchés du Petit Luberon vous regardent de haut. Souvent orientés au nord, face au mistral, ils peuvent être fiers de leurs belles constructions anciennes, qui retrouvent depuis quelques décennies une seconde jeunesse avec l'arrivée d'artistes et d'artisans séduits par leur beauté. Mais leur douceur actuelle ne doit pas faire oublier qu'ils ont été le théâtre, au XVIe s., des sanglants massacres des Vaudois qui devaient préluder aux terribles guerres de religion.

Ménerbes★★

On dirait un navire de pierre sur un promontoire escarpé. Les murs de soutènement de l'éperon rocheux sur lequel est construit le village forment les remparts. Le castelet construit à son extrémité devait bénéficier à coup sûr d'une belle position stratégique… Dans cette ancienne place forte, on peut admirer une jolie église du XIVe s. ou la belle architecture de l'hôtel de Tringy (XVIe-XVIIe s.). Insolite et amusant, le **musée du Tire-bouchon** fait la démonstration des mille et une façons de déboucher une bouteille. Sans oublier la dégustation finale.

L'église de Ménerbes abrite deux panneaux peints du XVIe s.

Lacoste★

Faisant face à Bonnieux et longtemps son rival, dominé par les ruines du château du marquis de Sade, Lacoste déroule ses vieilles ruelles bordées de maisons anciennes surmontées par les vestiges de ses remparts. Autour du château, de gigantesques carrières souterraines de pierre de molasse fournissent une excellente matière première pour la restauration des maisons. À 2 km de Lacoste en direction de Ménerbes, l'**abbaye Saint-Hilaire** se visite (☎ 04 90 75 88 83. Ouv. 10 h-19 h ; hors saison, 10 h-17 h).

Bonnieux★★

On parvient à Bonnieux en traversant le **pont Julien**, magnifique ouvrage du IIIe s. av. J.-C. Bâti au pied de l'éperon qui abrite l'ancien castrum, entouré de remparts, le village ne passe pas inaperçu. L'église haute trône au sommet et l'on y accède par un escalier de 86 marches à l'ombre de **cèdres centenaires**. Honneur aux courageux qui se lanceront dans l'ascension.

Un petit air d'autrefois

Dans le village même de Bonnieux, quelques vestiges des tours et remparts du XIIIe s. côtoient de belles vieilles maisons, dont l'hôtel de Rouville (actuelle mairie). Voilà une sympathique promenade à remonter le temps au milieu des vieilles pierres. Autre retour en arrière au **musée de la Boulangerie** (12, rue de la République, ☎ 04 90 75 88 34. Ouv. t. l. j. sf mar., 10 h-12 h et 15 h-18 h 30. F. avril-sept.. et vacances de la Toussaint. Accès payant), qui séduira les nostalgiques du vrai bon pain de campagne. Collection de fours, pétrins, affiches et gravures.

Lourmarin★★★

Classé parmi les **plus beaux villages de France**, Lourmarin est à l'entrée de la combe qui sépare le Petit Luberon du Grand. Des ruelles étroites et sinueuses s'enroulant autour de l'éperon rocheux du castelet, un beffroi (dit « boîte à sel ») construit à la place de l'ancien château médiéval, un château Renaissance fréquenté par les grands de ce monde (François Ier, Churchill, Bosco, Élisabeth II…), tel est Lourmarin. Dans le château (☎ 04 90 68 15 23. Visites guidées t. l. j. 10 h-12 h et 14 h 30-17 h 30 ; hors-saison, 16 h 30), les passionnés d'architecture pourront s'ébahir devant un peu banal escalier à vis : à double torsade et constitué de 93 marches, il a été taillé d'une seule pièce ! Autre célébrité de Lourmarin, l'écrivain Albert Camus qui repose dans le cimetière du village. Un hommage s'impose.

LA FORÊT DE CEDRES

Si vous avez apprécié l'ombrage des cèdres qui longent, à Bonnieux, le chemin de l'église, goûtez à la bienfaisante fraîcheur de la forêt de cèdres (à 5 km du village). Plantée en 1861 de cèdres de l'Atlas, elle n'a cessé de s'étendre malgré les incendies. Arrêtez-vous sur le parking aménagé (accès payant) et continuez la visite en suivant un sentier balisé.

FORET DES CEDRES →

Les vins du Luberon et du Ventoux

VINS DU LUBERON

UN BOUQUET DE LUMIÈRE

A romatiques et joyeux, ils chantent les reliefs accidentés des terres de montagne. Au sud-est d'Avignon et, surtout, du très célèbre Châteauneuf-du-Pape, ces deux appellations produisent des vins moins grandioses assurément, mais qui peuvent réserver de bonnes surprises aux amateurs à l'esprit aventureux. Le Luberon, dont la tradition vinicole remonte à l'époque romaine, célèbre l'art du bien-vinifier et du bien-boire à travers sa confrérie Vin et Vignerons, une école du goût qui adore aussi la fête.

Le terroir

Le paysage du Luberon offre ses reliefs accidentés coiffés de nombreux villages perchés et dont les flancs se couvrent de

vignobles. Les vignes sont cultivées sur les deux versants de la montagne, sur des terres d'argile sèche et de cailloux calcaires. L'appellation s'étend sur 36 communes, réparties dans l'enceinte du parc du Luberon. Même si le vignoble a aussi une longue histoire, ce n'est que depuis 1988 qu'il a obtenu l'A. O. C. côtes-du-luberon.

Les côtes-du-luberon en chiffres

Sur une superficie de 3 371 ha, l'appellation produit 149 000 hl par an, soit un rendement moyen de 45 hl à l'ha. Ce qui est un peu plus que la moyenne fixée pour les côtes-du-rhône (entre 35 et 40 hl à l'ha). Les côtes-du-luberon sont vinifiés en rouge (60 %), en blanc (20 %) et en rosé (20 %). Les coopératives jouent un rôle important : il y en a 16 sur l'appellation (contre 26 caves indépendantes).

CAVE COOPÉRATIVE DES VINS DE SYLLA ROUTE D'AVIGNON APT

VINS DES CÔTES DU LUBERON
Cave Coopérative Vinicole

FAITES
VOTRE CHOIX

Château de l'Isolette, rte de Bonnieux, Apt ☎ 04 90 74 16 70. Ouv. t. l. j. sf dim. et j. fér., 8 h-12 h et 14 h-18 h.

Le rouge cuvée Prestige 1995 du château de l'Isolette est une réussite. Il peut se boire maintenant ou attendre 10 ans. Son propriétaire, Luc Pinatel, l'a voulu magnifique. Puissant, il se déguste avec des viandes rouges ou des fromages (65 F la bouteille). Vous trouverez aussi au domaine de très bons rosés (cuvée Cristal) 1996 (42 F la bouteille).

La vie en rouge

Si le rosé prévaut dans l'image et la production des vins de Provence, le Luberon se distingue surtout par la quantité et la qualité de ses rouges. D'une belle couleur et d'une grande brillance, ils sont amples et racés en bouche. Ils accompagnent à merveille les viandes rouges. Moins abondants, les blancs sont pourtant assez recherchés. Avec leur jolie robe pâle teintée de vert et leur note florale délicate, ils se marient très bien avec les poissons et les fromages de chèvre. Quant aux rosés, plus traditionnels, on les appréciera avec les viandes blanches.

Mode d'emploi

Ces vins se conservent entre 3 et 10 ans et ne sont donc pas des vins de garde. Les rouges ne se servent pas trop chambrés (14 °C), les blancs et les rosés s'apprécient bien frais (8 °C). Les rouges présentent des arômes de fruits noirs, avec une note de poivron et des réminiscences de truffe et de sous-bois. Plus classiques, les rosés offrent leurs arômes de fruits rouges. Enfin, les blancs chantent le soleil provençal avec leurs arômes de pêche de vigne et d'abricot, associés à des notes de chèvrefeuille et de tilleul.

Les côtes-du-ventoux

L'appellation jouxte le terroir des côtes-du-luberon, dont elle n'est séparée par endroit que par la N 100. C'est pourquoi on peut trouver des propriétaires qui élèvent sous les 2 appellations. C'est le cas dans les communes d'Apt, de Bonnieux, de Gargas, de Gordes, de Goult, de Murs et de Roussillon. Il n'en est pas moins vrai que les vins diffèrent beaucoup. Fruités et goûleyants, les rouges dominent la production. C'est d'ailleurs dans cette catégorie qu'on trouvera les plus jolies surprises. Quant aux rosés, ils peuvent être agréables. On les boira jeunes de préférence.

Comment acheter ?

Pour acheter, il faut déguster mais attention, pas après un bon repas ni après avoir fumé ! Sachez aussi qu'un vin a besoin, pour se bonifier, d'un bon taux d'acidité et d'un minimum de tanins. Enfin, plus une vigne est âgée, plus le vin a des chances d'être bon.

Manosque : le Mont d'Or et les «vraies richesses»

À 380 m d'altitude, nichée au creux des collines, Manosque la moderne côtoie Manosque l'ancienne dont l'ambiance évoque inévitablement Jean Giono. Car c'est en ce lieu que l'écrivain et chantre de la haute Provence a choisi de vivre et de mourir, dans cette cité millénaire qui a su réhabiliter ses vieilles demeures et conserver tout son charme.

Les portes de la vieille ville★

Si les remparts médiévaux et leurs tourelles ont presque entièrement disparu, ils restent inscrits dans l'organisation de la ville et le tracé des rues étroites aux maisons hautes et serrées. Une tour subsiste pourtant sur les lices (les anciennes aires de jeu), à proximité de l'ouverture sud de la ville. Les véritables signatures de la vieille ville sont ses portes : celle de la Saunerie (ou porte du Sel), qui a conservé son ogive et ses crénelures, la porte Soubeyran à l'autre extrémité,

surmontée de son campanile, les vestiges de la porte

La porte de la Saunerie.

d'Aubette à l'est et, lui faisant face, la porte Guilhempierre, restaurée en 1986 à l'occasion de la première fête médiévale de Manosque (tous les 2 ans au mois de juin).

Flânerie dans le vieux Manosque★

À Manosque, pourquoi ne pas se laisser aller à musarder en suivant son inspiration ? Le hasard vous conduira au presbytère, un élégant hôtel particulier, ou dans les rues bordées de belles maisons bourgeoises. Laissez-vous happer par les ruelles et les passages, à

Sue la place de l'église Saint-Sauveur

la découverte du vieux Manosque, ou rendez-vous à la maison Voland, à l'hôtel de ville (ravissante façade du XVIIIe s.) ou à l'hôtel d'Herbes, qui abrite les archives municipales et un des plus riches fonds médiévaux de France.

Saint-Sauveur et Notre-Dame-de-Romigier★★

L'église Saint-Sauveur, typique du roman provençal, fut construite au XIIIe s. et achevée au XVIIe s. Un délicat campanile en fer forgé de 1725 la surmonte. Plus loin, la composite église Notre-Dame-de-Romigier est la plus ancienne de la ville. Elle s'orne d'un très beau portail ciselé. À l'intérieur, un magnifique sarcophage du Ve s. et une émouvante Vierge à l'Enfant du XIIe s. en bois polychrome.

Giono pas à pas★★

Une flânerie dans la rue Grande vous conduira à la

maison natale de l'écrivain (au no 14) et à l'atelier où sa mère exerçait le métier de repasseuse. Il faut prendre ensuite la montée des Vraies-Richesses jusqu'à la colline du Mont-d'Or (« ce beau sein rond » veillant sur la cité). Des ruines de la tour du château des comtes de Provence, vous contemplerez les toits

de la ville où pour l'éternité, Angelo, « le hussard sur le toit », glisse sur les tuiles rondes. Plus loin, un sentier mène à la villa

Le sommet du Mont-d'Or.

que Giono habita de 1929 jusqu'à sa mort en 1970. Tout y est resté comme avant (villa Le Paraïs, ☎ 04 92 87 73 03). Visite gratuite sur r.-v. le ven., 15 h-17 h 30).

Le centre Jean-Giono★★
1, bd Élémir-Bourges
☎ 04 92 70 54 54
Ouv. mar.-sam., 9 h-12 h et 14 h-18 h, sf j. fér.
Accès payant.
À l'entrée de la ville, dans une belle bâtisse provençale du

XVIIe s., le centre rend hommage à l'écrivain. Une exposition permanente présente des archives photographiques, des dessins et croquis de ses amis peintres. Il y a aussi une bibliothèque, une vidéothèque diffusant des films sur l'écrivain et des adaptations cinématographiques de ses œuvres et une petite librairie.

LA FONDATION CARZOU

9, bd Élémir-Bourges
☎ 04 92 87 40 49. Ouv.
t. l. j. sf mar., 10 h-12 h 30
et 15 h-19 h ; oct.-avr.,
10 h-12 h 30 et 14 h 30-
18 h 30.
Accès payant.

Jean Carzou est le deuxième homme célèbre de Manosque. Dans l'ancien couvent de la Présentation est exposée son œuvre monumentale, une gigantesque *Apocalypse* réalisée entre 1985 et 1991 et qui couvre pas moins de 670 m2 de murs peints. Une manière toute personnelle d'exprimer l'époque moderne et de dire l'espoir d'un monde plus serein.

Marseille :
belle et rebelle

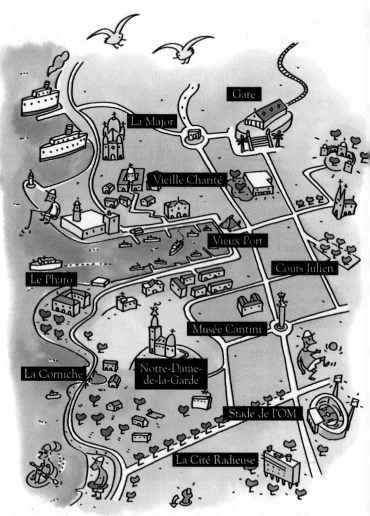

Gare

La Major

Vieille Charité

Vieux Port

Cours Julien

Le Pharo

Musée Cantini

La Corniche

Notre-Dame-
de-la-Garde

Stade de l'OM

La Cité Radieuse

Réunion d'une centaine de villages, Marseille la composite multiplie à loisir les petits « centres-ville » qui font presque oublier que c'est le premier port de France et sa deuxième ville par la taille. Fondée par les Grecs il y a vingt-six siècles, cette cité cosmopolite a toujours connu un important brassage de cultures. Ville rebelle, baignée de lumière et très vivante, Marseille colle à la peau de ses habitants et saura bien vous séduire aussi.

Le Vieux-Port★★

À Marseille, tous les chemins mènent au Vieux-Port, tous les panneaux en indiquent la direction. Au pied de la Canebière (autre « monument » de la ville), les voiliers côtoient les pointus tandis que, impassible, le ferry-boat immortalisé par Marcel Pagnol continue ses traversées pour économiser aux marcheurs quelques centaines de mètres. Les restaurants du port vous proposeront tous la meilleure bouillabaisse,

la seule, la vraie... On finit par hésiter un peu... Mais laissez-vous tenter, si vous le pouvez, par les poissons que vendent, tous les matins sur le quai des Belges, les femmes des pêcheurs (« Du vivant au prix du mort ! »).

La rive nord★

C'est là que se tient la mairie, un joli petit palais génois du XVIIe s. Ce quai est bordé d'immeubles sobres construits après la guerre par l'architecte Fernand Pouillon. Tout au bout, le fort Saint-Jean offre un très beau point de vue sur le port et son animation.

Le Panier★★

Toujours sur la rive nord, dominant le quai du haut de sa colline, le quartier du Panier a des accents d'Italie du Sud avec ses maisons colorées et son linge aux fenêtres. C'est là que vivaient autrefois les *pescadous* (les pêcheurs). Aujourd'hui, les réhabilitations vont bon train dans cette partie du centre qui retrouve une seconde jeunesse. Depuis le port, empruntez la (raide) montée des Accoules pour accéder au cœur de ce quartier traversé de vieilles ruelles.

LA BOUILLABAISSE

Elle est à Marseille ce que le cassoulet est à Toulouse, une sorte de plat national. À l'origine, les pêcheurs la préparait avec les poissons qu'ils ne pouvaient pas vendre mais elle a désormais acquis ses lettres de noblesse. Mais attention, si tout le monde peut se vanter de savoir la faire, certaines préparations laissent à désirer. Car la bouillabaisse, c'est tout un art : tous les poissons ne doivent pas cuire aussi longtemps sous peine de voir arriver sur la table un mélange décomposé par une cuisson trop prolongée. À défaut d'avoir parmi vos proches un Marseillais authentique qui sache vous en préparer une parfaite, allez la goûter au **Miramar** (12, quai du Port, ☎ 04 91 91 10 40). Il vous en coûtera 255 F mais le résultat vous épatera.

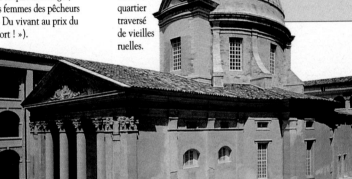

L'hospice de la Vieille-Charité (XVIIe s.), dans le quartier du Panier.

La Vieille Charité
2, rue de la Charité
☎ 04 91 14 58 80.
Ouv. t. l. j. sf lun., 11 h-
18 h ; hors saison,
10 h-17 h.
Accès payant.

Au bout de la rue
du Refuge, ce très
bel ensemble
architectural a été
construit en 1670
par Pierre Puget,
grande figure de la
sculpture baroque
qui signa ici son
seul édifice public.
La pierre rose de
cet ancien hospice
joue merveilleuse-
ment avec la
lumière du Sud et
l'azur du ciel (à la tombée de
la nuit en été, le lieu est encore
plus magique). Promenez-vous
sous les galeries et entrez à
votre gré dans
le musée
d'Archéologie
méditerranéenne
ou dans le musée
des Arts africain,
amérindien et
océanien.

Le quai sud
et l'abbaye
Saint-Victor★
Aux ensembles récents
du quai nord répondent, sur
la rive sud, les façades
d'anciens entrepôts du
XVIIIe s. Longtemps
désaffectés, ils ont été colonisés
par des ateliers d'artistes et
sont devenus des appartements
très prisés. Un peu plus loin, à
flanc de colline et dominant
l'ancien bassin de carrénage,
l'abbaye-forteresse de Saint-
Victor (ouv. t. l. j., 8 h 30-
18 h. Accès payant
aux cryptes) est la
plus ancienne église
de Marseille. Fondée
au Ve s. puis
reconstruite au XIe s.,
elle sera fortifié au
XIVe s. Cryptes
impressionnantes et
très beaux
sarcophages.

Le carré
Thiars
et le cours
d'Estienne-d'Orves★
C'est l'un des quartiers les plus
animés de Marseille. Sur le site
de l'ancien
arsenal des
galères, le carré
offre ses nombreux
restaurants et cafés
dont les terrasses
permettent des
pauses agréables.
Un peu plus haut, le
cours d'Estienne-
d'Orves est une
ample place à
l'italienne très
vivante où se déroulent
les manifestations festives
de la ville.

L'abbaye Saint-Victor.

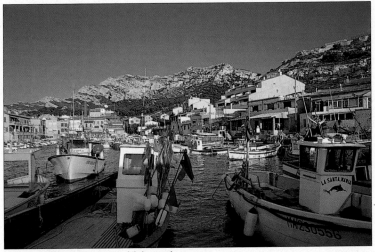

Le petit port de la Madrague, a upied de la corniche.

La Corniche et les plages
Accessible en bus (n° 83) depuis le Vieux-Port.
plages surveillées.

Marseille, ses vallons et ses plages… Si cela ressemble à une publicité de carte postale, c'est quand même la pure vérité. De l'avenue du Président-Kennedy (la corniche des Marseillais) à la promenade de la Plage, la ville est bordée de plages de sable, de galets ou de rochers. Allez prendre un verre au petit port pittoresque du vallon des Auffes ou baignez-vous à la **plage du Prado**. Les 45 ha gagnés sur la mer grâce aux remblais du métro ont permis de composer un espace agréable pour profiter des plaisirs de la plage. Sans oublier le jardin…

Notre-Dame-de-la-Garde★★
Accessible en bus (n° 60) depuis le Vieux-Port
☎ 04 91 13 40 80.
Ouv. t. l. j., 7 h-19 h (jusqu'à 20 h en été).
Accès gratuit.

Sur la rive sud, la très respectée « Bonne Mère » des Marseillais veille sur la ville à 154 m d'altitude. La basilique, de style romano-byzantin et construite sous Napoléon III, offre un très vaste ensemble d'ex-voto. Témoignages de reconnaissance, marques de la foi populaire, ils sont aussi une merveilleuse chronique de la société marseillaise. Depuis l'esplanade, offrez-vous une halte pour contempler un panorama splendide sur la rade de Marseille.

Les Arcenaulx★
25, cours Estienne-d'Orves.
☎ 04 91 59 80 30 (salon de thé) et 04 91 59 80 37 (librairie).
Librairie ouv. 10 h-minuit (sf livres d'art et anciens) ; salon de thé ouv. à 12 h (dernier service 14 h 30) et 20 h (dernier service 23 h 30).

Ce complexe comporte une belle librairie, un salon de thé très agréable et une maison d'édition, le tout dirigé par Jeanne Laffitte, héritière de plusieurs générations d'éditeurs marseillais. La maison d'édition est spécialisée dans la réédition de livres anciens. Quant à la librairie, outre un important rayon de

Le jardin des Vestiges et ses ruines antiques.

littérature générale, les fouineurs pourront y trouver des livres sur les beaux-arts, mais aussi sur la Provence et le patois provençal et, peut-être, mettre enfin la main sur celui qu'ils recherchaient depuis des années… Avis aux collectionneurs.

Les îles du Frioul★★
Navettes GACM, quai des Belges
☎ **04 91 55 50 09.**
Durée de la traversée : 30 min env.

Du Vieux-Port, laissez-vous tenter par l'air du grand large et embarquez pour les îles du Frioul. Elles formaient autrefois le plus vaste complexe sanitaire de quarantaine du bassin méditérranéen. Sur l'île de Ratonneau, l'hôpital Caroline (1822) a été construit en plein vent pour chasser les microbes apportés par les malades contagieux, et Pomègues servait de port de quarantaine. Sur ces promontoires reliés par une digue, de jolies criques vous attendent.

Le château d'If★
If fait face à Marseille, la protégeant de son imposante citadelle construite au XVIe s. sur ordre de François Ier. Mais très vite, le château d'If fut transformé en prison. Dans les premières pages du *Comte de Monte-Cristo*, Alexandre Dumas en a dressé un portrait qui vous fait froid dans le dos.

Parmi les célèbres « hôtes » de passage de l'île, Mirabeau y fut enfermé à la demande de son père ainsi que, selon la légende, le Masque de Fer et le marquis de Sade.

Le musée d'Histoire de Marseille★
Centre Bourse, sq. Belsunce
☎ **04 91 90 42 22.**
Ouv. t. l. j. sf dim., 12 h-19 h.
Accès payant.

En 1967, la construction du centre Bourse a permis de mettre au jour les vestiges antiques des fortifications de la ville grecque et du complexe portuaire de Marseille (quais, voies, bassins). Les objets découverts sur le site et l'épave

Le château d'If.

lyophilisée d'un navire du
IIIe s. ont été rassemblés dans
le musée d'Histoire de
Marseille. Terminez votre
visite par une promenade dans
le très joli jardin des Vestiges.

Une petite histoire de la grotte Cosquer*
**10, pl. de la Joliette.
Le w.-e., entrée 12, pl.
du Lazaret.**

☎ **04 91 56 53 05.**
Ouv. t. l. j. sf dim., 10 h-18 h
(ferm. des caisses à 17 h.)
*Accès payant. Visites
guidées lun., mer. et
sam. à 15 h.*

Sur les docks de la Joliette,
allez vous faire raconter la
fabuleuse histoire de cette
grotte trouvée par le
scaphandrier Henri Cosquer.
C'est en 1991 que cet
enfant du pays (il est né à
Cassis) la découvre, dans
les calanques de Sormiou,
par 37 m de fond. À 150 m
de l'entrée se trouvait une
grande salle aux parois
recouvertes de peintures
et de gravures préhistoriques
(aujourd'hui murée).
Les lundis, mardis et
mercredis, initiation à
l'art préhistorique pour
les enfants de 6
à 12 ans.

Le palais Longchamps★
**Accessible en métro
(ligne 1, arrêt
Longchamps-Cinq-
Avenues)**

Ce n'est ni plus ni moins
qu'un château d'eau mais son
allure vaut le détour. C'est là
que s'achève le canal de
Marseille, qui amène au cœur
de la cité les eaux de la
Durance. Il a été dressé à la
fin du XIXe s., quand l'alimentation de la ville en eau était
un des soucis majeurs des
Marseillais. La fin des travaux
du canal méritait bien ce
monument, qui est une merveilleuse célébration de l'eau.
Et pour joindre l'utile à
l'agréable, le muséum
d'Histoire naturelle (☎ 04 91
14 59 50. Ouv. t. l. j. sf lun.)
et le musée des Beaux-Arts de
Marseille (☎ 04 91 14 59 30.
Ouv. t. l. j. sf lun., 10 h-17 h)
ont installé leurs pénates dans
les ailes latérales du palais.

Le musée Cantini★★
19, rue Grignan

☎ **04 91 54 77 75.**
Ouv. t. l. j. sf lun., 10 h-17 h
(jusqu'à 18 h en été).
*Accès payant. Visites gui-
dées sam. et dim.*

Dans le quartier commer-

çant de Marseille, le musée
s'est installé dans les murs d'un
bel hôtel particulier. Mais, derrière la façade élégante et classique, se cachent de très
intéressantes collections d'art
moderne. Une véritable (et
passionnante) histoire de la
création au XXe s. et de ses
mouvements d'avant-garde.

Le musée d'Art contemporain★
69, av. Haïfa (8e arr.)
☎ 04 91 25 01 07.
Ouv. t. l. j. sf lun., 11 h-18 h ; hors saison, 10 h-17 h.

Les Marseillais le surnomment familièrement le MAC. Vous le repérerez sans peine grâce au grand pouce métallique du sculpteur César qui trône devant l'entrée. Fondé en 1994 (il expose des œuvres depuis 1960), il s'est trouvé bien malgré lui au centre de l'actualité lors d'une exposition. Un artiste ayant présenté une de ses œuvres composée d'objets volés un peu partout, un des propriétaires est venu reprendre son bien, ce qui n'a pas plu ni au musée ni à l'artiste…

« La maison du fada »
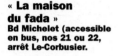
Bd Michelet (accessible en bus, nos 21 ou 22, arrêt Le-Corbusier.

C'est ainsi que fut surnommée la célèbre Cité radieuse de l'architecte Le Corbusier. Une masse de béton brut posée sur pilotis qui se voulait une réflexion sur l'habitat urbain. Le résultat a bien passé le cap des ans, grâce à l'ambition du projet : 9 étages avec rues intérieures, services et boutiques, 337 appartements (avec 23 modèles différents…) en duplex avec loggias, un dernier étage occupé par un toit-terrasse avec piste de course, théâtre, gymnase, bassin, crèche et solarium… Un endroit très prisé des Marseillais en quête d'un appartement à acheter.

Le tarot de Marseille

L'éditeur marseillais Vigno a demandé à une illustratrice, elle aussi marseillaise, d'imaginer une nouvelle variation du tarot. Le résultat, très joli, se présente sous la forme d'une farandole en costumes locaux. Chaque figure évoque un personnage typiquement marseillais : la dame de cœur est la marchande de poisson ; son roi est prince de la pétanque ; quant au valet, il est supporter de l'OM… En vente (120 F) à l'office de tourisme (☎ 04 91 13 89 20) et aux Arcenaulx (≠ 04 91 59 80 37).

Marseille par ses marchés

Dans tous ses quartiers, à toutes les heures du jour (et de la nuit !), Marseille vit et parle en vraie capitale du Midi : avec l'accent. Mais c'est sans doute sur ses marchés que vous en goûterez le mieux toute la saveur pittoresque. Outre la criée du poisson, tous les matins sur le quai des Belges, ne manquez pas le marché du Prado (métro Castellane, ts les mat. sf

Le Corbusier, la Cité Radieuse.

Le cours Julien

Autre versant du marché marseillais, celui du cours Julien fait le bonheur des chineurs (déballage ts les 2e dim. du mois). Antiquaires et brocanteurs ont aussi investi le quartier, sans oublier les boutiques de mode et les créateurs (Mademoiselle Zaza of Marseille). On aime ou on n'aime pas. De toute façon, il faut absolument venir ici flâner ou prendre un verre.

Au pays des fous du sport
Stade vélodrome, 3, bd Michelet (8e arr.)

dim.), le « ventre de Marseille », où l'on peut acheter aussi bien des primeurs qu'une tapette à mouches ou du tissu provençal.

Le savon de Marseille
Le magasin :
La savonnerie artisanale du Sérail, 50, bd Anatole-de-la-Forge (14e arr.)
☎ 04 91 98 28 25.
La fabrique :
La compagnie du savon de Marseille, 66, ch.de Sainte-Marthe (14e arr.)

Il doit sa réputation à sa teneur exceptionnelle en acides gras (72 %) : voilà de quoi laver les épidermes les plus sensibles, même si son pouvoir détergent est bien connu des ménagères. Le véritable est dépourvu de colorants artificiels et se garde très longtemps. Il vous en coûtera 9 F pour un savon de 600 g. Pour visiter une savonnerie, renseignez-vous à l'office de tourisme (☎ 04 91 13 89 20).

L'abus d'alcool est dangereux pour la santé.

À Marseille, on vit à l'heure du football. Chacun y va de ses pronostics ou de ses commentaires, et les soirs de match, pas question de ne pas supporter l'OM. Le club, né en 1898, affiche un palmarès prestigieux : 10 fois champion de France et 10 fois vainqueur de la Coupe de France. Malgré les scandales à répétition autour de son ancien directeur, Bernard Tapie, l'OM se prépare pour la Coupe du Monde, en 1998, qui sera aussi l'année de son centenaire. Foin des querelles et tous au travail : pour fêter dignement l'événement, le stade vélodrome a été entièrement rénové.

Les Calanques : des criques presque en pleine ville

Les Marseillais revendiquent haut et fort que les Calanques sont à Marseille… Les vraies, celles située entre le Vieux-Port et Cassis. Ils n'ont pas tout à fait tort car à Morgiou et à Sormiou, vous êtes dans le 11e arrondissement. Sur près de 20 km, elles sont une vingtaine à se partager un territoire dominé par le massif de Marseilleveyre (432 m).

La naissance des Calanques

Sculpté par le temps, le massif des Calanques est l'un des derniers restes d'un continent effondré. Il y a 18 000 ans, au plus froid de la dernière glaciation, la mer était 120 m plus bas qu'aujourd'hui. Quelque 9 000 ans plus tard, la fonte des glaces provoqua une remontée spectaculaire du niveau de l'eau, noyant les basses vallées et donnant naissance aux Calanques (du provençal *cala*, qui signifie « pente raide »).

Un site grandiose

Dans leur âpreté et leur aridité,

les Calanques composent un site unique en France et en Europe. Les falaises de calcaire blanc plongent leur façade abrupte (elles peuvent atteindre jusqu'à 400 m de hauteur) dans une eau d'un bleu profond parfois bordée de criques de sable ou de galets. On peut les découvrir à pied ou en bateau (les deux si vous avez le temps, car les points de vue sont très différents). On peut aussi y pratiquer la varappe : le massif est une excellente **école d'escalade** réunissant sur une très petite échelle tous les accidents de la haute montagne (Club alpin français, 12, rue du Fort-Notre-Dame, Marseille, ☎ 04 91 54 36 94).

LES CABANONS

À Sormiou, 150 cabanons disposés autour de la plage sont loués depuis 2 ou 3 générations à des Marseillais. À l'origine simples abris de pêcheurs, ils sont devenus au fil du temps de petites résidences secondaires très prisées. Le cabanon, c'est tout un art de vivre, presque une culture. Ça ne se décrit pas, ça se vit... À lire les noms que portent à Morgiou ces petites habitations (« *Ma Vie là* », « *Mi régali* », « *Aven lou temps* », « *Lou ravi* »), on devine le bonheur d'être cabanonnier...

Les Calanques à pied★

Au départ de Callelongue, le GR 98 relie toutes les Calanques jusqu'à Cassis, mais attention, il n'est pas toujours très facile à trouver ! Équipez-vous de bonnes chaussures, prévoyez des réserves d'eau et du temps (28 km à parcourir, interdiction de camper, de faire du feu et pas d'hôtel). En été, des promenades sont organisées par la **Société des excursionnistes marseillais** (☎ 04 91 84 75 52). N'oubliez pas non plus que vous êtes dans un espace protégé que trop souvent les incendies ravagent par manque d'attention. Alors, prudence...

Les Calanques en bateau★★

Au départ de Marseille (quai des Belges, Vieux-Port, ☎ 04 91 55 50 09), offrez-vous une promenade de 4 h sans escale pour longer toutes les Calanques jusqu'à Cassis (le w.-e. par beau temps, tte l'an.). Depuis Cassis, les embarquements sont plus fréquents (Union des armateurs cassidains, quai Saint-Pierre, ☎ 04 42 01 02 89. Ouv. fév.-11 nov).

De la Madrague de Montredon à Callelongue★★

À quelques km du Vieux-Port, les premières calanques de la Madrague, des Goudes et de Callelongue conservent le charme typique

des petits ports de pêche méditerranéens. C'est ici que s'arrête la route goudronnée qui vient du boulevard de la Plage. De Callelongue, vous pourrez rejoindre Marseilleveyre en 35 min à pied (suivre le sentier fléché, pas de difficulté à condition d'être bien chaussé). À l'arrivée, un petit bistrot sympathique vous attend.

Sormiou et Morgiou★★

Plus vastes, Sormiou et Morgiou sont aussi plus fréquentées. Accessibles par la route (en dehors des périodes d'été), leurs célèbres cabanons attirent le visiteur. C'est à Sormiou qu'Henri Cosquer a découvert la **grotte** qui porte aujourd'hui son nom. Ici, le calcaire se redresse en à-pics vertigineux qui séduiront les fous de l'escalade, tandis que les profondes entailles de la roche plongent dans la mer jusqu'à 140 m de profondeur, pour le plus grand bonheur des plongeurs.

Martigues : Venise provençale

Chaque année en août, Martigues résonne des échos du Festival mondial de folklore, qui réunit plusieurs centaines d'artistes venus des quatre coins de la planète. Et puis le petit port baigné par la lumière délicate de l'étang de Berre retrouve sa tranquillité et le charme de ses canaux tandis que, face à la mer, la Côte Bleue séduit par la douceur de ses calanques demeurées sauvages.

Le clocher de l'église de la Madeleine (XVIIe s.).

Des ponts et des canaux

Entre le chenal de Caronte et l'étang de Berre, 3 canaux découpent la ville en autant de quartiers aux allures de villages. Chacun possède son église et son histoire… La chapelle de l'Annonciade, aux murs et aux plafonds richement décorés, et l'église de la Madeleine (la « cathédrale » pour les Martégaux), à la façade baroque, sont remarquables.

Le musée Ziem★★★
Bd du 14-Juillet
☎ **04 42 80 66 06.**
Ouv. sept.-juin, 14 h 30-18 h 30 sf lun.-mar. ; juil.-août, 10 h-12 h et 14 h 30-18 h 30 sf mar. et j. fér.
Accès gratuit.

Félix Ziem,
Le Grand Canal de Venise.

Séduit par Martigues et sa lumière, le peintre Félix Ziem y achète en 1860 une propriété au lieu-dit Le Chat-Noir. Cet artiste prolixe qui signa plus de 3 000 toiles, ce dandy voyageur qui connut tous les grands de ce monde donna à la ville une partie de son œuvre et fut à l'origine du musée qui porte son nom. Outre une belle collection de peintures provençales, on peut y découvrir quelques œuvres d'art contemporain.

LES OURSINADES DE LA CÔTE BLEUE

Si pendant les fêtes de fin d'année on consomme traditionnellement des huîtres, les 3 premiers dimanches du mois de février sont réservés ici à la dégustation des oursins. Carry fête, cru sur des mouillettes de pain frais, cet échinoderme piquant et délicieux, un réservoir de protéines, de phosphore et de calcium dont la pêche sur les fonds rocheux est très réglementée. Le saviez-vous ? Ce qui se mange dans l'oursin et que l'on nomme improprement corail n'est autre que les glandes génitales de l'animal. Les cuisiniers l'utilisent souvent pour relever certaines sauces ou en font d'excellentes gratinées. Gastronomes, à vos fourchettes !

Les spécialités martégales sortent de l'eau

Même si Martigues ne vit plus autant de la pêche qu'autrefois, sachez qu'une sardine fraîche française sur quatre est pêchée ici et vendue à la criée de Port-de-Bouc. Ce poisson roi est prétexte, en juillet et en août, à de grandes **sardinades** se déroulant en même temps que des **joutes nautiques** typiquement

provençales. Parmi les hôtes marins de la Côte bleue, on compte aussi l'oursin et la martigaise, moule de Carteau.

Côté étang de Berre, on extrait du testu (une variété de mulet) les œufs

que l'on sale puis que l'on presse avant de les faire sécher. C'est ainsi que se fabrique la délicieuse **poutargue**, qui se déguste religieusement (le prix au kg peut dépasser 1 000 F !) sur des tranches de pain arrosées d'huile d'olive.

Une centrale thermique à visiter★

Si Martigues a conservé ses allures de petit port provençal, il ne faut pas oublier qu'il est littéralement enclavé par la civilisation industrielle. Alors n'hésitez pas à faire un tour du côté de la haute technologie. À la centrale EDF de Martigues-Ponteau (☎ 04 42.35 56 03. Lun.-vend. sur r.-v. Visite gratuite), on vous expliquera le fonctionnement des centrales produisant l'électricité à partir de l'énergie thermique libérée par le fioul. Poste d'eau, générateur de vapeur, turbine, salle de commandes ou poste de haute

tension n'auront plus de secrets pour vous après cette visite.

Côté Côte bleue★★

Très préservée grâce à la création en 1983 d'un parc régional marin, la Côte bleue offre sur près de 24 km de magnifiques paysages de falaises calcaires trouées par les calanques de Niolon, de La Redonne et de Gignac. Sur la route de **Carro**, patrie de la pêche au thon, le fort de Port-de-Bouc surveille l'accès au canal de Caronte. En bordure de mer, les villages de **Carry-le-Rouet** et de **Sausset-les-Pins** sont dédiés aux joies de la plage et de l'eau, à l'ombre du sourire chaleureux et toujours vivant de Fernand Joseph Désiré Contandin, dit Fernandel, enterré au cimetière de Carry.

Le petit port de Sausset-les-Pins.

Le massif des Maures : pins, chênes-lièges et châtaigniers

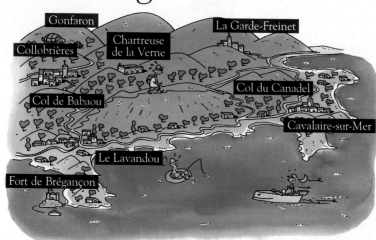

Gonfaron
Collobrières
Chartreuse de la Verne
La Garde-Freinet
Col du Canadel
Col de Babaou
Cavalaire-sur-Mer
Le Lavandou
Fort de Brégançon

Entre la mer et les vallées du Gapeau et de l'Argens, le massif des Maures s'étend de Hyères à Saint-Raphaël. Sur les formes arrondies de ses nombreuses collines poussaient les « bois sombres » (*mauro* en provençal) qui lui ont donné son nom. Amoindris par les incendies successifs, pins, chênes-lièges et châtaigniers continuent pourtant de parer ses reliefs.

Forêt Domaniale des Maures

Collobrières

En bordure de la forêt des Maures, le village doit son nom au ruisseau de Réal-Collobrier qui l'arrose. De pittoresques maisons bordent le cours d'eau, et une place carrée ombragée de platanes est le rendez-vous des boulistes. Ce lieu paisible est réputé pour ses marrons glacés des Maures et ses confitures de châtaignes.

La chartreuse de la Verne

Ouv. t. l. j. sf mar.

Sur la commune de Collobrières (6 km par une piste carrossable), elle suspend ses ruines au bord des abîmes avec pour horizon des forêts sauvages et une échappée sur la Méditerranée. Les chartreux se sont installés ici en 1170, à l'initiative des évêques de Fréjus et de Toulon. L'édifice

héberge aujourd'hui une communauté monastique de l'ordre de Bethléem. S'il reste peu de chose de la période romane, la chartreuse est remarquable pour ses nombreux décors sculptés en serpentine : cette pierre verte rehausse à merveille le schiste brun des bâtiments.

Les tortues de Gonfaron
Village de tortues, Gonfaron

☎ **04 94 78 26 41.**
Ouv. t. l. j., 9 h-20 h en saison. F. déc.-mars.
La plus vieille espèce de vertébré en France, la tortue

d'Hermann, avoue sans rougir ses 35 millions d'années… Autrefois répandue dans tout le Midi, elle ne règne plus que dans le Var. Mais la pollution a eu raison d'elle : pour 1 000 œufs pondus, seule une tortue survit au bout de 5 ans. Triste destinée. À Gonfaron pourtant, rien ne semble menacer

leur train-train : quelque 2 500 bestioles de cette espèce menacée vaquent paisiblement à leurs occupations. Ne ratez pas leur petit déjeuner (t. l. j. à 10 h, avr. à mi-oct.). Chaque année, entre 300 et 500 tortues sont relâchées dans le massif des Maures.

Cols bien en vue
Au sud de Collobrières (par D 14 puis D 41), avant de se laisser glisser vers la vallée du Réal-Collobrier, le **col de Babaou** domine du haut de ses 415 m les îles de Hyères, la presqu'île de Giens et ses marais salants. Au-delà du col se profilent les plus hauts sommets des Maures. Un peu moins élevé, le **col de Canadel** (267 m), au centre de la route forestière des crêtes, fera le bonheur des photographes amateurs ou non. Splendide panorama sur 5 km jusqu'à la pierre d'Avenon : encore faut-il vouloir marcher un peu…

Le vertige de la corniche
Du Lavandou à Cavalaire, le massif des Maures se rapproche

au plus près de la mer. La chaîne littorale des Pradels plonge ses contreforts dans les flots aux très belles **plages de Cavalière**, de **Pramousquier** et de **Canadel-sur-Mer**. À Bormes-les-Mimosas, une route des crêtes rejoint l'intérieur du massif, dominant les vignobles des Maures.

La chartreuse de la Verne.

La forêt, un bienfait à sauvegarder

Très étendue en Provence, la forêt se développe sur les hauteurs des massifs montagneux. Futaies de hêtres, pinèdes, chênaies, châtaigneraies, cédraies, les paysages varient beaucoup. À cela s'ajoutent landes de genêts, taillis, maquis sur les sols siliceux ou garrigue sur les sols calcaires. Devant cette diversité, on comprend vite que la forêt est une richesse incomparable mais fragile qui doit à tout prix être préservée.

Le pin sylvestre

Des chiffres qui parlent

Sur les 1 740 000 ha de surface boisée que comporte la région Provence-Alpes-Côte d'Azur, pas moins de 92 410 ha ont été brûlés les 10 dernières années et des sites admirables comme la montagne Sainte-Victoire sont partis en fumée pour une allumette craquée ou une cigarette mal éteinte. La Fondation pour la protection de la forêt méditerranéenne a replanté plus de 200 000 arbres sur les sites incendiés. Un encouragement auquel nous pouvons tous participer.

Le feu, ennemi mortel

En Provence, la forêt est particulièrement exposée à cause de la sécheresse et des vents (le mistral peut souffler plus de 120 jours par an et jusqu'à 140 km à l'heure). Chaque année, le feu la dégrade ou la détruit, souvent à cause d'imprudences, plus rarement d'actes de malveillance. Ces incendies modifient l'équilibre écologique, font reculer la forêt, changent le paysage et stérilisent le sol pour longtemps. C'est pourquoi la plus grande prudence est recommandée.

Le chêne-liège

mélèze

Petit traité de bonne conduite

Pour préserver la forêt, la vigilance de tous est nécessaire. Quelques règles d'or sont à respecter absolument :
– ne faire ni feu ni barbecue, ne pas utiliser de Camping-Gaz ;
– évitez de fumer: profitez-en, ça sent bon ! ;
– si vous traversez une forêt en voiture, ne jetez pas vos mégots par la fenêtre ;
– laisser la forêt propre (un

Le cyprès

simple tesson de bouteille peut, sous l'effet du soleil, provoquer un départ de feu) ;
– ne pas cueillir de fleurs, sous peine de les voir peu à peu disparaître ;
– respecter les indications permettant l'accès aux massifs.

Des protections naturelles

Au pied des Alpilles, les oliveraies entretenues peuvent faire office de coupe-feu naturel. Un arbre taillé propage mal le feu. Des fonds européens destinés à la défense des forêts contre les incendies ont pu être ainsi destinés à l'entretien des oliviers abandonnés.
En juillet 1992, un grand incendie a dévasté 1 800 ha en pays d'Aigues. Pour ne pas revivre cette tragédie, on a restauré un secteur de pâturage pour les moutons, créant ainsi une coupure contre la propagation des incendies.
De même, sur la ligne de crête du Luberon, on laisse à nouveau les troupeaux paître, utilisant ainsi les « pelouses sommitales » (pelouses rasées par les conditions climatiques) comme d'excellents coupe-feu naturels.

La lutte contre les incendies

Souvenez-vous qu'en août 1989 des incendies catastrophiques ont ravagé la montagne Sainte-Victoire. En 1990, ce fut le tour du massif des Calanques.

Ces deux années-là, plus de 71 000 ha sont partis en fumée. Il aura fallu des millions de litres d'eau, l'intervention de plusieurs centaines de pompiers et de bénévoles et l'aide précieuse des Canadair pour venir à bout de ces terribles feux.
Mais le mal était fait : le feu éteint, il restait une vision apocalyptique d'arbres calcinés et de maquis transformés en cendres.

LA FORÊT A SON ÉCOMUSÉE

Sur le site de Valabre, à Gardanne, la Fondation pour la protection de la forêt méditérranéenne a inauguré son écomusée (☎ 04 42 65 42 10, t. l. j. 10 h-19 h ; hors saison, 10 h-19 h). Fresques, jeux sensitifs et bornes interactives sur la vie de la forêt, des animaux et des plantes, balade dans le sentier d'« interprétation », voilà une excellente initiation à l'écologie.

Menton :
la capitale du citron

A u siècle dernier, la ville avait hérité du joli surnom de « perle de la France ». Il est vrai que les joyaux vont très bien à cette ancienne possession des Grimaldi. Menton, lieu de villégiature très goûté des têtes couronnées, offre au commun des mortels que nous sommes de très jolies balades sur son vieux port et dans ses rues piétonnes. Sur ses jardins en cascades, orangers et citronniers fleurent bon l'Italie proche et mettent le cœur en joie.

L'église Saint-Michel★★

Dans un enchevêtrement de toits brûlés par le soleil, de vieilles murailles en terrasses et de portes fortifiées, Saint-Michel domine la ville de sa façade couleur pastel et de ses deux étages surplombant la mer. Coiffée d'un campanile à tuiles vernissées, cette église typiquement baroque abrite un très beau buffet d'orgues du XVIIe s. Dans ses chapelles latérales, révisez votre histoire de Menton en découvrant les monuments funéraires des grandes familles de la ville.

Le port au grand angle★

Depuis Saint-Michel, le quai Bonaparte vous y conduira. Ce grand boulevard, qui longe la plage d'un côté et se colle de l'autre à la vieille ville, se prolonge par la bien nommée promenade du Soleil. En chemin, petite halte au port, enserré entre les bras des jetées

Impératrice-Eugénie et Napoléon-III... Au bout de cette dernière, la vue sur Menton est des plus jolies.

Sur les pas de Jean Cocteau★★

Dans la salle des mariages de l'**hôtel de ville**, mobilier et décoration sont signés par le « prince des poètes » (visites t. l. j., 8 h 30-12 h 30 et 13 h 30-17 h. F. sam. et dim. ☎ 04 92 10 50 00. Accès payant). Plus loin, au-dessus de

la jetée, s'enracine le **musée Cocteau** (☎ 04 93 57 72 30. Ouv. t. l. j. sf mar., 10 h-12 h et 14 h-18 h. Accès gratuit). Citoyen d'honneur de la ville,

Jean Cocteau,
Faune jouant de la flûte.

Cocteau demanda de transformer le fortin du bastion en un musée pour ses œuvres.

Le palais Carnolès
☎ 04 93 35 49 71.
Mêmes horaires que pour le musée Cocteau.
Accès gratuit.

Il se dresse un peu à l'écart du vieux Menton, au milieu d'un des plus jolis jardins de la ville, le jardin des Colombières. La résidence, construite vers 1717, un très bel

ensemble d'œuvres. Mais le clou du palais Carnolès reste son beau jardin conçu par Ferdinand Bac, grand dessinateur des paradis verts de la Côte d'Azur.

Les jardins Biovès
Derrière le casino qui fixe le front de mer, aux côtés d'une superbe piscine olympique, les jardins Biovès se succèdent en enfilade. Une promenade enchanteresse au milieu des palmiers, des parterres fleuris et des orangers. C'est ici, entre ciel et mer, que se tient chaque année au printemps la célèbre fête du citron. À Menton, corso d'agrumes et festivités multiples ont remplacé depuis 1934 les fêtes carnavalesques.

Garavan
Le Beverly Hills de Menton parade entre la vieille ville et la frontière italienne. On y flâne pour rêver un peu à la vie de ces villas de luxe construites par de rares privilégiés

AU MARCHÉ

Tous les matins, la halle construite en 1896 accueille les maraîchers des villages environnants. Dans ce décor de céramiques vernissées peuplées de masques grimaçants, on peut acheter toutes les spécialités de la région. Depuis la pichade, sorte de pissaladière, la socca et le panisse (beignets de farine de pois chiches) jusqu'à la délicieuse fougasse sucrée en passant par les raviolis frits aux blettes, tout est bon et à petit prix (22 F le kg de raviolis frais). Tout près, sur la place aux Herbes, un marché à la brocante a lieu le vendredi.
Cher mais agréable.

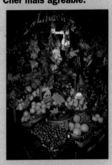

qui avaient choisi Menton comme lieu de villégiature. Au milieu d'une architecture typique des cités balnéaires, on croise parfois quelques stars déjà âgées se reposant dans les parfums des citrons et des oranges.

Une villa à Garavan.

Le citron a trouvé son paradis

Depuis 1934, Menton fête son fruit préféré : le citron. Ses reliefs la protègent des vents froids et la cité brille toute l'année sous les rayons d'un soleil généreux. Menton est ainsi la seule ville d'Europe où le citronnier donne ses fruits et ses fleurs tout au long de l'année. Cet emblème mentonnais a de vieilles origines puisque sa culture remonterait au XVe s.

Une naissance lointaine

Avec son nom savant *Citrus medica*, le citron a immédiatement été apprécié pour ses facultés médicinales. Découvert au pied de l'Himalaya, il a ensuite conquis la Chine avant de nous revenir par la célèbre route des Indes et de l'Asie Mineure. Pendant la

Renaissance, on l'utilise comme médicament.

Un fruit aimé des rois

Si les croisés ont introduit le citron en France – c'est du moins ce qui se dit –, ce sont les Arabes qui l'ont diffusé tout autour de la Méditerranée. En Grèce antique, on dégustait son jumeau, le cédrat. Le citron prolifère sur la Côte d'Azur dès le XVe s. Vers 1480, les citronniers d'Ollioules fournissent la cour du roi René, installée à Aix.

Le champion de la vitamine C

L'arbre cultivé à Menton est une variété appelée quatre-saisons. Il fleurit toute l'année mais il n'est récolté qu'en hiver, au printemps et en été. Dans les années 30,

LA LÉGENDE DU CITRON

Le citron, dit-on, a la couleur du soufre. Est-ce pour cela que pendant très longtemps on l'a surnommé « fruit du diable » ? Pour les Catalans, la main de Dieu a fait à l'orange une forme parfaite au goût sucré alors que le Diable a raté son fruit en faisant le citron, au goût acide et âpre.

Menton, premier producteur du continent, produit 3 000 t de citrons par an, mais la concurrence piémontaise a depuis rabaissé ses prétentions : sa culture ne dépasse pas aujourd'hui les 400 t. Très riche en vitamine C, en vitamine PP et en calcium, les marins s'en faisaient des festins pour éviter d'attraper le scorbut.

Le jaune qui blanchit tout

Les femmes de l'Antiquité adoptent le citron pour ses vertus cosmétiques : elles s'en nettoient la peau, mais aussi les dents qui deviennent ainsi plus blanches. Au XVIIe s., il fait office de rouge à lèvres : son acidité rosit leur bouche.

Coquetterie, quand tu nous tiens… Plus prosaïquement, le citron est utilisé en cuisine pour blanchir les légumes ou tout simplement leur éviter de noircir. Autrefois, on en frottait les cœurs d'artichauts pour qu'ils restent blancs.

La réussite des goûters

Avec un peu de sucre, d'eau et quelques essences, on peut réaliser d'excellents berlingots comme à Carpentras. Avec 500 g de sucre, 20 cl d'eau et une cuillerée à soupe de jus de citron, on peut façonner la plus naturelle des gourmandises. Il suffit de verser tous les ingrédients dans une sauteuse, de faire cuire le mélange en remuant sans cesse et de verser la préparation d'une couleur jaune pâle sur un marbre huilé. Une fois que la pâte est tiède, il faut la découper en bâtonnets.

La fête du citron

Apparu pour la première fois en 1875, le carnaval de Menton était l'une des grandes fêtes de la région. Peu à peu détrôné par celui de Nice, il lui faut trouver une seconde jeunesse. La ville décide alors d'exploiter son trésor et organise en 1929 une exposition d'agrumes dans les jardins de l'hôtel Riviera. Depuis, chaque année au mois de février, Menton se pare de ses plus beaux agrumes. On peut notamment les voir dans la grande exposition des jardins Biovès (ouv. t. l. j., 9 h-18 h pendant la durée de la fête). Au cours du corso, chaque dimanche du mois, des chars couverts d'oranges et de citrons déambulent dans ses rues et quelques bâtisseurs dressent au cœur de la ville des monuments où les citrons remplacent les pierres.

Le cédrat

Cultivé dans toutes les Alpes-Maritimes depuis 1880, ce fruit jaune clair est plus volumineux que le citron. Son écorce est plus épaisse, plus ou moins verruqueuse. On le consomme en fruit confit ou sous forme de liqueur, la cédratine.

Le parc du Mercantour : détour nature au pays des loups

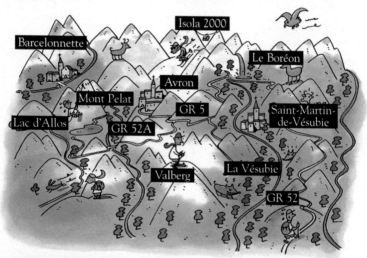

Barcelonnette

Isola 2000

Le Boréon

Mont Pelat

Avron

Saint-Martin-de-Vésubie

Lac d'Allos

GR 5

GR 52A

Valberg

La Vésubie

GR 52

Le village de Lantosque, dans la vallée de la Vésubie.

Point de rencontre entre les sommets alpins et la douceur méditerranéenne, le parc du Mercantour est un enchantement. Ruisselets, sources, eaux tumultueuses des vallées, bouillonnement des cascades, fraîcheur des glaciers, lacs au pur cristal juchés sur les montagnes altières : l'eau berce de son bruit le marcheur ou l'étourdit à l'envi. Mais attention au grand méchant loup… Ils sont environ une douzaine à prendre leurs vacances ici.

Le Mercantour en chiffres

S'étirant sur plus de 100 km contre la frontière italienne, entre les hautes vallées de l'Ubaye et du Verdon au nord et les vallées du Var, de la Vésubie et de la Roya au sud, il offre aux amoureux de la nature ses quelque 68 000 ha de lacs, forêts, sites rocheux et pâturages. Une flore abondante et variée (plus de 2 000 espèces dont 40 qui ne poussent qu'ici), une faune caractéristique de la haute montagne qui se laisse approcher sans crainte (chamois, bouquetins, mouflons…) et mille et une bestioles discrètes (marmottes, lièvres, hermines…) peuplent ce parc.

Au pays des sept vallées

Un seul nom : Mercantour.

Tout à la fois sommet, massif et parc national. En fait, c'est tout l'arrière-pays niçois montagneux qui se cache sous le mot Mercantour, avec ses 7 vallées sauvages aux eaux tumultueuses : du sud au nord, Roya, Bevera, Vésubie, Tinée, haut Var, haut Verdon et Ubaye. À découvrir absolument en s'arrêtant dans ses villages de montagne ornés de jolies églises romanes et de maisons en pierres épaisses et couvertes de lauzes : Rimplas, Breil, Saorge, Entrevaux, Saint-Martin-Vésubie, Roubion…

Les loups du Mercantour

On en dénombre actuellement entre 8 et 12, qui sont venus tout seuls d'Italie et ont élu domicile dans les vallées de la Tinée. Lors de la montée en alpage, il y a bien quelques

incidents avec les bergers, mais ceux-là sont vite indemnisés. Pourtant, les vieux fantômes ont la vie dure et partout on crie au loup. Car même quand il présente l'échine d'un chien errant, le loup a bon dos.

Un parc de haute montagne

Ne l'oublions pas : le Mercantour est vraiment un parc de haute montagne qui s'étage entre 500 et 3 143 m d'altitude (la cime du Gélas). Dans des paysages généreux (cirques, vallées glaciaires, gorges profondes, torrents

fougueux, névés éternels…), vous pourrez vous livrer aux joies de la randonnée, du VTT, de l'escalade et, en hiver, à celles du ski dans les stations de Valberg, à Isola 2000 et à Auron.

De lacs en cascades

Le **Boréon** (au-dessus de Saint-Martin-Vésubie), haut lieu de l'escalade, est le point de départ de nombreuses randonnées dans les forêts ou vers les lacs. L'une d'elles conduit à la superbe **cascade du Boréon**, qui tombe de 40 m de haut à plus de 1 500 m d'altitude. Beaucoup plus à l'est (à quelques km de Barcelonnette par la D 909), le **lac d'Allos**, une masse d'eau azur sur fond de roches déchiquetées, est le plus grand lac naturel d'Europe, à 2 300 m d'altitude.

Le Mercantour à pied

Avec près de 600 km de circuits de randonnée ou de promenade, voilà un site qui séduira les marcheurs. D'autant que, dans ce parc protégé, le

milieu est encore peu perturbé par l'homme. Le GR 5 et le GR 52 traversent le Mercantour tandis que le GR 52A le longe de village en village dans sa partie sud. Pour découvrir les meilleurs endroits, n'hésitez pas à prendre un guide (bureau des guides du Mercantour, ☎ 04 93 03 31 32. Ouv. 17 h-19 h en été).

LES MAISONS DU PARC NATIONAL

Amoureux de la nature mais un peu néophyte en la matière, vous avez envie d'être guidé pour découvrir le parc. Dans les maisons du parc, vous rencontrerez les gardes-moniteurs qui ne demandent pas mieux que de vous aider et de vous faire partager leur expérience et leur plaisir. Vous les trouverez à Barcelonnette (☎ 04 92 81 21 31), à Saint-Étienne-de-Tinée (☎ 04 93 02 42 27), à Entraunes (☎ 04 93 05 53 07) ou à Saint-Sauveur-de-Tinée (☎ 04 93 02 01 63).

Monaco, 700 bougies pour une dynastie

Il y a sept cents ans naissait, sur un rocher de la Méditerranée, la dynastie des Grimaldi. Ces partisans de la république de Gênes, alliés au pape et aux comtes de Provence, fondent au XIIIe s. une seigneurie qui s'étend un peu plus tard à Menton et à Roquebrune. L'actuel État princier, qui est aussi un véritable paradis fiscal, semble aujourd'hui s'être fait un devoir d'assurer la une des journaux à scandales, qui adorent raconter par le menu les mille et un événements de la vie des illustres membres de cette cour. Le nouveau privilège des princes…

Un couple entré dans la légende

Bien avant son mariage avec le prince Rainier, Grace Kelly avait l'allure d'une altesse. Une sensualité glacée qui fascina Hitchcock. Exquise jeune mariée le 18 juin 1956, mère épanouie de 3 héritiers, grande star du Rocher, elle aurait mérité un oscar pour le parfait roman-photo que fut sa vie. Mais, le 13 septembre 1982, la mort l'attrape au tournant d'un virage de la D 37 qui relie la principauté à La Turbie. La princesse repose dans la crypte de la cathédrale Sainte-Dévote, à Monaco.

Caroline et les chasseurs d'images

Le 23 janvier 1957, les photographes jettent leurs flashs autour du berceau de la toute jeune princesse Caroline. Ils sont là aussi quand, 20 ans plus tard, elle se marie avec François-Philippe Junot. Leur union dure deux étés. La princesse virevolte de bras en bras, mais la disparition de sa mère lui rappelle l'importance de son rang. Elle s'assagit et

épouse en secondes noces un Italien versé dans l'immobilier. Le sort s'acharne pourtant : le 30 octobre 1990, le bolide de son mari se désintègre. La jeune veuve reprend sa place de première dame de Monaco.

Stéphanie l'ouragan

L'adolescente a multiplié les bêtises. Après le tube dont le titre lui colle à la peau (*Comme un ouragan*), elle devient styliste chez Dior, créatrice d'une ligne de maillots de bain, puis exilée de luxe du côté de Los Angeles. Elle collectionne les fiancés avant de trouver

l'âme sœur, Daniel Ducruet, son garde du corps. Le couple file un temps le parfait amour, et Louis et Pauline naissent. Mais le mariage vole en éclats pendant l'été 1996 quand les journaux publient des photos qui compromettent diablement le bel époux. L'affront est lavé par un divorce express.

L'héritier timide

À 40 ans, le prince héréditaire n'est toujours pas marié. Même s'il a posé, pour la photo, avec les plus jolis top-models de la planète : Naomi Campbell, Claudia Schiffer, Karen Mulder, on ne lui connaît pas de liaison. Champion de bobsleigh, ce sportif a toujours vécu dans l'ombre de ses extravagantes sœurs. Chez les Grimaldi, père et fils renâclent, l'un à passer le relais du pouvoir, l'autre à se charger de dossiers un peu trop lourds pour des épaules pourtant larges.

Les charmes du Rocher

Les premiers pas de la fortune monégasque commencent en fait au siècle dernier, quand François Blanc, le très inspiré directeur du casino de Bad Homburg, donne son essor à la très prudente maison de jeu installée sur le Rocher. Dans le même temps, le prince régnant attire les grosses fortunes en supprimant les impôts. Quand, en 1933, les jeux sont autorisés en France et en Italie, Monaco commence à s'inquiéter. Mais les avantages fiscaux de la principauté continuent d'attirer investisseurs et entreprises. Aujourd'hui, tourisme, immobilier et services vont bon train, assurant à la principauté un niveau économique plutôt enviable.

HISTOIRE D'UNE DYNASTIE

Tout commence sur un rocher, un beau jour de 1296, le 8 janvier exactement. François Grimaldi dit la Malice, fuyant les partisans de l'empereur Frédéric Barberousse, s'empare du Rocher et massacre les moines qui y résident. Les Grimaldi occupent Monaco sur-le-champ. Un siècle plus tard, ils fondent un véritable État qui réunit Monaco, Menton et Roquebrune. Luttes, guerres et troubles révolutionnaires se succèdent et, en 1793, les Grimaldi sont déchus. Mais la principauté est restaurée en 1814 puis déclarée monarchie constitutionnelle en 1911. En 1949, le prince Rainier III succède à son père, Louis II, général de l'armée française.

Le prince Albert Ier.

Monaco :
le Rocher des Grimaldi

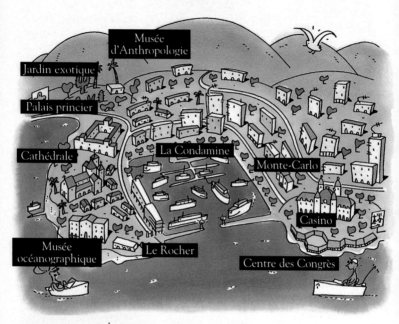

Musée d'Anthropologie

Jardin exotique

Palais princier

Cathédrale

La Condamine

Monte-Carlo

Casino

Musée océanographique

Le Rocher

Centre des Congrès

Un petit État souverain de quelque 19 km2 enclavé en plein territoire français, une principauté trônant du haut de son Rocher, un cadre grandiose bénéficiant d'un climat d'une exceptionnelle douceur et, surtout, une famille princière dont les membres défraient régulièrement les chroniques de la presse à sensation, voilà qui suscite la curiosité des très nombreux visiteurs de la principauté de Monaco. Derrière cette façade, on peut aussi découvrir un site riche en monuments et en activités. À vous de jouer…

Petit traité de géographie monégasque

Monaco la principauté, c'est tout simplement Monaco-ville (c'est-à-dire le Rocher) et Monte-Carlo. Ces villes se jouxtent sans pourtant se confondre, reliées entre elles par le quartier de la Condamine où dorment de superbes yachts. Monaco, capitale de la principauté, forme une terrasse qui surplombe la mer du haut de

Le palais princier.

ses 60 m. Sur ce petit carré privilégié (300 m sur 800 m) nichent la vieille ville et ses très belles demeures ainsi que l'incontournable palais princier.

La vieille ville★★

Offrez-vous une promenade pittoresque dans les vieilles venelles de la cité médiévale, communiquant entre elles par des passages voûtés. Au fil de votre flânerie, arrêtez-vous à la chapelle de la Paix, dans les jardins voisins de la place de la Visitation, puis sur la petite place Bosio, dédiée au célèbre sculpteur monégasque. Sur la place Saint-Nicolas s'élance une fontaine surmontée d'une statue. Enfin, la rampe Major (1714), pavée de briques rouges et fortifiée de 2 portes,

relie la Condamine à la place du Palais. Ceux qui cherchent un peu de calme pourront aller flâner dans les jardins Saint-Martin, face au large.

Le palais princier★
☎ 00 377 93 25 18 31.
Ouv. t. l. j., juin-sept., 9 h 30-18 h 20, oct. 10 h-17 h. F. nov-mai. Vis. guidée obligatoire (4 langues : français, angl., ital., all. ; départs ttes les 5 min.)
Accès payant.

Au milieu d'une foule abondante, vous pourrez assister à la relève en fanfare de la section des cara-

biniers qui assure la garde du palais princier (t. l. j., 11 h 55 précises). La cérémonie fait très couleur locale. On lui préférera pourtant une visite plus détaillée du palais princier. Une série de salons somptueux, la très belle salle du trône, la galerie italienne et jusqu'à la très belle cour d'honneur pavée de galets blancs et de couleur, voilà qui vous réserve une agréable promenade à travers les siècles.

Souvenirs napoléoniens
Pl. du Palais

☎ **00 377 93 25 18 31.**
Ouv. t. l. j. sf lun., déc.-mai,
10 h 30-12 h 30 et 14 h-
17 h ; juin-sept., 9 h 30-
18 h 30 ; oct., 10 h-17 h.
Accès payant.

Dans l'aile méridionale du
palais princier, on peut faire un
saut au cœur du premier
Empire grâce à une riche
collection d'objets ayant appartenu à Napoléon Ier : bicornes,
gants, drapeaux, autographes,
vêtements du roi de Rome,
pieux souvenirs de Sainte-
Hélène. Au total, plus de 1 000
objets évoquant l'Empereur.

La cathédrale
Av. Saint-Martin

☎ **00 377 93 30 87 70.**
Ouv. t. l. j. , 7 h 30-18 h.,
sf pendant les offices.
Messe chantée par les Petits
Chanteurs de Monaco ts les
dim. à 10 h 30, sept.-juin.
Accès libre.

On la cite, on la célèbre, on
la visite. Elle n'a pourtant rien
d'extraordinaire. Elle a été
construite à la fin du siècle dernier dans un style néoroman
bien lourd. Mais à l'intérieur
se trouve la **tombe de Grace
Kelly** : cela suffit à expliquer
l'engouement dont bénéficie
l'édifice. Au lieu de jouer des
coudes pour ten-
ter d'ap-

La cathédrale, construite en calcaire blanc de La Turbie.

procher la tombe de cette
grande dame, allez plutôt
admirer, à l'entrée gauche du
déambulatoire, le très beau
Retable de saint Nicolas signé
par le peintre niçois Louis Bréa
(XVIe s.).

Le Musée océanographique★★★
Av. Saint-Martin

☎ **00 377 93 15 36 00.**
Ouv. t. l. j., juil.-août, 9 h-
20 h ; avr.-juin et sept., 9 h-
19 h ; nov.-fév. 10 h-19 h ;
oct.-mars 9 h 30-19 h.
Visites commentées pour
enfants sur r.-v.
Accès payant.

Il justifie à lui tout seul une
halte à Monaco. Fondé au
début du siècle par le prince
Albert Ier, amoureux fou des
mers et marin émérite, il
regroupe dans 90 bassins près
de 6 000 poissons de
370 espèces du monde entier.
Petits et gros nageurs évoluent
dans des aquariums qui recons-
tituent leurs milieux
naturels. Un récif
corallien vivant
importé de la mer
Rouge abrite
70 espèces de

coraux. Le clou du spectacle,
c'est la salle de la Baleine, qui
contient des squelettes de
grands mammifères marins.
Est-il besoin de rappeler que
le commandant Cousteau
dirigea l'établissement
de 1957 à 1988 ?

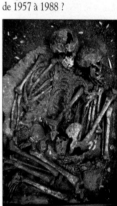

Le musée d'Anthropologie préhistorique★
Entrée par le Jardin Exotique

☎ **00 377 93 15 80 06.**
Ouv. t. l. j., 9 h-18 h ;
jusqu'à 17 h en hiver ;
19 h en été.
*Accès payant (billet
commun avec le Jardin
exotique).*

La façade monumentale du Musée océanographique plonge dans les flots bleus.

Fondé par Albert Ier et inauguré en 1902, il abrite des collections provenant des fouilles des grottes de Grimaldi, à la frontière franco-italienne. On y découvre de nombreux vestiges des époques préhistoriques, en particulier des squelettes aux traits négroïdes, des silex et des ossements d'espèces animales disparues.

Au royaume des cactées★★
Jardin exotique de Monaco, 62, bd du Jardin-Exotique
☎ 00 377 93 30 33 65.
Ouv. t. l. j., 15 mai-15 sept. 9 h-19 h ; hors saison, jusqu'à 17 h 30 ou 18 h.
Accès payant.

Accroché au flanc de la falaise, il offre un échantillon impressionnant de cactées provenant d'Afrique ou d'Amérique latine mais aussi d'aloès du Cap et d'agaves géantes des plateaux aztèques. L'influence de la Méditerranée voisine, l'inclinaison de la falaise, l'orientation des lieux favorisent ici l'implantation d'une flore caractéristique des déserts, représentée par plusieurs milliers d'espèces.

L'histoire d'une dynastie
Monte-Carlo Story.
☎ 00 377 93 25 32 33.
T. l. j., mars-juin et sept.-oct., 11 h-17 h ; juil.-août, 11 h-18 h. ; nov.-fév. 14 h-17 h. F. déc.
Accès payant.

À proximité du Musée océanographique, un spectacle retrace l'authentique et passionnante histoire des seigneurs et princes de Monaco dans la plus pure tradition de l'ancestrale lanterne magique, remise au goût du jour par des techniques actuelles. On lui préférera pourtant les figurines grandeur nature du **musée de Cire** (27, rue Basse) qui retracent de manière plus simple l'histoire des seigneurs de Monaco du XIIIe s. à nos jours.

La statue de Saint Nicolas, sur la place du même nom.

Monte-Carlo : vitrine du luxe

Placée sous le signe de la toute puissante Société des bains de mer, qui gère ses hôtels et son casino, Monte-Carlo est un mélange d'architectures anciennes et ultramodernes. Terrasses fleuries et gratte-ciel plongeant sur la mer, lignes de chemin de fer souterraines, villas et magasins de luxe, ce décor de mégapole forme la toile de fond de manifestations sportives qui jouissent d'une réputation internationale. Mais la ville déploie aussi une palette de musées passionnants.

Faites vos jeux★
Casino,
☎ 00 377 92 16 21 21.
Accès payant et très réglementé.
Construit entre 1878 et 1910, le lieu a vu se faire et se défaire bien des fortunes. La décoration intérieure vaut le détour mais il faut payer pour accéder aux salles où l'on ira dépenser son argent… Alors contentez-vous d'une visite du hall central, sans regret pour les machines à sous (ces « bandits manchots ») et les tables de roulettes qui meublent l'intérieur. Et profitez des jardins et de la vue splendide que vous offre gracieusement la terrasse du casino…

La salle Garnier★★
Jouxtant les salons de jeu du casino, elle est signée par Charles Garnier, l'architecte de l'Opéra de Paris. Dans cette salle assez originale pour l'époque (il n'y a pas de balcon et son parterre est rectangulaire), les grands noms de l'art lyrique ont défilé. Assister à un spectacle n'est pas très évident car il n'y a que 600 places, mais vous pouvez quand même tenter votre chance. La programmation est souvent très bonne.

Les ors fastueux de la salle Garnier.

Les voitures du prince Rainier★
Les terrasses de Fontvieille
☎ 00 377 92 05 28 56.
Ouv. t. l. j., 10 h-18 h.
Accès payant.

Ce passionné d'automobiles a réuni sur près de 30 ans une collection de quelque 100 voitures de tous âges issues des plus grandes firmes d'Europe et d'Amérique : De Dion Bouton 1903, Lamborghini

Countach 1986, Bugatti 1929, Citroën Torpedo de la Croisière jaune ou Rolls Royce 1952, tous les modèles sont rutilants et entretenus avec passion.

Maisons de poupée★
Musée national, 17, av. Princesse-Grace
☎ 00 377 93 30 91 26.
Ouv. t. l. j., avr.-sept., 10 h-18 h 30 ; oct.-mars, 10 h-12 h 15 et 14 h 30-18 h 30.
Accès payant.

Dans une superbe villa construite par Charles Garnier,

on y admire des poupées anciennes en robes d'époque et des automates s'agitant au milieu de mobilier et d'objets miniatures. Une reconstitution subtile et raffinée de l'atmosphère du siècle passé. Des animations d'automates ont lieu plusieurs fois par jour. Le musée possède aussi une très belle crèche de 250 personnages.

Le Jardin japonais★★
Avenue Princesse-Grace
Ouv. 9 h-coucher du soleil.
Accès gratuit.

Conçu par l'architecte paysagiste Yasuo Beppu, ce jardin aménagé sur 7 000 m2 en bordure de Méditerranée a été béni par un grand prêtre du shinto, la grande religion des Japonais. Pins et oliviers sont taillés selon la tradition de l'empire du Soleil levant,

cascades et pièces d'eau sont agrémentées d'îlots aux formes symboliques. Les barrières de bambous, la maison du thé, les lanternes de pierre, les tuiles et les portails de bois ont été réalisés au Japon.

Petit calendrier des manifestations sportives
En janvier, le rallye automobile de Monte-Carlo est l'épreuve phare du Championnat du monde. En avril, l'Open de

tennis de Monte-Carlo est le premier rendez-vous de la saison sur terre battue. En mai, le Grand Prix automobile se déroule sur le circuit tracé au cœur de la ville par Anthony Noghès. En juillet, c'est la reprise du Championnat de France de football en division 1.

DES PRODUITS RÉGIONAUX EN HYPER

Centre cial de Fontvieille, av. du Prince Héréditaire-Albert. Ouvert t. l. j. sf dim., 8 h-22 h.

Tout près du port de Fontvieille, un hypermarché Carrefour a ouvert ses rayons aux produits locaux. On peut y faire un marché provençal à prix très bas. Petites robes folkloriques, paniers en raphia coloré, huile d'olive de la région, confitures ou miel, c'est ici qu'on viendra remplir sa malle à souvenirs.

Faites vos jeux !

Depuis le casino géant de Monte-Carlo en passant par ceux de Menton, de Cannes ou de Saint-Raphaël, les paradis du jeu s'égrènent sur la côte à la façon de gros rochers regardant jalousement le bleu de l'horizon. Parmi les loisirs préférés des touristes, ce sont les machines à sous, ou « bandits manchots », qui remportent tous les suffrages puisqu'elles représentent 83 % du chiffre d'affaires de ces royaumes. L'occasion de vous livrer leur mode d'emploi.

Jouer à tout prix

Vous passez tout d'abord voir la caissière qui vous remettra contre espèces sonnantes et trébuchantes des jetons et un petit seau. Au cas où… Si vous disposez d'un budget de 100 F, n'utilisez que des pièces de 1 F ; avec 200 F des pièces de 2 F ; avec 500 F, misez sans complexes 5 F à chaque fois. C'est le moyen de jouer plus longtemps et d'augmenter ses chances de gagner.

La machine pour débuter

On les surnomme les « multijeux » car ce sont les machines qui proposent le plus de combinaisons gagnantes. Parmi elles, *Fame and Fortune* peut en faire espérer au moins

20. Il suffit qu'un seul symbole gagnant apparaisse pour entendre les pièces tomber.

Vous pouvez même empocher 1 000 fois votre mise si les 3 logos du jeu s'affichent en même temps. Si vous jouez pour la première fois et que vous ne voulez pas dépenser plus de 100 F, utilisez d'office ce jackpot.

Miser gros pour gagner gros

Avec les multijeux, plus vous insérez de pièces (jusqu'à 3), plus vous augmentez vos chances de gagner. Avec 3 pièces, vous ne jouez plus uniquement avec les symboles de la ligne centrale mais aussi avec ceux des lignes du haut et du bas. Ainsi, si vous alignez les trois 7 de couleurs différentes au centre en ayant joué une seule pièce, vous

remportez 2 500 fois votre mise. Avec 2 pièces vous remportez le double, avec 3 le triple ! Mais attention, tripler la mise à chaque fois revient aussi à tout perdre 3 fois plus vite…

Quand on a la main

Pour les habitués qui jouent gros, les *Buy Pay* ne sont pas

très intéressantes pour les petites mises puisqu'elles ne proposent dans ce cas précis que des combinaisons difficiles. Pour multiplier ses chances, il faut tripler les mises, sachant qu'on ne gagne que sur la ligne centrale. Pour remporter la mise, il faut afficher simultanément 3 symboles en jouant avec 2 pièces. En en insérant une troisième, on a sept combinaisons supplémentaires. Une mise qui peut coûter cher…
     mais rapporter gros.

Les machines à gros gains

Ce sont des machines à éviter absolument si vous ne disposez pas d'un budget à rallonge. Elles ne sont axées que sur les gros gains, ne proposent que des jackpots énormes et quelques combinaisons difficiles à réaliser pour un gain faible. Pour le jackpot, vous avez une chance tous les 200 000 coups… à vous de jouer !

Petite histoire des machines à sous

La première a vu le jour à San Francisco à la fin du siècle dernier. On la trouvait alors dans les bars et elle permettait de

gagner des bonbons aux fruits. Les symboles sont restés. Aujourd'hui encore, on gagne en alignant des cerises, des fraises ou des prunes… Puis les tenanciers des bars ont offert 1 ou 2 tournées d'alcool frelaté suivant la quantité de « bars » alignés. La cloche, symbole de liberté aux États-Unis, est apparue au début du siècle

sur les premières machines à sous : les pièces de monnaie avaient remplacé bonbons aux fruits et spiritueux…

Mougins et la vallée de la Siagne

Saint-Cézaire

Auribeau

Mougins

Montauroux

Notre-Dame-de-Vie

Musée de l'automobil

Tout en rondeurs, Mougins domine, légèrement en retrait, la baie de Cannes. Sur cette jolie colline, Picasso a signé ses dernières œuvres et Winston Churchill y a aussi taquiné le pinceau… Enroulée en spirale comme un coquillage, la cité autrefois fortifiée inspire d'innombrables artistes et accueille les stars qui s'extraient, en mai, du Festival de Cannes.

Le vieux village★

Étourdissez-vous dans les ruelles de cette cité-escargot, dont la liste des habitants célèbres donne aussi le tournis : Jacques Brel habita au 71, rue des Lombards, non loin d'Édith Piaf, de Christian Dior, de Jeanne Moreau, de Catherine Deneuve, de Picasso, de Jean Cocteau… Par la porte Sarrasine, seul vestige des grands remparts du XIVe s., entrez dans l'église Saint-Jacques. Vue imprenable depuis le clocher (ouv. t. l. j., 14 h-19 h ; hors saison, 14 h-17 h ; les clés sont à retirer au musée de la Photographie).

LA CITÉ DES GRANDS CHEFS

Mougins a toujours attiré des chefs prestigieux. Dans les années 30, le célèbre Célestin Véran cuisinait des bouillabaisses pour les grands de ce monde, dont le très fidèle duc de Windsor. Puis Roger Vergé a transformé, en 1969, le moulin à huile du village en restaurant. Aujourd'hui, il y propose des cours de « cuisine du soleil ». Assis à une petite table de bistrot, vous pouvez déguster, questionner, prendre des notes et… ré-essayer ensuite à la maison. Le programme varie chaque jour au gré du marché. Renseignements au ☎ 04 93 75 35 70 (5 demi-journées par mois).

Notre-Dame-de-Vie★★

2 km S.-E. par D 3

Churchill y a livré une bataille artistique. Il a planté son chevalet devant cette chapelle typiquement provençale du XIIe s., légèrement à l'écart du village. Remarquez son porche en plein cintre à 3 arcs et le sanctuaire voisin où l'on « ressuscitait » autrefois les nouveau-nés mal en point. À l'intérieur, très beau retable du XVIe s.

Le musée de l'Automobile★

Par A 8, en venant de Nice, aire des Bréguières

☎ 04 93 69 27 80.
Ouv. t. l. j., 10 h-18 h ; jusqu'à 19 h en été. F. nov.
Accès payant.

Une des plus belles collections européennes de véhicules d'époque. Plus

de 200 voitures en état de marche retracent l'histoire de l'automobile, de 1894 à nos jours. Contemplez les premières machines à moteur, les modèles prestigieux (Benz, Bugatti) et les dernières voitures de course… Régulièrement, des concours d'élégance et des ventes aux enchères animent ce haut lieu de la soupape.

La maison de Picasso

Av. de l'Orangeraie, en contrebas de la chapelle Notre-Dame-de-Vie

On l'entrevoit, mais on ne la visite pas. Approchez-vous (par le bas) de ce lieu d'inspiration où le grand maître s'est laissé porter par la lumière pendant les 12 dernières années de sa vie (il l'avait surnommée « l'antre du Minotaure »). Avant d'habiter ici, en 1936, il s'était installé à l'actuel hôtel Les Muscadins, où il avait repeint un soir tous les murs de sa chambre. Le propriétaire du lieu, furieux, l'avait sommé de tout remettre en état !

Le musée de la Photographie★

Porte Sarrasine

☎ 04.93.75.85.67
Ouv. t. l. j. sf mar., juil.-août, 14 h-23 h ; hors saison, 13 h-18 h. F. nov. à mi-déc.
Accès payant.

Picasso en pleine période Mougins y est immortalisé au naturel et au travail par les plus grands photographes du siècle : Robert Doisneau, Jacques-Henri Lartigue, André Villers, Raph Gatti (2e étage). Au premier niveau, admirez une panoplie d'antiques appareils photographiques, fidèles amis de ce site qui a inspiré les génies du cliché, exposés à tour de rôle au rez-de-chaussée.

Le parc de la Valmasque★

Accès par D 35, vers Antibes

On pénètre dans ce superbe parc de 427 ha par l'étang de Fontmerle, à l'est de Mougins. Ses eaux attirent de nombreux oiseaux migrateurs et sont

recouvertes d'immenses lotus roses au mois d'août. Le long de la D 35, empruntez les itinéraires balisés (en vert) qui sillonnent les trois collines couvertes de pins et de chênes méditerranéens avec, dans les clairières, des jeux de plein air pour les enfants…

Les grottes de Saint-Cézaire★★
Saint-Cézaire-sur-Siagne, 15 km O. de Grasse par D 613

☎ **04 93 60 22 35.**
Ouv. t. l. j., juin-sept, 10 h 30-12 h et 14 h 30-18 h ; juil.-août, 10 h 30-18 h 30 ; hors saison, 14 h 30-17 h. F. 1er nov.-15 fév., sf dim. ap.-m.
Accès payant.

Descendez à 50 m sous terre, dans un univers rougeoyant parsemé de splendides concrétions… Ces grottes, mises au jour il y a un siècle

par un coup de pioche hasardeux, sont remplies d'animaux, de fleurs et de champignons… en silhouettes sur les stalagmites. Suivez le parcours qui traverse la salle des Draperies, puis celle des Orgues… avant de se terminer au bord d'un gouffre impressionnant, à côté de l'Alcôve des fées. Température ambiante : 14 °C.

Les gorges de la Siagne★
Sortie de Saint-Cézaire vers Saint-Vallier par D 105

On les contemple depuis le village féodal de Saint-Cézaire, qui les domine (point de vue au bout de l'itinéraire balisé depuis l'église). On les découvre ensuite en voiture en suivant sur 5 km une route étroite qui monte vaillamment à l'assaut des hauteurs évasées de ces gorges verdoyantes et profondes. Au bout, quand le pont franchit la rivière, on peut se retourner pour admirer la vue en enfilade sur le canyon. Magnifique.

Auribeau-sur-Siagne★
12 km S. de Grasse

Parmi les plus pittoresques villages perchés de la Côte d'Azur, Auribeau s'accroche à son piton rocheux et laisse la rivière en bas… Au XIIe s., il fallait d'abord se protéger des envahisseurs, avant même de songer à se désaltérer… Dans ce village préservé, entrez par le portail Soubran (XVIe s.) et suivez les ruelles étroites qui grimpent vers l'église (jolie vue) ou redescendent vers la rivière nourricière.

Le cirier d'Auribeau
Moulin du Sault, Auribeau-sur-Siagne

☎ **04 93 40 76 20.**
Ouv. t. l. j., 10 h-12 h et 15 h-18 h 30.
On y travaille la cire dans un décor moyenâgeux. Découvrez ici les secrets d'une des dernières

fabriques artisanales de bougies, trempées selon un procédé millénaire. Devant vous, le cirier les colore, les parfume et les revêt de fleurs cueillies dans les champs et séchées. Ces flambeaux fondent alors à votre gré, en restituant un délicieux

« clair de Provence »
odorant…100 F le panier
de 5 fruits en bougie.

Le parc Caillenco★
**1411, bd du 8-Mai, La
Roquette-sur-Siagne**
☎ 04 92 19 13 84.
Ouv. tte l'année sf jours de
pluie. Visite guidée sur r.-v.
Accès payant.

Dans un
grand parc pro-
vençal, des artistes renommés
ont réalisé des « plantations »
d'art contemporain… Autour
d'une bastide du XVIIIe s.,
leurs sculptures cohabitent
avec la faune et la flore
naturelles de ce lieu. Laissez-

vous séduire par cette initiative
originale, enrichie aux beaux
jours par la présence sonore de
poètes, musiciens et acteurs…

Les bambous de l'Hubac★
**Rte de Draguignan,
Pont-de-Siagne**
☎ 04 93 66 12 94.
Ouv. sam., mars-nov., 8 h-18 h
et sur r.-v.
Grand spécialiste (et
amoureux) du bambou, Benoît
Béraud cultive, sur les bords de
la Siagne, cette plante raffinée
mais inflexible. Parmi la
trentaine de variétés
disponibles, originaires des
quatre coins du globe,
choisissez celle qui
agrémentera votre intérieur
ou votre jardin et demandez-lui
en supplément comment on
peut les cuisiner (c'est
possible !).

Les artisans de Montauroux
Accès par D 562
☎ 04 94 47 75 90 (office
de tourisme).
Ouv. t. l. j., tte l'ann.

Ils travaillent devant vous.
Réunis sous le
même toit,
5 artisans d'art
provençaux
dévoilent leur
savoir-faire.
Travail
du
cuivre

LA PÂTE D'OLIVE
**Marcel Camatte,
8, bd Courmes,
Saint-Cézaire-sur-Siagne**
☎ 04 93 60 21 97
ou 04 93 60 27 88.

À Saint-Cézaire-sur-
Siagne, terre de l'olivier,
les oléiculteurs ont
gardé la tradition de
la caponate. Dans la
famille Camatte, on
la fabrique pour la
déguster très simple-
ment, en l'étalant
sur du pain de campagne,
comme autrefois.
Venez goûter et
emportez cette pâte
d'olive typique,
produit des hauteurs
de la Siagne
et du chant
des cigales
(25 F le petit
pot de 100 g,
55 F le pot
de 330 g).
Également
dispo-
nible :
de
l'huile
pressée
sur place.

et de l'étain (copie d'armes
anciennes), du bois d'olivier
(du saladier au meuble),
cristal taillé, poterie et
verrerie d'art, chacun
y va de sa spécialité.

Nice :
capitale de la Côte d'Azur

I talienne jusqu'en 1860, la septième ville de France est un écrin qui a su conserver les meilleures traces de ses différentes appartenances. Anglaise par sa promenade, italienne par ses villas, ses innombrables musées trahissent la passion que lui vouent artistes et scientifiques. Contemplez la capitale de la Côte d'Azur depuis la colline de Cimiez saisissez ses saveurs et ses couleurs sur le cours Saleya et perdez-vous dans ses musées… Mais en février, place au carnaval !

Le vieux Nice★
En été, visites 2 jours par sem.: départ à 9 h 30 de l'office de tourisme (5, promenade des Anglais, ☎ 04 92 14 48 00). **Accès payant.**

Entre le boulevard Jean-Jaurès et le port, marchez dans les ruelles de l'ancienne cité, remplies de boutiques et d'ateliers typiques. Autour de la cathédrale Sainte-Réparate, les artisans fabriquent des tissus et des santons traditionnels (rue Paradis et rue Pont-Vieux). Au no 10 de la rue Saint-Gaétan, **la maison Poilpot** (☎ 04 93 85 60 77) distribue depuis toujours l'Eau de Nice, parfumée au mimosa et, rue de

Le cours Saleya, dans le vieux Nice.

la Préfecture, les cavistes vous font goûter au vin local de Bellet. Pour les gourmands, pâtes et raviolis niçois travaillés à l'ancienne sont en vente chez **Tosello** (6, rue Sainte-Réparate, ☎ 04 93 85 61 95).

Les marchés★★

Rendez-vous chaque matin au plus célèbre d'entre eux, le marché du cours Saleya, grand-messe quotidienne des fleurs, légumes et fruits niçois. **Ambiance haute en couleur** et en odeur, au cœur du vieux Nice (le lundi, place à la

brocante). Tous les matins également, le marché aux poissons de la place Saint-François offre le spectacle typique des pêcheurs qui vendent la bogue, le rouget, la mostelle… fraîchement sortis de la Méditerranée.

La cathédrale Sainte-Réparate★★
Pl. Rossetti

Dédiée à la sainte patronne martyre de la ville, cette cathédrale toute en couleurs (XVIIe s.) est coiffée d'une

coupole couverte de tuiles polychromes et ornée d'une façade (re)colorée en 1980. À l'intérieur, contemplez les somptueuses chapelles baroques décorées de marbre et de stuc, et entrez dans la sacristie, tapissée de boiseries et de lambris du XVIIIe s. Au passage, saluez les reliques de saint Alexandre, très sollicité pour faire tomber la pluie…

L'église Saint-Martin-Saint-Augustin★★
Rue Sincaire

Avant de devenir protestant, Luther y a célébré la messe en 1510… Puis Garibaldi, le fondateur niçois de la République italienne, y a reçu le baptême en 1807… Gare à la destinée de ceux qui entrent dans cette église : elle se révèle souvent aussi chargée que son décor baroque, qui inclut toutes sortes de marbres polychromes. À remarquer, dans le chœur, une splendide pietà (XVIe s.) de Louis Bréa, artiste local très doué surnommé le « Fra Angelico niçois ».

Le moulin des Caracoles★★
5, rue Saint-François-de-Paule

☎ 04 93 62 65 30.
Ouv. t. l. j. sf dim., 9 h-13 h et 14 h 30-18 h 30.
Accès gratuit.

Juste en face, au no 2, Bonaparte avait installé son

quartier général en 1796. Sous le regard de l'Histoire, Jean-Pierre et Ginette Lopez ont rassemblé dans leur boutique toute la gamme des authentiques ingrédients niçois : aromates, miels, vins, olives, huiles (63 F le l)…
On trouve même les vrais pains de savon de Marseille, version impériale (16 F les 600 g, olive ou palme).

Promenades en mer
**Trans-Côte d'Azur,
quai Lunel.**

☎ 04 92 00 42 30.
Ouv. t. l. j. sf lun. et mer. ;
d'oct. à mai, f. lun., jeu.et sam.
Départ 15 h.

Toute l'année, faites la promenade côtière, qui longe le littoral niçois vers l'est : en 1 h, les splendides profils de la Baie des Anges, du cap Ferrat et de la baie de Villefranche. Pour pousser plus loin, rejoignez **Monaco** en 45 min (relève de la garde t. l. j. à 11 h 55), **San Remo** en 1 h 45 (marché populaire le sam.), les **îles de Lérins** en 1 h 15 (messe de l'abbaye d'Honorat à 9 h 50 le dim.) ou **Saint-Tropez** en

2 h 30. Pour varier, choisissez la vision sous-marine dans l'Aquascope, au fond transparent…

La promenade des Anglais★★

D'un côté, les plages caillouteuses, de l'autre les plus belles façades de Nice. Ornée de palmiers, cette artère emblé-

matique longe la Baie des Anges depuis qu'un pasteur anglais a financé sa construction en 1820… Alors les plus grands palaces de la ville y ont poussé : le **palais de la Méditerranée** (n° 17), **le Royal** (n° 23), **le Westminster** (n° 27), **le West-End** (n° 31) et l'incontournable **hôtel Negresco**

Le musée Masséna.

(n° 35), classé monument historique.

Le musée Masséna★★
65, rue de France et 35, promenade des Anglais.
☎ **04 93 88 11 34.**
Ouv. t. l. j. sf lun., mai-sept., 10 h-12 h et 14 h-18 h .
Accès payant.

Au rez-de-chaussée, les grands salons Empire rappellent les somptueuses réceptions que donnait ici l'arrière-petit-fils du maréchal Masséna, au début du siècle. Tout en haut, on célèbre le souvenir de Napoléon : admirez le premier masque mortuaire de l'Empereur, le fastueux diadème de Joséphine et son manteau de sacre. Et partout, de superbes collections présentent les artistes régionaux et les arts primitifs (1er étage).

Le musée des Beaux-Arts★★
33, av. des Baumettes
☎ **04 92 15 28 28.**
Mêmes horaires que pour le musée Masséna.
Accès payant.

Fragonard, *Les Baigneuses.*

Installé dans une villa grandiose (XIXe s.) mélangeant les styles génois et Renaissance, il vaut autant le détour pour son contenant que pour son contenu. De salon en salon, traversez toute l'histoire de la peinture des XVIIe-XIXe s. (de Fragonard à Bonnard) et découvrez le joyeux inventeur niçois de l'affiche moderne, Jules Chéret. Tout en haut, de très belles sculptures de Carpeaux, et de Rodin.

Le parc Phoenix★
405, promenade des Anglais
☎ **04 93 18 03 33.**
Ouv. t. l. j., 9 h-19 h ; mi-oct. à mi-mars, 9 h-17 h (ferm. des caisses 1 h avant).
Accès payant.
7 ha consacrés au monde merveilleux de la nature. En

La promenade des Anglais.

Le parc Phœnix.

plein air, traversez le jardin astronomique, l'oued Oasis, les paysages méditerranéens… et visitez les réserves de papillons et d'insectes. Puis entrez dans le Diamant vert, une serre

géante où sont reconstitués simultanément 7 climats tropicaux différents ! Les espèces les plus rares y vivent comme chez elles, sous 25 m de plafond.

Célébration de l'huile d'olive
**Moulin au 334, bd de la Madeleine,
☎ 04 93 44 45 12.**

**Magasin au 14, rue Saint-François-de-Paule,
☎ 04 93 85 76 92.**

F. dim. et lun.

Chez Nicolas Alziari, l'huile d'olive est comme un grand vin : choyée, fine et raffinée. Pressée dans le dernier moulin

de la ville (ouv. à la visite), elle vous attend dans de jolis bidons d'aluminium bleu et jaune, reconnaissables entre tous. Venez faire le plein chez ce producteur aussi réputé

qu'une grande cave viticole, où l'on trouve de succulentes olives : au naturel, à la niçoise, à la grecque ou pimentées.

L'aéroport Nice-Côte-d'Azur
☎ 04 93 21 44 17.

Visites guidées lun.-jeu., sur r.-v.
Accès payant.

Découvrir les coulisses d'un aéroport. Un bus vous conduit en zone réservée, du côté des pistes, et vous fait visiter la tour de contrôle (qui culmine à 40 m) et toutes les

Le musée des Beaux-Arts.

L'intérieur du musée Marc-Chagall.

installations portuaires. Pour finir, au bout des 175 ha qui ont été gagnés sur la mer, une caravelle vous attend : le poste de pilotage est à votre entière disposition… Bon vent !

Le musée Marc-Chagall★★★
Av. du Dr-Ménard, bd de Cimiez
☎ 04 93 53 87 20.
Ouv. t. l. j. sf mar., 10 h-18 h; hors saison, 10 h-17 h.
Accès payant.
Un musée tout entier pour une seule œuvre ! Le *Message*

biblique de Chagall occupe la totalité de ce grand bâtiment, taillé sur mesure pour recevoir les 17 toiles monumentales qui le composent. Venez apprécier la puissance évocatrice d'un chef-d'œuvre et la force d'un lieu entièrement dévoué à sa cause (éclairages admirables). Dehors, le jardin est un magnifique sas de décompression…

Le musée Matisse★★
164, av. des Arènes-de-Cimiez
☎ 04 93 81 08 08.
Ouv. t. l. j. sf mar., avr.-sept., 10 h-18 h ; hors saison, 10 h-17 h.
Accès payant.
Il avait, disait-il, trouvé la « nécessaire limpidité » à Nice, où il vécut de 1917 à 1954… Jugez sur pièces les résultats de l'effet niçois sur le peintre Matisse. Dans une superbe villa (la villa des Arènes), le cheminement de l'artiste est entièrement retracé depuis ses

débuts, en 1890, jusqu'à ses dernières œuvres. Arrêtez-vous notamment devant la *Nature morte aux grenades* (1947) ou le *Nu IV*, célèbre gouache découpée.

Le monastère de Cimiez★★
Pl. du Monastère
☎ 04 93 81 00 04.
Église ouv. t. l. j., 8 h 30-12 h 30 et 14 h-18 h 30. Jardins ouv. t. l. j. 9 h-18 h. Musée franciscain ouv. t. l. j. sf dim. et j. fér., 10 h-12 h et 15 h-18 h.
Accès gratuit.

Sur les hauteurs de la ville. Les moines franciscains s'y sont installés au XVIe s. Visite trinitaire : l'église Notre-Dame-de-l'Assomption (XVe s.) possède 2 cloîtres et 3 chefs-d'œuvre (de Louis Bréa) : pietà de 1475, crucifixion de 1512 et déposition de Croix. Le musée franciscain évoque les splendeurs et les mystères

LE CARNAVAL

Depuis 1873, le rituel est immuable. Tous les ans au mois de février, Sa Majesté Carnaval (un char plus beau que les autres) fait sa première sortie officielle dans les rues de Nice. Et la fête s'installe, pendant près de 3 semaines : défilés de chars, grosses têtes et fanfares se succèdent en alternance avec de somptueuses batailles de fleurs… Puis, le dernier soir, le roi est brûlé au bord de l'eau, et la fête reprend un an plus tard, autour d'un nouveau thème. Après les arts, le cinéma, la musique et les sports, Sa Majesté est devenue cette année roi du Cirque.

La villa des Arènes, abritant le musée Matisse.

de la vie monacale. Et les magnifiques jardins « à la française » offrent une vue imprenable sur Nice (roseraies en fleurs en mai).

L'observatoire de la Côte d'Azur★
La Grande Corniche (dir. Menton)
☎ 04 92 00 30 11.
Visite guidée (1 h 30) sam. à 15 h.
Accès payant.

Du haut de la grande corniche (372 m), la vue sur la ville et la Baie des Anges est magique, et le ciel « le plus pur de France » ignore les nuages. Dans cet observatoire inauguré en 1881, remarquez les 3 grandes lunettes historiques, dont l'une a longtemps fait partie des records du monde (18 m). Grâce à eux, plus de 2 000 étoiles doubles ont été découvertes à ce jour… Rapetissant !

Le musée d'Art contemporain★★
Promenade des Arts
☎ 04 93 62 61 62.
Ouv. t. l. j. sf mar., 11 h-18 h ; jusqu'à 22 h le ven.
Accès payant (sf 1er dim. du mois).

La preuve par quatre que l'art contemporain mérite tout votre inté-

rêt : 4 tours en verre reliées par des passerelles vous plongent dans l'univers d'Yves Klein (et de ses célèbres monochromes bleus), de Christo (l'emballeur), de César (le compresseur)… Les plus célèbres des artistes américains sont présents, comme Andy Warhol, l'emblème des années 60, ou encore Roy Lichtenstein… Pour respirer, les terrasses vous offrent en sus une superbe vue sur Nice.

La Maison Auer
7, rue Saint-François-de-Paule
☎ 04 93 85 77 98.
Ouvert t. l. j. sf lun., 8 h-12 h30 et 14 h 30-19 h. Visite guidée janv.-fév. et juil.-août sur r.-v.
Accès gratuit.

Spécialisée dans les fruits confits provençaux depuis 1850, cette véritable institution gourmande vous ouvre ses ateliers, où l'on pique devant vous les

fruits pour leur faire boire le sirop. Puis les scènes doulou-reuses s'enchaî-nent : exposition aux vapeurs sulfureuses, au-dessus d'une grande cuvette, ébouillantage et innombrables baignades archisucrées, avant une visite à la boutique rococo. Un pot de confiture (exquise) de 350 gr : 35 F.

LA GASTRONOMIE NIÇOISE

Elle se décline en 3 incontournables. La salade niçoise d'abord, mets très populaire qui ne comporte que des crudités, à l'exception des œufs durs, et se prépare sans vinaigre, en salant 3 fois les tomates avant de les arroser d'un filet d'huile (d'olive…). La ratatouille niçoise ensuite, ragoût de poivrons, courgettes, aubergines, tomates et oignons préparés à l'huile, et que l'on mange froide ou chaude. La pissaladière enfin, tarte garnie d'oignons cuits dans l'huile, sans dorer, puis d'anchois (pissalas) et d'olives noires.

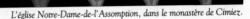

L'église Notre-Dame-de-l'Assomption, dans le monastère de Cimiez.

Nice fait son carnaval

Carnaval est mort, vive Carnaval. Quoi de plus joyeux que ces fêtes et ces rites pour enterrer l'hiver et saluer l'arrivée du printemps ? Faire « belle flambe » au bûcher du carnaval est une tradition très ancienne que nombre de villes n'ont pas jetée par-dessus bord en entrant dans l'ère moderne. Nice est de celles-là, qui célèbre allègrement Mardi gras en multipliant chars et grosses têtes.

15 février-3 mars 96
NICE CARNAVAL
Roy de la Musique

Office du Tourisme et des Congrès de Nice
Rens. : 92 14 60 60

RMC

Sa Majesté Carnaval rassemble les foules

Pas moins de 2 000 enfants déguisés entourent Sa Majesté Carnaval au milieu d'un concert d'instruments des plus

entraînants. Le char du roi pénètre dans la cité par l'avenue Jean-Médecin pour venir s'arrêter place Masséna. C'est là qu'il trônera durant toute la durée de son règne, c'est-à-dire pendant les 18 jours de fête que Nice consacre à son carnaval. Celui-ci a lieu en général 3 semaines avant Mardi gras, à cheval sur les vacances scolaires des différentes zones.

Permis de se moquer

Le carnaval, c'est le monde à l'envers. Les rois sont ridiculisés, les gueux ont la parole.

L'escorte des grosses têtes se livre à des fantaisies truculentes sur tout le trajet, les chars multiplient les représentations facétieuses sur un thème qui change chaque année, la Promenade vit au rythme des

batailles de fleurs et de confettis. Enfin, le soir du Mardi gras, Sa Majesté Carnaval est brûlée dans un concert d'applaudissements et, pour fêter l'événement, tout s'achève avec un gigantesque feu d'artifice. Crime de lèse-majesté qui semble ne choquer personne…

Le char de Sa Majesté

Pour le réaliser, il faut 1,5 t de papier, 2 t de fer, 1 t de matériel électrique, des moteurs mécaniques et hydrauliques, 20 kg de peinture et de

clous, du grillage, de la mousse, du papier, du bois, 250 kg de farine pour faire la colle, 300 m de tissu et 6 mois de travail. Le char terminé pèse environ 7 t !

Les métiers du carnaval

Pour chaque sortie carnavalesque, près de 1 500 personnes sont mobilisées pour préparer et assurer le joyeux défilé des 20 chars et 600 grosses têtes. Pas moins de 120 carnavaliers – un métier qui se transmet de père en fils – travaillent dans le secret de leurs ateliers. Maquettistes, sculpteurs, ferronniers, métalliers, électriciens, peintres, couturiers… Si les procédés et les techniques modernes ont per-

mis la mécanisation et l'articulation des chars et de leurs personnages, leur fabrication de base n'a pas changé : on continue d'employer le carton-pâte, comme au bon vieux temps.

Les mille couleurs de la ville à l'heure de Carnaval

Le corso fleuri de Nice est le rendez-vous annuel de l'horticulture azuréenne. Pas question de manquer l'occasion. Chars fleuris, batailles de pétales, distribution de brassées par les plus beaux mannequins de la Côte, c'est plus de 10 000 t de fleurs (œillets, glaïeuls, roses, tokyos, mimosas, dahlias, liliums, gerberas ou gueules-de-loup) qui donnent à la ville ses couleurs éclatantes. Sans oublier les oriflammes rouge et jaune battant pavillon de fête sur la promenade des Anglais, l'avenue Jean-Médecin et la place Masséna.

Préparer Carnaval

L'instant est certes à la fête mais il peut être prudent de prendre ses précautions et de réserver à l'avance une place assise sur le parcours du défilé. Comptez de

50 F pour une entrée simple à 100 F pour une place assise numérotée en tribune. Il est aussi possible de combiner défilé et batailles de fleurs. Renseignements au ☎ 04 92 14 48 14, nov.-février ; l'achat des billets peut se faire directement dans l'un des quatre bureaux d'accueil de Nice (☎ 04 93 87 07 07 ou 04 92 14 48 00) à partir de la mi-janvier ou par correspondance à l'office du tourisme de Nice, Acropolis, BP 4079, 06302, Nice Cedex 04.

Orange : la porte du Midi

Deuxième ville du Vaucluse, l'antique Arausio édifiée au pied de la colline Saint-Eutrope offre, malgré les injures du temps, un ensemble unique de vestiges gallo-romains. Porte du Midi, la ville a comme un

avant-goût d'Italie par sa lumière et sa romanité. Elle règne aussi au cœur d'une région réputée pour ses vins, et ceux que les vieilles pierres laissent de marbre sacrifieront peut-être plus facilement aux plaisirs de Bacchus…

Le Théâtre antique★★
☎ 04 90 51 17 60.
Ouv. t. l. j., 9 h-18 h 30 ;
hors saison, 9 h-12 h et
13 h 30-17 h.
Accès payant (ticket valable pour le musée).

Ce beau théâtre du Ier s. a conservé son mur de scène imposant, dans lequel une niche accueille une colossale statue de l'empereur romain Auguste. Les gradins qui s'appuie sur le flanc de la colline Saint-Eutrope reçoivent, en été, les mélomanes venus se remplir les oreilles d'opéra dans ce site à l'acoustique exceptionnelle.

Les Chorégies d'Orange sont nées en 1869. Initialement tournées vers le théâtre, elles se sont ouvertes à l'art lyrique dans les années 70 et ont acquis au fil du temps une réputation internationale.

Le Musée municipal★
Pl. des Frères-Mounet
☎ 04 90 51 18 24.
Ouv. t. l. j. une demi-heure plus tard que le théâtre.

Au Musée municipal, installé dans un hôtel particulier du

Les jardins du musée municipal.

XVIIe s. faisant face au théâtre, on admirera un remarquable ensemble de sculptures romaines comportant entre autres les frises des Centaures du théâtre. Sans oublier les fragments de 3 plans cadastraux de la campagne orangeoise établis au 1er s. et gravés sur marbre.

L'arc de triomphe★

Érigée à l'entrée de la ville, cette porte monumentale à 3 baies était située sur l'ancienne voie

Agrippa qui reliait Arles à Lyon. Très bien conservée, elle porte de très beaux bas-reliefs qui rappellent les victoires de la fameuse seconde légion de Jules César, dont les vétérans furent les fondateurs d'Orange.

La colline Saint-Eutrope★★

Aménagée en parc, elle comporte les ruines du château des princes d'Orange-Nassau, construit au XIIe s. quand la ville était encore le siège d'une petite principauté indépendante, et détruit au XVIIe s. sur ordre du roi Louis XIV. La vue depuis cette colline sur la plaine d'Orange et le Théâtre antique récompense amplement l'effort de la montée.

Châteauneuf-du-Pape★★

Si la réputation du vin qui porte ce nom n'est plus à faire, peut-être les charmes simples de la petite ville de Châteauneuf sont-ils moins connus. Mais les papes d'Avignon ne s'y sont pas trompés, qui en ont fait leur résidence d'été. Il ne reste plus que quelques

murs du château qui les accueillait. Deux beaux monuments méritent aussi une visite : la chapelle Saint-Théodoric, du Xe s. (fresques du Moyen Âge dans le chœur), et l'église Notre-Dame-de-l'Assomption (belle voûte romane). Vignoble oblige, Châteauneuf a aussi son musée vigneron, le musée du Père-Anselme (rte d'Avignon, ☎ 04 90 83 70 07. Ouv. t. l. j., 9 h-12 h et 14 h-18 h) et sa fête de la véraison qui célèbre, tout autant que le mûrissement du raisin, les vins du cru (début août). N'hésitez pas à prolonger votre visite par une tournée des crus et des villages de l'appellation.

L'origan du Comtat

Si le vin fait la renommée de Châteauneuf-du-Pape, il ne faut pas oublier que les Provençaux ont aussi été de grands liquoristes. Auguste Blachère

créa, en 1870, l'origan du Comtat, issu de la distillation et la macération d'une soixantaine de plantes du mont Ventoux et toujours fabriqué à Châteauneuf (rte de Sorgue, ☎ 04 90 83 53 81. Visite et dégustation gratuites). On dit de cette délicieuse boisson aux vertus stomachiques qu'elle sauva Avignon de l'épidémie de choléra de 1884 (on en avait distribué à titre préventif à la population et la ville fut en partie épargnée !).

Les jardins sauvages de la colline Saint-Eutrope.

Le bassin des Paillons : un petit air de bout du monde

A u nord de Nice, les trois branches de la rivière Paillon se rejoignent, avant de pénétrer dans la ville. Dans la montagne, leurs vallées respectives recèlent des trésors intacts, souvenirs de l'ancien comté de Nice, disséminés dans de ravissants villages médiévaux. Arpentez leurs ruelles étroites, entrez dans leurs églises baroques, et apprenez quelques mots du « nissard » (la langue niçoise) que l'on parle toujours dans l'« arrière-haut pays »…

Coaraze★
25 km N. de Nice par D 15. Altitude : 640 m

C'est, dit-on, le village le plus ensoleillé de France. La preuve : 6 grands **cadrans solaires** en céramique donnent en permanence (ou presque) l'heure aux habitants… Le plus célèbre (sur la façade de la mairie) a été réalisé par Jean Cocteau, grand amoureux du lieu. Dans ce village médiéval tout en rond (XIVe s.), goûtez au charme des ruelles couvertes, dans un paysage rempli d'oliviers et de châtaigniers.

Lucéram★
26 km N.-E. de Nice par D 2566. Altitude : 680 m

Une vieille tour et quelques créneaux rappellent les remparts qui entouraient le village bâti sur une arête calcaire, au XIIIe s. Ses

maisons gothiques se serrent autour de jolies ruelles étroites agrémentées de passages voûtés. L'**église Sainte-Marguerite** renferme un ensemble exceptionnel de 5 retables du XVe s. et un trésor de 40 pièces. Chaque année, on y célèbre le Noël des bergers (offrandes au son des fifres).

L'Escarène
20 km N.-E. de Nice par D 2566

Sur l'ancienne route royale du sel, qui reliait Nice à Turin,

ce village possède une énorme église baroque du XVIIe s., encadrée de 2 chapelles. La façade de cet ensemble monumental rappelle étrangement celle de la cathédrale de Nice : l'architecte fut le même. Admirez, à l'intérieur, une décoration en marbre et stuc et, en haut de la tribune, l'orgue « à la française » de 1791.

Peille★
15 km S. de l'Escarène par D 53. Altitude : 600 m

Les ruines voisines du château des comtes de Provence (XIVe s.) témoignent de l'ancienne importance de ce village médiéval. Son église a gardé un retable du XVIe s., et ses ruelles mènent toutes à la ravissante **place de la Colle**, bordée d'arcades. Visitez le (petit) **musée du Terroir**, consacré à la vie d'autrefois ☎ 04 93 91 90 54. Ouv. juin-sept., mer., sam. et dim., 14 h 30-18 h 30 ; hors saison, 14 h-18 h le w.-e.), et contemplez la vue sur la Baie des Anges depuis le monument aux morts.

Peillon★★
14 km S. de Peille par D 21. Altitude : 370 m

C'est le bout du monde. Rien n'a changé depuis le Moyen Âge dans ce village dressé sur son éperon étroit : on y circule par des escaliers et des passages voûtés. Coup de cœur garanti.

Entrez dans la **chapelle des Pénitents-Blancs**, à l'entrée du village, ornée de magnifiques fresques du XVe s., et rejoignez, tout au sommet, l'église baroque **Saint-Sauveur**, pleine

d'œuvres d'art. Claude Brasseur possède ici une maison de famille.

La forge et le moulin★
Contes, quartier Le Martinet, sur D 15
Ouv. sam., 9 h 30-12 h et 14 h 30-17 h (☎ mairie : 04 93 79 00 01).

Au pied du village perché de Contes, l'ancienne forge hydraulique est restée intacte. Classée monument historique, l'eau du Paillon frôle encore sa grande roue à aubes, mais elle n'entraîne plus les engrenages de bois… Dans ce charmant musée, rien n'a bougé et, à proximité, subsiste aussi le vieux moulin à huile du village, également retraité.

Pernes-les-Fontaines : la perle du Comtat

Cette petite ville très préservée qui se dresse à la pointe ouest du plateau du Vaucluse et a pour toile de fond les lointains contreforts du mont Ventoux vous réservera de belles surprises architecturales. L'ancienne capitale du Comtat Venaissin bruit du clapotis de ses trente-six fontaines, auxquelles elle doit son nom.

Entrez dans la place

Blottie entre rivière et colline, la cité ouvre ses 3 portes fortifiées de remparts (XIVe et XVIe s.) sur des ruelles et des places invitant à la flânerie. Entrez par la **porte de Villeneuve** (1550), flanquée de 2 tours avec mâchicoulis et chemin de ronde, et dirigez-vous vers la **tour Ferrande**. En chemin, vous remarquerez l'**hôtel de Vichet** (XVIe s.), aux portail et balcon en fer forgé. Depuis 150 ans, on y fabrique les quelque 15 millions d'hosties destinées aux paroisses de France.

La tour Ferrande★

Construite au XIIIe s., elle conserve au troisième étage des peintures murales. Sur la place attenante s'élève la **fontaine Guilhaumin** (1760). Plus loin, la **tour de l'Horloge** (XIIe s.) offre un magnifique panorama. Surmontée d'un joli campanile, c'est le dernier vestige de la muraille qui protégeait le château des comtes de Toulouse.

La porte Notre-Dame★

Face à la Nesque, elle se dresse de toute la hauteur de ses

2 tours semi-circulaires couronnées de mâchicoulis. Sur la place, la **fontaine du Cormoran** (1761) se tient à proximité d'une halle couverte. Le pont qui franchit la Nesque et dont une pile forme la chapelle **Notre-Dame-des-Grâces** vous conduit à l'église **Notre-Dame-de-Nazareth** (XIe s.). Depuis le parvis, belle vue sur la ville.

À l'ombre des fontaines★★

De retour dans la vieille ville, dirigez-vous vers la porte Saint-Gilles en passant par la **fontaine Reboul** au décor en écailles de poisson. Un peu après la porte se tient l'**hôtel de ville**, construit au XVIIe s. (remarquables portail et escalier à balustres). Il s'agit maintenant de revenir à votre point de départ en passant devant 3 magnifiques fontaines : la **fontaine des Dauphins**, de la **Porte-Neuve** et la **fontaine de l'Asne**.

Le musée du Costume comtadin★
Rue de la République (renseignements à l'office de tourisme, ☎ 04 90 61 31 04)

Ouv. t. l. j. sf dim., 15 juin-15 sept., 15 h-19 h (jeu. et sam., 10 h-12 h) ; hors saison le sam., 10 h-12 h et 14 h-17 h.
Accès gratuit.

Installé dans un magasin de drapier du XIXe s., ce musée présente des costumes traditionnels régionaux. On peut aussi y voir, à travers des reconstitutions, comment se

pratiquaient les travaux de repassage, de couture, de broderie. Pour les nostalgiques des arts ménagers à l'ancienne, s'il en existe…

Venasque★★

Classé depuis 1992 parmi les 139 plus beaux villages de France, Venasque ne vous décevra pas. Village perché dominant la plaine de Carpentras, il a donné son qualificatif au Comtat Venaissin. L'épaisse muraille qui le protège est flanquée de 3 tours impressionnantes. Venasque cache jalousement un **baptistère** de l'époque mérovingienne (VIe s.). Depuis le village, une jolie route (la D 4 en direction d'Apt) vous conduira dans la **forêt de Venasque**.

Gourmandises

Pernes-les-Fontaines n'en manque pas. La pâtisserie Battu (72, rue Gambetta, ☎ 04 90 61 61 16) propose 2 spécialités, à goûter absolument. Tout d'abord, le **soleil pernois**, un délicieux gâteau à base de melon confit et recouvert de framboises et d'amandes (120 F le kilo).

Et depuis peu, l'**esprit blanchard**, ainsi baptisé en hommage au musicien de Louis XV né à Pernes : le résultat donne un fabuleux chocolat à base de praliné tendre et de canelle (320 F le kg).

Le village de Venasque, entre ciel et terre.

Porquerolles : tout est très plaisance

L a plus vaste des îles de Hyères ne connaît ni les embouteillages ni les campings. On y accède en vedette (presqu'île de Giens et Lavandou) et on la visite à bicyclette. Au Moyen Âge, des pirates y ont construit leur fief pour cacher leurs butins volés en Méditerranée. Aucun trésor à découvrir si ce n'est ceux que la nature dispense ici généreusement : sable fin, chemins bordés de pins de bruyères et de myrtes, criques jalousement protégées…

La petite église Sainte-Anne.

Le port de plaisance

Les pêcheurs se souviennent encore du petit embarcadère de pierres de taille qui accueillit, en 1965, Jean-Luc Godard et son équipe de tournage pour *Pierrot le fou*. Anna Karina et Jean-Paul Belmondo y accostèrent main dans la main. Depuis, le port a été complètement aménagé. S'il est encore loin de ressembler aux marinas géantes de la Riviera, il a malheureusement perdu tout son cachet. Seuls les nostalgiques s'y attarderont.

Le *pueblo*

Sur la place d'Armes, ombragée d'eucalyptus et de micocouliers, les amateurs de pétanque font briller leurs boules. Dans une atmosphère qui rappelle celle d'une ville de garnison ou celle d'un *pueblo* mexicain, la petite église Sainte-Anne pointe son clocher au-dessus des terrasses des cafés. Simenon y a planté un Maigret bourru, goûtant au vin de pays et à la cuisine du cru. Le rosé du domaine de l'île (premier vignoble de l'A. O. C. côtes-de-provence) se laisse d'ailleurs boire agréablement à l'ombre des micocouliers.

Le fort Sainte-Agathe

Ouv. mai-sept., 10 h-12 h 30 et 14 h-17 h 30.
Accès payant.

François Ier fit édifier cette forteresse, Napoléon se chargea de sa restauration et de son agrandissement. Au-dessus du village, son énorme tour ronde étire ses remparts sur une masse rocheuse d'où les artilleurs pouvaient

défendre l'approche du port. Le fort offre désormais des activités plus pacifiques : une exposition dédiée aux fonds sous-marins et à l'histoire des îles de Hyères.

Conservatoire sans artifices
Sortie sud du village
☎ **04 94 58 31 16.**
Ouv. mai-sept.,9 h 30-12 h 30 et 13 h 30-17 h
Accès gratuit.

Au Conservatoire botanique, des scientifiques œuvrent pour sauvegarder les espèces végétales menacées de la région. Les installations du Conservatoire trônent au milieu d'un verger de 180 ha où l'on peut goûter (des yeux seulement) d'anciennes variétés d'abricots ou de figues. Il ne faut pas rater la vieille oliveraie aux arbres centenaires ni les plantes rares de Corse et du continent.

Le phare et les falaises
Impossible de se tromper. Deux sentiers principaux arpentent

les hauteurs de Porquerolles. L'un conduit au point culminant de l'île, le sémaphore (142 m). Vue panoramique sur la Méditerranée et la presqu'île de Giens. Le second, plus au sud, vous emmène directement au phare, construit au début du siècle dernier. De ce côté-ci, les falaises dominent la mer sur une hauteur de 83 m.

Le ciel, le soleil et la mer
Il paraît qu'à Porquerolles le soleil brille plus que partout ailleurs en France. C'est l'occasion de prendre un bain de soleil et de mer. À l'extrémité ouest de l'île, 2 plages s'adossent à l'isthme du Grand-Langoustier : la **plage Noire**, colorée par les dépôts d'une ancienne usine de soude, et la **plage Blanche**, au sable extra-

fin. Calme assuré. À quelques mètres du village, les plus paresseux se délasseront sur la **plage de la Courtade**, grande mais aussi très fréquentée. Il y a aussi les **plages de l'Argent** et de l'**Ayguade**, moins spectaculaires cependant que la plage **Notre-Dame**, en bordure de pinède.

Port-Cros et l'île du Levant : les îles d'Or

Prenez le bateau au Lavandou : le trajet est moins long et les liaisons plus nombreuses. Depuis le bateau, la baie de Port-Cros a des allures océaniennes de carte postale avec sa rade plantée de palmier, et le bleu profond de ses eaux. Parc national depuis 1963, l'île est un paradis écologique terrestre et sous-marin. Plongeurs, à vos tubas ! Quant à l'île du Levant, elle fait le bonheur des naturistes. À découvrir donc en tenue légère.

Un petit poisson, un petit oiseau

Sur le port, un centre d'information propose tous les documents pour découvrir la nature de l'île. Celui qui mérite la palme d'or est une

plaquette plastifiée qui peut se lire sous l'eau. Elle permet de mieux profiter du **sentier sous-marin** aménagé dans la baie du Palud et d'être incollable sur la faune paisible de ces eaux ultra-protégées : posidonies, algues, étoiles et anémones de mer, rascasses et girelles.

Paré pour l'aventure

Sous un ciel d'azur sillonné d'oiseaux nicheurs ou migrateurs, la **plage du Palud** est la seule de l'île où le baigneur est autorisé à partager son bain avec les poissons. Palmes, masque et tuba suffisent pour découvrir le sentier sous-marin, entre le rivage et le rocher du Rascas (plongée sans danger). Poissons et végétaux se laisseront approcher par les nageurs tandis que les marcheurs se contenteront d'un aquascope pour découvrir les trésors de la mer.

LE PARC NATIONAL DE PORT-CROS

Castel Sainte-Claire, Hyères
☎ 04 94 05 90 17.

Créé en 1963, le parc national de Port-Cros englobe l'île de Bagaud, les îlots de la Gabinière au sud et du Rascas au nord. Avec 1 800 ha de mer, voilà le seul d'Europe qui soit en même temps parc sous-marin et parc terrestre. Plus de 100 espèces d'oiseaux, des poissons à gogo, un gigantesque herbier aquatique et terrestre, il fait le bonheur des fous de la nature. Mais attention, la protection des espèces végétales et animales impose des règles très strictes : interdictions de camper, de faire du feu, de fumer hors du village, de cueillir plantes et fleurs, de chasser et de faire de la pêche sous-marine. À chacun de se sentir responsable de ce petit coin de paradis.

La balade des forts★

Passionnés d'histoire, en route ! Un itinéraire spécialisé et très complet (balisé en jaune) vous tend les bras, qui relie les forts et les ouvrages défensifs de l'île. Les 2 forts de l'Estissac (belle vue depuis la terrasse) et de l'Éminence trônent au-dessus de la rade de Port-Cros. Depuis le port, on peut suivre un joli **sentier botanique** (balisé en vert) pour rallier le Vieux-Château (ou fort du Moulin), d'où la vue est magnifique.

La baie de Port-Man★

Une promenade conduit au col des Quatre-Chemins, d'où l'on peut admirer l'île du Levant. En redescendant, la vue sur la baie permet de découvrir un grand amphithéâtre de verdure au fond duquel se niche le village de Port-Cros. À droite, la pointe de Port-Man

s'allonge jusqu'au fort. Au retour, contournez le rivage nord de l'île par la pointe de la Galère et la plage du Palud.

Le vallon de la Solitude★★
Environ 2 h.

Le vallon de la Solitude (un nom qui fait rêver…) traverse l'île dans sa plus grande largeur. Le sentier musarde sous les

futaies de chênes verts et dans le haut maquis avant de longer le sémaphore et le fortin napoléonien de la Vigie. Plus loin, le chemin des Crêtes surplombe la mer près du mont Vinaigre (le point le plus haut de l'île, à 197 m d'altitude). La balade s'achève au creux du vallon de la Fausse-Monnaie.

L'île du Levant★ : tout nu et tout bronzé !

Quand les moines de Lérins résidaient sur cette étroite arête rocheuse, c'était la terre la plus fertile de l'archipel. Puis une colonie pénitentiaire

pour adolescents s'y installa au milieu du XIXe s. Aujourd'hui, l'île est occupée par l'armée, exception faite d'une petite partie devenue patrie du naturisme en 1931. L'accès se fait au petit port de l'Ayguade, voisin de la plage des Grottes. Un long farniente, un bain de mer dans le plus simple appareil et une visite à Héliopolis, le village naturiste, voilà bien tout ce que l'on peut faire ici.

Les îles de la côte

Tous ces petits royaumes sont à moins d'une heure de la côte. On y accède à partir de Marseille (îles d'If et du Frioul), Bandol (île de Bendor), Le Brusc (île des Embiez), Toulon, Hyères, La Tour Fondue, Le Lavandou ou Cavalaire (îles d'Or), et Cannes (îles de Lérins)… Ce chapelet d'îles et d'îlots qui enjolive la côte provençale offre des paysages variés, une faune préservée, des activités reposantes, et l'agréable sentiment d'échapper un temps aux nuisances continentales…

Porquerolles

La plus grande des îles d'Or (les autres sont Port-Cros et l'île du Levant) et la plus habitée. Depuis 1979, la quasi-totalité de sa surface (1 254 ha) est

protégée, et une partie est devenue conservatoire botanique. Pas de voitures. On gagne à pied ou à bicyclette les sites les plus pittoresques : le phare (96 m de haut) de la pointe sud, les criques sauvages qui l'entourent, les belvédères et les plages sablonneuses du nord et de l'ouest. Les fonds sous-marins alentour abritent de superbes éponges et des coraux lumineux.

Port-Cros

La plus haute des îles d'Or (196 m) et la mieux préservée. Classée parc national depuis 1963, elle est intouchable jusqu'à 600 m de ses côtes et veille également sur la flore sous-marine, véritable forêt sous la mer très prisée des plongeurs. Pas de routes, pas de voitures : les sentiers arpentent une brousse et un maquis dominés par le pin d'Alep et les oiseaux migrateurs au printemps et en automne.

40 personnes y habitent toute l'année, au milieu des couleuvres, des mulots et des lapins… protégés.

L'île du Levant

Paradis des naturistes, cette île longue, étroite et rocheuse (8 km sur 1 km) est la moins habitée des îles d'Or : quelques pins et chênes-lièges, et le soleil pour tout le monde. Cocktail amusant : les deux tiers de l'île (côté est) sont la propriété de l'armée qui y a

7 chapelles disséminées dans l'île. Pas de voitures, bien sûr. Entre les deux îles, le chenal dit « du milieu » est le paradis des skieurs nautiques.

Les îles marseillaises

3 îlots de calcaire, chauves et sévères : Pomègues, Ratonneau et If surveillent l'entrée de

Marseille, sans un poil sur leurs cailloux… La plus rapprochée (If) observe tous les mouvements du Vieux-Port et la célèbre silhouette de son château renferme, dit-on, la cellule du comte de Monte-Cristo ! Mais, sur place, la vue sur la rade

et les deux îles voisines est époustouflante.

L'île de Bendor

La plus civilisée de toutes les îles de Provence. Acquise par

Paul Ricard en 1950, le « roi du pastis » y a installé un centre touristique et sportif très vivant (Centre international de plongée, ☎ 04 94 29 55 12). Hôtels, restaurants et base de plongée sous-marine (abords superbes) voisinent avec un musée des Vins et Spiritueux abritant 10 000 bouteilles en provenance de 51 pays différents ! (ouv. avr.-sept., 10 h-12 h et 14 h)18 h. F. mer.), une verrerie d'art, un zoo… et un espace culturel où l'on peut s'initier à la peinture et au dessin. Une certaine idée du paradis, sur 7 ha.

établi un centre d'essai d'engins guidés. Compte tenu des restrictions militaires, son accès est donc réduit, mais la navigation le long des côtes est magnifique et Héliopolis, cité naturiste de réputation internationale, attend votre visite…

Les îles de Lérins

Les plus chargées d'histoire. Au large de Cannes, ces jumelles émergent au ras de l'eau, couvertes de pins torturés et de senteurs multiples. Sur la plus grande, Sainte-Marguerite, un fort édifié par Vauban a abrité le mystérieux Masque de Fer au XVIIe s. Dans la seconde, Saint-Honorat, des moines cisterciens sont enfermés depuis le Ve s. dans leur monastère et voient défiler en été le flot des touristes. Faites le tour des

Le monastère-forteresse de l'île Saint-Honorat.

Roquebrune, Cap-Martin et Beausoleil :

bon chic bon genre…

Entre Monaco et Menton, Roquebrune domine la mer jusqu'à 300 m d'altitude… Accroché à la falaise, le vieux village a fait longtemps partie de la principauté de Monaco et, à ses pieds, le cap Martin reste très bien habité (demeures et jardins aristocratiques). Au-dessus, le mont Agel protège ce site splendide des vents du nord et lui offre un climat exceptionnel : jamais de brouillard, et une température moyenne annuelle de 17 °C…

L'église Sainte-Marguerite
Ouv. 15 h-18 h.

Dans cet édifice reconstruit au XVIIe s., le décor baroque met en valeur 3 autels en bois doré, 2 tableaux et une statue de la sauveuse de Roquebrune, Notre-Dame des Neiges, qui épargna le village d'une épidémie de peste au XVe s. À remarquer, *Le Jugement dernier* de Michel-Ange… une copie couleur conforme

de la fresque de la chapelle Sixtine, à Rome.

L'olivier millénaire
Ch. de Menton

On dit qu'il a 4 000 ans… Cet arbre étonnant est une curiosité mondiale : songez, si les calculettes provençales fonctionnent bien, que son tronc de 10 m de diamètre aurait connu les ancêtres de l'homme de l'âge du bronze…! À côté, la petite chapelle de la

LE PARAPENTE

Aérial, Roquebrune-Cap Martin
☎ 04 93 28 97 70 ou
06 09 52 53 80.

À 686 m d'altitude, la piste d'envol du mont Gros surplombe toute la côte. Prenez l'air pour la première fois avec un accompagnateur ou en vieux routier des vols. Mais n'oubliez jamais de viser, tout en bas, la pointe de Cabbé, lieu d'atterrissage. Les sensations indescriptibles de l'homme-oiseau sont rehaussées ici par l'atmosphère cristalline du lieu, « la plus pure d'Europe »...

Pausa est le point de départ d'une grande procession annuelle, le 5 août, au cours de laquelle le village entier mime les scènes de la passion du Christ. Et cela depuis 1467.

Le château de Roquebrune★
Pl. William-Ingram
☎ 04 93 35 07 22.
Ouv. t. l. j., sf ven. en hiver, 10 h-12 h et 14 h-17 h 30 (jusqu'à 19 h en été). F. 12 nov.-20 déc.
Accès payant.

Ambiance carolingienne. Au sommet du village, cette forteresse austère épouse les formes du rocher qui la porte. Pénétrez dans le vieux donjon du Xe s. et admirez le décor sans faste de ses pièces étagées, dont la plupart ont été rajoutées au XVe s. : la grande salle à ciel ouvert, la prison, la salle d'armes, le logis seigneurial, la cuisine... De la terrasse et du chemin de ronde, le panorama est splendide.

Le tour du cap Martin★★
Départ av. Winston-Churchill (parking sous Grand Hôtel)
Durée : 4 h aller-retour.

On l'appelle aussi **promenade Le-Corbusier**, car le célèbre architecte y a bâti un petit cabanon de 14 m2, prototype à ses yeux de la maison de vacances idéale (intéressante visite mar. à 9 h 30, sur r.-v. à l'office de tourisme, ☎ 04 93 35 62 87). Suivez par l'ouest

les contours sauvages et escarpés du cap Martin, qui rejoignent Monte-Carlo en longeant de somptueuses propriétés. Végétation méditerranéenne exceptionnelle.

Le mont Gros ★★★
Itinéraires détaillés à l'office de tourisme,
☎ 04 93 35 62 87.

Ce belvédère exceptionnel (686 m) domine tout le cap Martin. Rejoignez-

le en VTT (1 h) ou à pied (1 h 45). Suivez, au-dessus du bouloudrome, le GR 52 balisé en blanc et rouge (et joliment appelé les balcons de la Côte d'Azur), puis le chemin de la Coupière et, à gauche, la piste barrée qui traverse l'arboretum... Pour le VTT, partez de la place de Gorbio (10 km N. de Roquebrune) et ne lâchez pas le balisage blanc et rouge. Un conseil quand même : consultez l'itinéraire avant de partir.

Le mont des Mules★
Beausoleil. Accès par route de La Turbie (D 53).

Il n'y fait jamais moins de 10 °C. Sous la protection du mont Agel, qui a donc profité en premier de ce petit paradis climatique ? Les hommes préhistoriques ! Montez au camp du mont des Mules, où les Ligures ont ensuite coulé, il y a 2 000 ans, des jours

heureux au milieu des oiseaux migrateurs et d'une incroyable végétation composée de plantes des pays chauds. La vue, en bas, fait délicieusement froid dans le dos...

Le château de Roquebrune.

La route Napoléon : de Grasse à Digne sur les pas de l'Empereur

C'est par cette route que Napoléon a regagné Paris en 1815, pour ses Cent (derniers) Jours. Entre Grasse et Digne, de retour de l'île d'Elbe, il a choisi de traverser la montagne pour éviter ses ennemis royalistes de Provence. Bien lui en a pris : ce chemin désormais historique est truffé de paysages impériaux, et il s'est même enrichi depuis son passage de constructions post-napoléoniennes…

La cathédrale de Senez★★

Une cathédrale dans un village… Le 3 mars 1815, Napoléon est passé juste à côté de cet imposant édifice de style roman (XIIe s.),

construit dans une minuscule bourgade qui fut le siège d'un évêché jusqu'en 1790 ! Admirez la nef unique (32 m de long et 15 m de haut), décorée de tapisseries d'Aubusson et des Flandres, et de grandes toiles. Dans le chœur, les stalles en bois sculpté jouxtent un retable du XVIIe s. Un bijou (massif) en pleine montagne.

Les grottes de la Baume obscure★
Ch. de Sainte-Anne, Saint-Vallier-de-Thiey

☎ 04 93 42 61 63.
Ouv. t. l .j., avr.-sept., 10 h-17 h (jusqu'à 19 h w.-e. et j. fér.) ; juil.-août, t. l. j. 10 h-19 h ; oct.-mars, 10 h-16 h mer., jeu. et ven., 10 h-17 h w.-e. et j. fér. F. jan.
Accès payant.

Bienvenue au « souterroscope » pour

un voyage initiatique dans les entrailles de la Terre... Cette grotte splendide a fait alliance avec les technologies d'avant-garde : sur plus de 600 m de galeries, à 80 m de profondeur, le spectacle magnifique des concrétions multimillénaires est rehaussé de musiques, de lumières et d'images... En supplément : un incroyable sentier botanique d'espèces végétales cavernicoles... Attention, la température est de 13 °C !

Le domaine préhistorique des Audides★
1606, route de Cabris, Saint-Vallier-de-Thiey
☎ 04 93 42 64 15.
Ouv. t. l. j., juil.-août 10 h-18 h ; juin et sept., 14 h-17 h (sf mar.) ; hors saison, 14 h-17 h, sf lun.-mar.
Accès payant.

Dans ce site qui fut le leur, les hommes préhistoriques sont de retour... Surprenez-les, à l'extérieur, dans des scènes grandeur nature de leur vie quotidienne. Puis entrez dans l'une des 6 grottes de ce domaine authentique, où de superbes concrétions côtoient une source cristalline (279 marches pour plonger à 60 m sous terre...). Pull et chaussures plates conseillés.

L'observatoire de Calern★★
Caussols
☎ 04 93 85 85 58
Visite guidée dim. à 15 h 30, mai-sept.
Accès payant.
Ultramoderne. À 1 200 m d'altitude, le rayon laser de ce centre d'études (Cerga) vérifie sans cesse la distance (fluctuante) entre la Terre et la Lune, et son télescope mesure tout ce qui dépasse la taille d'un homme dans l'univers !

On y surveille également les marées terrestres..., qui nous éloignent de 60 cm du centre de notre globe 2 fois par jour ! Acceptez au passage cette vérité : rien n'est stable autour de nous...

Le barrage de Chaudanne★
Castellane
☎ 04 92 83 61 14 (office de tourisme).
Visites guidées juil.-août, jeu. ap.-m à 14 h, 15 h, 16 h et 17 h ; hors saison, lun.-ven. sur r.-v. (groupes).
Accès gratuit.

Découvrez la façon dont on surveille la bonne santé d'un barrage : à l'aide d'un pendule... Regardez, dans la salle des commandes, les ampères et les volts qui surgissent des énormes turbines situées bien plus bas.

LA ROUTE HISTORIQUE

Pour mettre vos pas dans ceux de l'Empereur, rendez-vous le 1er mars à 15 h (heure historique) sur la promenade du bord de mer à Golfe-Juan : une stèle y marque l'endroit précis du débarquement impérial. Via Cannes (bivouac sur la plage, devant Notre-Dame-du-Bon-Voyage), rejoignez la N 85 jusqu'à Saint-Vallier-de-Thiey, et arrêtez-vous place de l'Apié et à Séranon (2e nuit). Après un déjeuner à Castellane (rue Nationale), passez la nuit suivante à Barrême (maison près de la petite place)... et faites votre entrée à Digne le 4 mars par la rue Mère-de-Dieu, où vous déjeunerez rue du Jeu-de-Paume (pique-nique devant l'inscription commémorative ?)... Fin du pèlerinage : le 20 mars à Paris.

MUSÉE NAVAL & NAPOLÉONIEN

Et, sur la crête du barrage, laissez-vous électriser par la vue, à la hauteur de cet ouvrage postnapoléonien qui sert également à irriguer la région, réguler le Verdon et éteindre les incendies de forêt.

La haute vallée de la Roya : le chemin de l'Italie

Partie orientale de l'arrière-pays niçois, la haute vallée de Roya n'est devenue entièrement française qu'en 1947 car Napoléon III, lors du rattachement du comté de Nice à la France en 1860, n'avait pas voulu priver le roi d'Italie de son territoire de chasse favori… Dans ce paysage

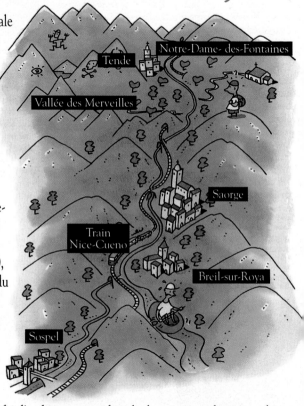

désormais réunifié, l'architecture médiévale, la peinture religieuse et les gravures rupestres se mêlent à une nature splendide. La vallée des Merveilles en est le point d'orgue…

Saorge et Tende ★★

Accrochées en amphithéâtre au-dessus de la Roya, ces cités médiévales étagent leurs toits de lauzes dans un décor de montagnes abruptes. Arpentez les ruelles en escalier, aux maisons anciennes ornées de linteaux (admirez la pierre verte de Tende), et poussez la porte des édifices religieux richement décorés : à Saorge, l'église Saint-Sauveur, le couvent des Franciscains ou la

Saorge et ses maisons en escaliers.

Madone del Poggio ; à Tende, la collégiale Sainte-Marie-des-Bois.

La vallée des Merveilles★★★

Accès : 2 h 30 à pied ou à cheval ou en 4 x 4 (uniquement juin-oct.). Garez-vous aux Mesches et suivez le sentier qui conduit au Refuge des Merveilles.
☎ 04 93 04 77 73.
Visites guidées t. l. j. en été, w.-e. en juin et sept., dim. en oct.
Accès payant.

Prévoyez au minimum une journée pour découvrir ce fascinant musée naturel : dans un paysage de roches glaciaires rouge et vert encadrées de lacs étincelants (grandiose), les hommes préhistoriques ont réalisé des dizaines de milliers de gravures rupestres ! Seules les visites guidées donnent accès aux zones les plus belles (suivez-les), et un sentier balisé longe cette vallée enchanteresse, classée monument historique.

Notre-Dame-des-Fontaines★★★

Une petite chapelle Sixtine en pleine montagne. Derrière la porte de cette incroyable chapelle, isolée au-dessus d'un torrent, contemplez ébahi l'un des plus beaux ensembles peints du XVe s. ! Du sol au plafond, plus de 200 m2 de fresques bibliques, impressionnantes de fraîcheur et de beauté… L'effet que devaient produire ces splendeurs sur les fidèles du Moyen Âge est demeuré intact…

Le musée des Merveilles★
Av. du 16-Septembre-1947, Tende
☎ 04 93 04 32 50.
Ouv. t. l. j. sf mar., 10 h 30-18 h 30 ; 16 oct.-30 avr., 10 h 30-17 h.
Accès payant.

Pour mieux comprendre la vallée du même nom. Dans un décor ultramoderne, maquettes, objets et animations expliquent l'incroyable effervescence qui régnait dans la vallée des Merveilles il y a 3 000 ans. Savez-vous que le mont Bégo, qui culmine en son milieu, en est le principal responsable ? Il incarnait le dieu Taureau et la déesse Terre, le couple divin primordial, maître de la foudre et de la pluie, à qui nos ancêtres vouaient une foi… à décorer les montagnes.

Loisirs aquatiques★
Roya-Évasion, 1, rue Pasteur, Breil-sur-Roya
☎ 04 93 04 91 46.

Suivez les eaux tumultueuses de la Roya, sautez dans les vasques d'eau, laissez-vous glisser dans les cascades… Mais pour accéder aux joies du canyoning, du rafting ou du canoë-kayak, il faut accepter de marcher au moins 1 h à travers la forêt pour rejoindre les sites de départ avec un guide professionnel. Tarif demi-journée : de 80 F (kayak) à 250 F (canyoning).

Le train Nice-Cuneo (Italie)★★
Gares à Sospel, Breil, Saorge, Saint-Dalmas, Tende

Il roule à nouveau depuis 1979. Ce train pittoresque s'accroche à la montagne et effectue de stupéfiantes acrobaties ferroviaires. Montez dedans, notamment entre Breil-sur-Roya et le col de Tende où le convoi franchit pas moins de 50 tunnels, dont certains gravissent la montagne dans la montagne ! Au passage, d'incroyables ponts et viaducs franchissent à pic les gorges de la Roya et tous les autres obstacles… (Circule t. l. j. Renseignements en gare de Nice, ☎ 04 36 35 35 35 ; 59 F Nice-Tende aller simple en 2e classe pour 1 adulte.)

La façade décorée de la collégiale de Tende.

La Provence au temps des cavernes

La haute Provence possède un incroyable patrimoine préhistorique, dont un joyau en plein air, la vallée des Merveilles. À plus de 2 000 m d'altitude, il y a 3 700 ans, l'homme de l'âge du bronze y a sculpté la montagne, laissant là des dizaines de milliers de gravures rupestres… Aujourd'hui presque toutes recensées et classées monument historique, elles commencent à livrer leur (très) mystérieux message…

Signes de Satan

Jusqu'à leur identification, ces milliers de dessins éparpillés sur les roches ont été attribués à l'œuvre du diable ou à des entités maléfiques. À tel point que l'Église au Moyen Âge a même tenté de les faire disparaître et a envoyé une délégation de moines pour purifier l'infernal périmètre… Interdit et maudit jusqu'au XIXe s., ce site – disait-on – abritait Satan qui transformait les promeneurs imprudents en mélèzes, au cours de violents orages !

Premières hypothèses

C'est seulement au début du XIXe s. que les premières explications rationnelles ont été formulées. En 1821, un historien a d'abord assuré que les gravures étaient dues au passage des troupes carthaginoises d'Hannibal en -237… Puis un deuxième a parlé de « motifs phéniciens » réalisés 4 siècles plus tôt, et un troisième enfin a prétendu qu'il s'agissait de simples stries glaciaires… Il fallut attendre 1882 pour que le nom de l'homme de l'âge du bronze, véritable auteur de ces gravures, soit enfin prononcé.

Recensement

Clarence Bicknell, botaniste anglais, a été le premier à entreprendre la localisation et le recensement des « curieuses inscriptions ». Dès 1878, puis au cours de 12 étés laborieux, il en comptabilisa 12 000, qu'il mit parfois à jour sous une couche de 30 à 50 cm de terre ! Puis un Italien, Carlo Conti, en découvrit 24 000 nouvelles, entre 1927 et 1939. Et aujourd'hui le professeur Lumley, de l'université de Marseille, a dépassé le chiffre de 100 000 ! Un total qui demeure provisoire…

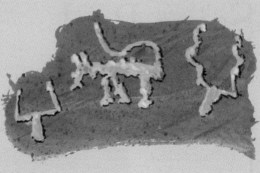

Les dessins

Les animaux à cornes sont de loin les plus représentés (60 %) sur les dessins de la vallée des Merveilles, sous un aspect toujours très schématisé. Puis les armes et les outils (poignards, hallebardes, faucilles…), les

figures géométriques, et les petits personnages ou figures humaines. Certaines de ces dernières ont d'ailleurs reçu des noms de baptême étonnants lors de leur découverte, comme celle dénommée Christ, allusion à un personnage dont l'histoire n'a pourtant commencé que 1 700 ans plus tard…

La technique de gravure

Tous les pétroglyphes (c'est le nom savant de ces gravures) ont été « piquetés ». C'est-à-dire que leurs auteurs ont martelé la roche à l'aide d'un instrument plus ou moins pointu, en pierre ou en métal. Ils ont utilisé deux techniques : la percussion directe avec une autre pierre, ou la percussion indirecte, qui permettait d'obtenir une meilleure précision, notamment dans le détail des cornes d'animaux, toujours très soigné.

Pourquoi ?

Voilà une énigme qui est loin d'être résolue. On suppose aujourd'hui que les animaux à cornes représentés désignent le bétail que les hommes de l'âge du bronze plaçaient sous la protection de leur divinité. Laquelle divinité avait, elle aussi, les traits d'un taureau… Le site Mont-Bégo aurait donc été choisi pour sa ressemblance avec la divinité (son sommet effilé pourrait symboliser la pointe d'une corne…). Une

preuve ? La rivière qui coule sur ses flancs était autrefois appelée « rivière des bœufs »… Affaire à suivre.

Avant la vallée des Merveilles

L'homme est arrivé en Provence bien avant les dessinateurs de la vallée des Merveilles. Les archéologues ont retrouvé sa trace dès le paléolithique ancien (il y a 400 000 ans) sur le site de Terra Amata, à Nice. De nombreuses grottes témoignent de sa présence (grottes de Saint-Cézaire-sur-Siagne, pierre de la Fée…), mais aussi de sa créativité artistique. Dernière découverte en date, les peintures de la grotte de Cosquer, découvertes en 1991 au large de Cassis (à 36 m sous le niveau de la mer) ne seront malheureusement visibles qu'à travers un CD-Rom !

Saint-Paul-de-Vence : Montmartre dans le Midi

Le village médiéval de Saint-Paul, joyau du pays niçois, domine, paisible, les collines de l'arrière-pays. Par la volonté de François Ier, cette cité tortueuse est devenue ville royale au XVIe s., et ses maisons seigneuriales (très restaurées) en témoignent. À l'image de Prévert, Pagnol, Signoret et Montand, poètes, artistes et peintres, inspirés par l'exceptionnelle lumière du lieu, s'y donnent plus que jamais rendez-vous.

Les remparts★

Ils sont quasi intacts depuis que François Ier les a faits construire au XVIe s. Faites le tour de la cité en suivant l'ancien chemin de ronde, à partir des portes nord ou sud (vue remarquable sur les Alpes, le cap d'Antibes et l'Estérel). Dans la vieille ville, les maisons anciennes (XVIe-XVIIe s.) regorgent de **galeries et d'ateliers d'artisanat** d'art, notamment dans la rue Grande, artère centrale piétonne et animée.

La collégiale★

C'est un musée, comme tous les recoins de la cité. Mobilier et tableaux s'y bousculent, depuis les 15 tableautins consacrés aux mystères dans la chapelle du Rosaire (1588) aux impressionnants stucs baroques de la chapelle Saint-Clément (1685). Dans le Trésor (vitrines de la chapelle Saint-Mathieu), un parchemin (1588) signé par le roi Henri III côtoie de somptueuses pièces d'orfèvrerie du Moyen Âge et… une omoplate de saint Georges (galbe du XIIIe s.).

Le musée d'Histoire
Pl. de la Mairie
☎ 04 93 32 93 32.
Ouv. t. l. j., 10 h-18 h (jusqu'à 17 h 30 hors saison).
Accès payant.

En costumes d'époque et grandeur nature, reconnaissez les grands visiteurs qui ont succombé au charme de Saint-Paul-de-Vence au cours de siècles : le comte de Provence, François Ier, la reine Jeanne, Vauban, la reine Victoria d'Angleterre… En photographies, les célébrités actuelles et passées s'adonnent aux rituelles parties de pétanque sur la place du village (comme Yves Montand)…

Les artistes au travail★
Ils travaillent devant vous si vous poussez la porte de leurs petits ateliers. Sur le rempart ouest, le peintre **Bertaux Marais** accepte votre présence si vous savez être discret (☎ 04 93 32 00 31). Chez **Fred Witte et Nicole Gernez** (70,

rue Grande, ☎ 04 93 32 98 36), regardez comment agit la magie de Saint-Paul sur les mains de peintres contemporains. À voir également, l'atelier **Warneck et Orsoni** (3, rue de la Boucherie, ☎ 04 93 32 62 45), celui de **Christian Choisy** (rempart ouest, ☎ 04 93 32 01 80) ou l'atelier **Darling** (rempart est, ☎ 04 93 32 86 93).

La fondation Maeght★★
Rte de Cagnes (peu avant le village)
☎ 04 93 32 81 63.
Ouv. juil.-sept., 10 h-19 h ; oct.-juin, 10 h-12 h 30 et 14 h 30-18 h .
Accès payant.

Ce centre prestigieux est tout entier consacré à l'art contemporain. Artistes et passionnés s'y rencontrent et s'extasient devant la collection unique rassemblée par Marguerite et Aimé Maeght : peintures, sculptures, céramiques et dessins réalisés par les plus grands noms comme Braque, Calder, Kandinsky, Léger, Matisse, Soulages… La décoration intérieure signée Miro, Chagall et Giacometti rehausse encore cette antre magnifique, tout comme le jardin au dehors.

Le vin de lavande
Boutique Papeline, espace Sainte-Claire.
☎ 04 93 32 02 52

C'est une résurrection, provoquée par le curé du village. Le

À TABLE AVEC BRAQUE, BONNARD ET LES AUTRES…

Pour marier coup de fourchette, coup d'œil artistique et regard en biais, rendez-vous à l'auberge de la Colombe-d'Or, haut lieu du Tout-Saint-Paul (pl. De-Gaulle, ☎ 04 93 32 80 02). Ici, vous déjeunez en compagnie des chefs-d'œuvre de Lurçat, Braque ou Bonnard accrochés aux murs, tandis qu'aux tables voisines les célébrités locales viennent s'asseoir… Souvenirs, souvenirs : c'est ici que Simone Signoret et Yves Montand se sont rencontrés… puis mariés.

père Gil Florini a récemment relancé la fabrication du vin de lavande, apéritif local tombé en désuétude dont il a retrouvé la recette originale (XIIe s.). Sainte Hildegarde elle-même le préconisait : à base de vin, de marc de Provence, de miel et de plantes, il donnait du tonus aux bergers lors des transhumances et leur permettait de lutter contre le froid. (69 F la bouteille)

Saint-Raphaël et Fréjus : les jumelles de la Côte

Mont Vinaigre

Zoo

Pic du Cap-Roux

Mosquée

Fréjus

Saint Raphaël

Agay

Cap Dramont

Îles d'Or

Deux villes qui s'enchâssent l'une dans l'autre, un front de mer débordant d'étals d'objets faits main ou fabriqués à Taïwan, des embouteillages à la parisienne, des marchands de barbes à papa… Mais aussi des ruines romaines et des promenades à l'ombre des palmiers. Le charme bien réel de Fréjus et de Saint-Raphaël le dispute aux séductions du tourisme estival qui ont fait de ces deux cités une destination très prisée. Ceux que la foule rebute pourront goûter aux grands espaces en rejoignant, dans l'arrière-pays, le très beau massif de l'Estérel.

Fréjus-Ville

La cité épiscopale a poussé sur les vestiges d'un forum romain. De cet épisode antique, l'histoire a gardé quelques traces dont la **porte des Gaules**, l'aqueduc et l'**amphithéâtre**. Dans le vieux Fréjus, le remarquable ensemble épiscopal abrite la **cathédrale** et le **baptistère** paléochrétien, l'un des plus anciens de France (monuments

ouv. t. l. j. 9 h-19 h ; oct.-mars, t. l. j. sf lun., 9 h-12 h et 14 h-17 h. Accès payant au groupe épiscopal).

Le Musée archéologique
☎ 04 94 51 26 30.
Mêmes horaires que pour l'ensemble épiscopal.

Dans le cloître de la cathédrale, il présente une intéressante collection d'antiquités gallo-romaines. On s'arrêtera plus longuement sur la mosaïque dite « au

léopard », et la très belle tête de Jupiter en marbre blanc.

Flamants roses et hippopotames
Le Capitou, 6 km N.-O. par N 7 et D 4
☎ 04 94 40 70 65.
Ouv. t. l. j., 10 h-17 h 30 ; mai-sept., 9 h 30-18 h.
Accès payant.

Les 20 ha du parc zoologique de Fréjus se découvrent en voiture. Tigres, bisons, buffles, hippopotames, flamants roses, autruches, vautours… y vivent en liberté.

Les enfants adoreront les singes, dont une colonie de gibbons (spectacle de dressage t. l. j. à 15 h pendant les vac. sco.).

La mosquée de Missiri
Rue des Combattants-d'Afrique-du-Nord, 4 km N.-O. par N 7 et D 4

Réplique réduite de celle de Djenné au Mali, sa silhouette massive en ocre rouge s'élève dans une pinède. Les marabouts, constructions basses jouxtant la mosquée, et les fausses termitières, implantées devant

le bâtiment, évoquent l'Afrique des tirailleurs sénégalais pour lesquels cet ensemble a été édifié.

Saint-Raphaël

Très fréquentée en hiver au siècle dernier par des gens célèbres et fortunés, la ville a gardé de cette époque son vieux port bordé d'immenses platanes. Au-dessus trônent les roches pourpres du Lion de mer et du Lion de terre. Avec

son **casino**, sa curieuse **église** de style byzantin et des **quartiers chics** comme Notre-Dame ou Valescure, Saint-Raphaël offre de jolies promenades (visites guidées par l'office de tourisme, ☎ 04 94 19 52 52, mer. 10 h-12 h. Accès payant).

Les roches pourpres du massif de l'Estérel

Ses reliefs rouges aux reflets vert et bleu ont beaucoup souffert des incendies. Au départ de Fréjus, on le découvrira en suivant la N 7 qui le longe par le nord-est.

Après

une demi-heure de route, on atteint son point le plus haut, le mont Vinaigre, en quittant la nationale au niveau de la maison forestière du Malpey. Du haut de ses 618 m, ce belvédère offre un **panorama** époustouflant des Alpes jusqu'à la Sainte-Victoire.

Le massif côté Grande Bleue

L'Estérel se découvre aussi depuis la corniche d'Or. Après la pointe de l'Observatoire, une route forestière conduit au col de Belle-Barbe, point de départ d'une splendide découverte du **ravin du Mal-Infernet**. Les marcheurs pousseront jusqu'au col Notre-Dame et, de là, jusqu'à la cime du pic de l'Ours (496 m). Un dernier petit effort et l'on accède au **pic du cap Roux**, ultime belvédère plongeant dans la Grande Bleue.

UN ESPACE PROTÉGÉ

Les incendies successifs ont fini par façonner l'actuel visage du massif, coiffé de maquis. La forêt primitive a quasi disparu par endroit. Rien d'étonnant donc à ce que l'Estérel soit ultra-surveillé. L'Office national des forêts l'a équipé de routes et de sentiers aménagés. Un circuit de 45 km ceinture une zone interdite aux véhicules mais traversée de sentiers bien balisés. Avis aux amateurs.

Les plages de la Côte d'Azur

Ce n'est pas l'Atlantique. Les plages de la Côte d'Azur sont souvent petites, recouvertes de galets, proches des routes, et d'accès réservé... Mais elles bénéficient d'un ensoleillement exceptionnel, d'une clarté et d'une température de l'eau délicieusement douce (rarement moins de 25 °C en été), et de l'absence de marées. Un bon conseil : évitez si possible les grandes villes, d'accès difficile, et faites votre choix entre baies, criques, caps, îles, calanques, sable fin, galets ou rochers...

Nice et Cannes

Grandes villes, donc grandes plages... sportives : le sport consistant à dénicher les plages

publiques (gratuites) lorsqu'on ne veut pas du parasol-transat « offert » par les plages privées... Notez bien : elles sont en général situées aux extrémités des baies (La Croisette à Cannes et la Baie des Anges à Nice). Ne cherchez jamais au milieu, elles sont rarement placées au cœur des plages-restaurants. Attention, à Cannes sable fin, mais à Nice galets !

Antibes et Juan-les-Pins

Des deux côtés du cap d'Antibes, 25 km de côte et 48 plages différentes ! Tout dépend de vos goûts. Pour le sable fin, rendez-vous à Juan-les-Pins, avec ses grandes plages bordées de palmiers. Pour les galets (vive le massage de la voûte plantaire !), filez

LE CONSERVATOIRE DU LITTORAL

Il veille. Depuis 1975, cet organisme public assure avec conviction sa triple mission : racheter (ou recevoir en donation) les sites côtiers sensibles, les soustraire à l'urbanisation et les rendre accessibles au public. 26 000 ha ont été sauvés en 20 ans, dont plus de 5 000 étaient sérieusement lorgnés par les promoteurs... Ainsi, au sud de Saint-Tropez, le cap Camarat et les environs du cap Lardier ne deviendront sans doute jamais de grands lotissements : le conservatoire a pris le contrôle des 300 ha les plus convoités...

Tahiti, Moorea et Bora-Bora s'étendent sur 7 km et sont payantes. Sainte-Maxime, en face, affiche au total 6 km de (petites) plages de sable fin.

Saint-Raphaël et Fréjus-plage

Au pied des premiers contreforts de l'Estérel, les plages de sable bien aménagées de Fréjus et de Saint-Raphaël (Veillat) se succèdent, pour le bonheur des familles. Plus loin, en direction de Nice, la route de la corniche donne accès à des petites plages, creusées

dans la roche rouge, qui sont pour certaines minuscules sublimes... En avançant vers Cannes, Boulouris, Agay, Anthéor ou Le Trayas possèdent des joyaux

rocheux où aller pieds nus se révèle parfois dangereux...

Cavalaire-sur-Mer

L'une des plus belles plages de toute la côte. Remarquablement située au fond d'une baie dominée par la chaîne rocheuse des Pradels (528 m), elle s'étale sur 4 km de longueur, à l'est de la ville, sans aucune interruption... Une rareté dans la région, qu'il faut peut-être préférer aux sites tropéziens voisins, encombrés et plus difficiles d'accès. Sable fin.

Le Lavandou

Surnommée la « station aux douze sables », cette cité balnéaire offre la panoplie la plus variée de la Côte d'Azur. Il y en a pour tous les goûts, sur 12 km : petite crique à laquelle on accède par les rochers, grande plage familiale, coin discret réservé aux naturistes... La plage de Saint-Clair est la mieux exposée, celle de Cavalière est bordée de pins, et celle de Layet est interdite aux textiles... Pour les goûter toutes, un petit train les relie en été.

sur la grande plage qui longe la route de Nice, au-delà du fort Carré. Le *must*, ce sont les petites plages de sable fin du cap d'Antibes, véritables paradis, aussi courues qu'exigües.

Saint-Tropez et Sainte-Maxime

De part et d'autre d'une baie de rêve, 100 % de sable fin. À Saint-Tropez, l'accès à la mer est plus facile qu'on ne l'imagine : les véliplanchistes rejoignent la plage de La Bouillabaisse, à l'ouest, et les familles se retrouvent sur les plages des Graniers et des Canebiers, à l'est. Au sud, vers Ramatuelle, les plages de

Saint-Rémy-de-Provence : entre Antiquité et Provence éternelle

Dans la capitale des Alpilles, amateurs d'antiques et joueurs de pétanque peuvent faire bon ménage. Les Grecs ont fondé ce site, les Romains l'ont occupé et les promeneurs contemporains viennent flâner au milieu des vestiges de cette grandeur passée. Mais Saint-Rémy, c'est aussi des rues écrasées de lumière, les « carreaux » claquants des amateurs de pétanque, les terrasses ombragées de la place Jean-Jaurès et le superbe marché du mercredi, qui a su conserver la mémoire de la Provence éternelle.

Sur les traces des hommes célèbres

Nostradamus vit le jour en 1503 à Saint-Rémy, Charles Gounod y composa sa *Mireille*, Van Gogh y peignit plus de 150 toiles, Frédéric Mistral et Joseph Roumanille y trouvèrent l'inspiration. Aujourd'hui, Saint-Rémy est une petite ville joyeuse, très fréquentée par des artistes du show-biz attirés par cette cité typique et par une certaine Caroline de Monaco… qui y vit dans la tranquillité.

Flânerie dans la vieille ville★

Sur le tracé des anciens remparts, le cours, avec ses portes anciennes et ses platanes, entoure un univers de ruelles étroites et de places qui ont peu changé depuis des siècles. Sur le parcours, la **collégiale Saint-Martin** et son clocher gothique, le **musée des**

Alpilles installé dans l'hôtel Mistral de Montdragon, le **centre d'art Présence-Van Gogh** de l'hôtel Estrine, la **fondation Mario-Prassinos** dans la chapelle Notre-Dame-de-Pitié ou encore le **musée des Arômes** (office de tourisme, ☎ 04 90 92 05 22).

Des « ruines douées d'avenir »★★
Les Antiques,
rte de Maussane
Accès gratuit.

À 1 km au sud de Saint-Rémy, dans une campagne brûlée par le soleil, 2 monuments romains magnifiquement conservés suscitent l'admiration : l'arc de triomphe édifié sur l'ancienne Via Domitia reliant l'Italie à l'Espagne et le mausolée dédié aux petits-fils d'Auguste morts au combat. Ils comptent parmi les plus beaux vestiges romains parvenus jusqu'à nous.

Glanum★★
Route de Maussane.
☎ 04 90 92 23 79
Ouv. t. l. j. sf j. fér., 9 h-19 h; hors saison, 9 h-12 h et 14 h-17 h.
Accès payant.

Au pied des contreforts des Alpilles, la riche cité romaine de Glanum s'est cachée pendant des siècles sous des alluvions. Le champ de ruines, fouillé depuis 1921, n'a pas encore livré tous ses secrets. Mais les vestiges mis au jour et une reconstruction partielle

d'un temple ouvrent la porte à l'imagination. Une halte à la **Taverna Romana** permet de découvrir des menus et des

vins romains : la chose est très sérieuse puisque le projet est réalisé en collaboration avec des chercheurs du CNRS. Et pour les inconditionnels, l'**hôtel de Sade** (rue Parage, ☎ 04 90 92 64 04. Accès payant) expose les objets découverts sur le site : sculptures, outillage, céramiques…

Saint-Paul-de-Mausole★
☎ 04 90 92 02 31.
Ouv. t. l. j., 9 h-12 h et 14 h-18 h ; hors saison, 9 h-12 h et 13 h-17 h.
Accès payant.

Cet ancien monastère devenu maison de santé possède une petite église et un cloître roman de toute beauté. Mais surtout, il garde le souvenir de Van Gogh, interné dans ses murs en 1889. Sa chambre a été reconstituée : une fenêtre ouvre sur les champs de blé qui l'inspirèrent tant et, dans le jardin, les iris ressemblent à s'y méprendre à ceux qu'il peindra le lendemain de son arrivée.

Le mas de la Pyramide★
☎ 04 90 92 00 81.
Ouv. t. l. j. 9 h-17 h (jusqu'à 19 h en été).
Accès payant.

À quelques pas de Saint-Paul-de-Mausole, cette habitation

troglodyte installée dans les spectaculaires carrières romaines de Saint-Rémy a été aménagée en musée rural.

Saint-Tropez :
sous le soleil exactement

Sa renommée n'est pas usurpée : dans une baie extraordinaire, cet ancien village de pêcheurs réunit une lumière exceptionnelle et de très belles choses à découvrir. Les artistes et les écrivains qui l'aimèrent au début du siècle ont été supplantés par les vedettes du show-biz et du cinéma... Mais « leur » Saint-Trop', celui dont tout le monde parle, n'a pas éclipsé le Saint-Tropez de toujours, qui reste à découvrir.

La vieille ville★

Le port, d'abord. Grouillant de monde en été, il concentre la fièvre de la ville. Spectacle permanent : les yachts et leurs habitants se montrent, et le moindre de leurs mouvements est scruté. Parcourez les ruelles de la cité médiévale : ruelle de la Miséricorde, rue du Clocher et, surtout, la jolie place aux Herbes (marché aux poissons le matin). Place des Lices, on se presse le soir pour voir les vedettes jouer à la pétanque et aller au marché à la brocante les mardis et samedis matin. En passant rue Clemenceau (no 38), goûtez à la tarte tropézienne.

La citadelle★
☎ 04 94 97 06 53.
Ouv. 10 h-18 h ; hors saison, jusqu'à 17 h.
Accès payant.

À l'est de la ville, son donjon (XVIe s.) gardait autrefois tout le golfe : il abrite désormais une annexe du Musée naval du palais de Chaillot, à Paris. Maquettes et représentations de bateaux anciens et modernes y côtoient une intéressante évocation du débarquement de 1944. Admirez, au pied des remparts, la belle vue sur la ville puis, au sommet du donjon, le panorama splendide sur le golfe.

Le village de Ramatuelle, sur la presqu'île de Saint-Tropez.

À l'écart des sun-lights

Sous un ciel d'azur, la presqu'île de Saint-Tropez a conservé le charme de la campagne provençale. Promenez-vous au milieu des vignobles de Ramatuelle, dans les ruelles en escaliers et sous les passages voûtés de ce village que Gérard Philipe aima passionnément (env. 10 km de Saint-Tropez par D 93). Au nord-est par la D 93, Gassin se dresse sur sa colline escarpée. Ruelles pentues, vieilles maisons fleuries, panorama splendide, voilà ce qui vous y attend. Sans oublier les merveilleuses confitures de monsieur Schwieck (rte du Bourrian à Gassin, (04 94 43 41 58. Ouv. t. l. j.) : pas moins de 400 variétés. Nos préférées sont celles à la figue ou à l'oignon (délicieuses pour accompagner les viandes). 30 F les 250 g.

Le sentier du littoral et des plages★★

Départ de la tour du Portalet, au bout du quai Mistral. Balisé en jaune. Durée totale : 6 h (20 km).

Rejoignez le cap Camarat et son phare, en suivant les contours de la presqu'île de Saint-Tropez. Munissez-vous de bonnes chaussures car certains passages rocheux sont inadaptés aux espadrilles du dimanche... Sous vos yeux, les contreforts des Maures et, au loin, les fantastiques découpes de l'Esterel. À vos pieds, les plages de sable fin de Moorea, Bora-Bora et Tahiti (où furent tournées les escapades du gendarme De Funès...).

L'Annonciade★★
Pl. Grammont

☎ 04 94 97 04 01.
Ouv. t. l. j. sf mar., juin-sept., 10 h-12 h et 15 h-19 h ; oct.-mai 10 h-12 h et 14 h-18 h. F. nov.
Accès payant.

Pour comprendre que Saint-Tropez est né avant BB... Les splendeurs accrochées dans ce musée ont été peintes au début du siècle par les premiers grands amoureux du site : Braque, Bonnard, Dufy, Matisse, Rouault, Utrillo... Ne ratez pas ce musée

exceptionnel, magnifiquement situé sur le port, qui témoigne de la place majeure jouée par Saint-Tropez dans la peinture post-impressionniste.

Sénéquier
Quai Jean-Jaurès

☎ 04 94 97 00 90.
F. 11 nov.-15 déc.

On s'y montre. Commandez un café glacé pour 46 F (ou un nougat, excellent) dans ce haut lieu du Tout-Saint-Trop' et prenez l'air des gens importants... Évitez la tenue rouge, sinon vous serez « mangé » par le décor... entièrement carmin (les tables aussi). Et n'oubliez pas : les vedettes viennent régulièrement ici. Ouvrez l'œil. Vue imprenable sur les activités (de plaisance) du port.

Stars et strass à Saint-Trop'

P op stars, top models, actrices, réalisateurs ou écrivains à la mode, tout le gratin du show-biz fait chaque été une halte dans la ville préférée de Brigitte Bardot. Lieux à la mode, plages où il faut se faire voir, bonnes adresses où surprendre quelque vedette en plein essayage d'une tenue grand luxe, voici quelques tuyaux pour jouer les chasseurs de célébrités.

L'incontournable Papagayo
Résidence du Port
☎ 04 94 97 07 56.

C'est dans ce club que Brigitte Bardot venait, du temps de sa jeunesse folle, danser et chanter sur les tables. Tous les acteurs de la Nouvelle Vague y ont fini leurs nuits mouvementées, refaisant le monde du cinéma autour d'un verre ou se livrant joyeusement à leurs exercices fantaisistes. Aujourd'hui, la clientèle est moins chic et plus jeune mais le lieu plaît toujours aux nostalgiques venus découvrir ce véritable monument.

Les Caves du Roy
Hôtel Le Byblos, av. Foch
☎ 04 94 56 68 00.

Ouv. mi-juin à mi-sept., w.-e. et fêtes de fin d'ann.

Dans les murs du palace le plus récent de la Côte d'Azur, c'est l'endroit où il faut absolument se faire voir. Dans ce qui passe pour l'une des plus belles boîtes de nuit de la Côte, la musique est très variée et les danseuses qui occupent la piste sont en général peu habillées. Johnny Hallyday y passe souvent de longues nuits avec toute sa bande. Toutes les consommations : 130 F.

Chez Senequier
Quai Jean-Jaurès
☎ 04 94 97 07 50.

Avec son toit parasol de couleur rouge vif, le bar qui trône sur le port est le plus célèbre de Saint-Tropez (le demi pression : 29 F). Les snobs n'y font que passer avant le déjeuner pour y lire distraitement *Var Matin* mais on a quand même des chances d'y apercevoir bon nombre de vedettes. C'est aussi un paradis

AUX GALERIES TROPÉZIENNES
56, rue Gambetta

Dans ce bazar insensé tenu depuis maintenant plus de 30 ans par la charmante Roselyne Moreau, toutes les stars viennent faire des achats pour leur villa : produits locaux mais aussi draps de hammam en éponge multicolore, abat-jour en broderie anglaise faits sur mesure ou culottes de pêcheur en gros coton. Claudia Schiffer en est une des clientes privilé-giées, c'est vous dire ! À ne rater sous aucun prétexte.

pour les gourmands, où l'on peut déguster du nougat tendre (200 F le kg), des brioches ou des biscuits à la cuiller, à la pâtisserie qui se trouve place du Marché-aux-Herbes.

Chez Lily
Pl. des Lices
☎ 04 94 54 86 30.
Le temple de la mode et des vêtements dernier cri, c'est ici.

Tous les grands créateurs y ont élu domicile. Pin-up ou célébrités s'y rendent tard le soir pour acheter à la dernière minute l'extraordinaire petite robe ou le costume extravagant qui fera d'elles la reine de la soirée donnée une heure plus tard chez Eddy Barclay… Chic et cher, mais choc assuré…

Chez Fuchs
7, rue des Commerçants
☎ 04 94 97 01 25.
Ouv. tte l'ann. F. mar. hors saison.

Tous les soirs, les Tropéziens font la queue devant ce bar-tabac qui pourtant ne paie pas de mine. Mais à l'étage, dans la salle de restaurant, venez découvrir le paradis des gourmands. Une cuisine qui interprète avec finesse les grands classiques de la tradition régionale : encornets à la provençale, artichauts à la barigoule et tous les plats de poissons rêvés, avec des spécimens sortis de l'eau le matin même… Quelques *rock stars* y feront la queue comme vous. Carte entre 250 et 300 F.

Les plages
Plages privées s'entend… Le *nec plus ultra* est d'y arriver par la mer avec son bateau, pas avant le début de l'après-midi. Un défilé de mannequins, de stars américaines, Robert De Niro en tête, y accostent de cette façon. C'est la plage de Tahiti (☎ 04 94 97 18 02) qui détient le record de vedettes (petites et grandes) au mètre carré. Mais il faut aussi aller traîner ses sandales (tropéziennes bien sûr) du côté des plages des Jumeaux (☎ 04 94 79 84 21), du Nioulargo, de la Voile-Rouge (☎ 04 94 79 82 14) et de l'incontournable Club 55 (☎ 04 94 79 80 14). Comptez 100 F par jour pour un parasol et un matelas. Ajoutez 100 F pour une paillote.

La bague au doigt
5, rue du Clocher
☎ 04 94 97 50 05.
Après des nuits folles, la *jet society* a l'habitude de faire ses emplettes en or chez Régis Hurlin, un orfèvre pas comme les autres. Dans son atelier qui ressemble à celui d'un alchimiste, l'excentrique joaillier réalise à la commande les bijoux les plus fous. Bracelets qui entourent tout le bras, chevalières difformes, bagues géantes, sa boutique vaut le coup d'œil.

Sainte-Maxime
et la côte du golfe de Saint-Tropez

Col de Bougnon

Musée du Phonographe

Route de Muy

Sainte-Maxime

Aquascope

Sainte-Maxime attire moins de vedettes que Saint-Tropez, juste en face, mais reste familiale et très à la mode. Port de plaisance, port de pêche, plage de sable, site privilégié, la vieille ville est totalement laissée à la disposition des piétons en été et le marché provençal du jeudi matin rassemble les meilleurs artisans de la région.

Le musée des Traditions locales★
Tour carrée

☎ 04 94 96 70 30.
Ouv. t. l. j. sf mar., nov.-avr., 9 h 30-12 h 30 et 14 h 30-18 h (jusqu'à 19 h en été).
Accès payant.

Dans la Tour carrée, érigée en 1520 pour protéger la région des invasions incessantes de pirates, découvrez les traditions locales : la pêche, l'artisanat, les costumes, le folklore,

la mer… À côté, tradition bien vivante, le marché provençal anime tous les matins les ruelles piétonnes (avr.-sept.).

L'Aquascope
Port de Sainte-Maxime

☎ 04 94 49 01 45.
Départ ttes les 35 min, t. l. j. , mars-sept., 10 h 30-12 h 30 et 14 h-19 h.
Accès payant.

Vous le verrez peut-être de la route : ce gros insecte jaune posé sur la mer et balancé par les flots rassemble une vingtaine de personnes qui, immergées sous l'eau, scrutent les fonds marins… Montez

dans cette drôle de machine et vous vous prendrez pour le commandant Cousteau, avec les mêmes satisfactions : les poissons vous contemplent autant que vous les admirez… Attention à la météo.

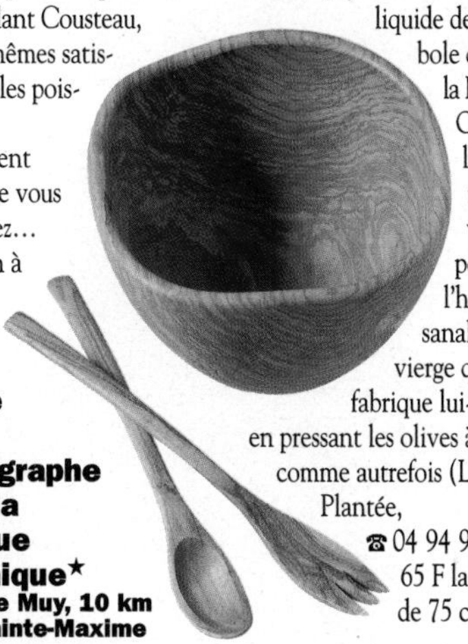

Le musée du Phonographe et de la Musique mécanique★

Route de Muy, 10 km N. de Sainte-Maxime

☎ 04 94 96 50 52.
Ouv. Pâques-fin sept., 10 h-12 h et 15 h-18 h.
Accès payant.

Au milieu du parc forestier de Saint-Donat, sur les sommets

des Maures, mettez le phonographe à fond… Dans ce musée dont la façade reproduit un Limonaire, 350 instruments de musique et appareils de reproduction évoquent tous les progrès du siècle en matière de technique sonore. Amis de l'accordéon, découvrez ici l'ancêtre du piano à bretelles : le mélophone, conçu juste avant la Révolution !

Les objets en olivier

Rte de Muy

☎ 04 94 96 53 18.

Dans son atelier, Marcel Bietti travaille l'olivier, dont il fait des merveilles (qu'il ne révèle qu'à ceux qui viennent le voir…). Venez le regarder travailler et emportez avec vous la matière millénaire, devenue décorative ou utilitaire. Un saladier vous coûtera entre 250 et 1 500 F. À proximité, au marché couvert, ajoutez la version liquide de ce symbole de toute la Provence : Olivier, le bien nommé, vous propose l'huile artisanale extra-vierge qu'il fabrique lui-même en pressant les olives à froid, comme autrefois (La Pierre-Plantée, ☎ 04 94 96 23 36). 65 F la bouteille de 75 cl.

Les sentiers pédestres★

Départ du col de Bougnon (12 km de Saint-Aygulf par D 8) ou du cimetière de la Gaillarde (entre Les Issambres et Saint-Aygulf par N 98). Parkings.

À la pointe est du massif des Maures, le vallon de la Gaillarde offre une vue dégagée sur les golfes de Saint-Tropez et de Fréjus. Parcourez les sentiers balisés au-dessus de Saint-Aygulf et des Issambres. En vert le **circuit agricole** (3 h), en rouge les **trésors préhistoriques** (3 h 30), en orange la **découverte des arbres** (3 h) et en bleu le **chemin des sources** (1 h 30, le plus facile).

Les santons d'art

Imp. des Driades, Les Issambres

☎ 04 94 96 94 62.

Habillés comme des princes… Dans cet atelier, les

traditionnels santons de Provence bénéficient d'une ligne de vêtements digne de la haute couture, spécialement conçue pour eux et réalisée dans les matières locales. Sur leurs épaules d'argile : capelines de lavande, tissus provençaux et cheveux naturels…

LA PÊCHE AU THON

Port de Sainte-Maxime, vedette *Geronimo*
☎ 04 94 43 82 05 ou 04 94 49 25 45.
Juin-oct.

Un skipper vous emmène au grand large pêcher le thon ou la palangrotte, habitants des fonds méditerranéens. Montez en famille (jusqu'à 8 pers.) dans une grande vedette qui vous conduira directement sur les secteurs de pêche en profondeur. Également possibles : les promenades accompagnées ou les excursions sur les îles d'Or (Porquerolles, Port-Cros ou l'île du Levant, tte l'ann.). Téléphonez au préalable.

Les Saintes-Maries-de-la-Mer :
le pélerinage des gitans

L'église (XIIe s.) veille comme une forteresse sur les Saintes-Maries.

Selon la tradition, une barque arrivée miraculeusement de Palestine et portant à son bord Marie-Jacobé, sœur de la Vierge, Marie-Madeleine, son frère Lazare, sa sœur Marthe, Marie-Salomé, mère des apôtres Jacques et Jean, et leur servante noire Sarah échoua sur le rivage des Saintes vers l'an 40. Les saintes se fixèrent ici et évangélisèrent la région. Quant à Sarah, les gitans en ont fait leur patronne, qu'ils vénèrent chaque année au printemps lors d'un grand pèlerinage.

L'église des Saintes-Maries★★

Point culminant de la Camargue visible à des kilomètres alentour, elle est le berceau de la légende des saintes Marie. Elle abrite leurs reliques ainsi que la barque processionnelle, modèle réduit du bateau qui les amena. Dans la crypte se trouvent les reliques de Sarah et la statue de la Vierge noire que les gitans transportent lors de la procession du mois de mai. Ne redoutez pas de grimper les 53 marches conduisant au toit-terrasse de l'église : la vue d'en haut sur la Camargue et sur la mer mérite bien un petit effort.

Le musée Baroncelli★
Rue Victor-Hugo

☎ 04 90 97 87 60.
Ouv. t. l. j., 10 h-13 h et 15 h-19 h ; hors saison, 10 h-12 h et 14h-18 h.
F. mar.
Accès payant.

Installé dans l'ancien hôtel de ville, ce musée consacré à l'his-

L'intérieur du musée Baroncelli.

toire de la ville, au folklore régional et à la faune camarguaise rassemble aussi les souvenirs et écrits du marquis Folco de Baroncelli. Installé à la fin du XIXe s. aux Saintes, il mena la vie dure des gardians : poète, ami de Mistral, rénovateur des coutumes camarguaises, il sauva la race des chevaux et des taureaux de Camargue. C'est à lui que l'on doit les jeux équestres et la tenue vestimentaire que portent aujourd'hui les gardians.

La Festo Vierginenco★★

Créée en 1904 par Mistral, la fête des vierges, chaque dernier

dimanche de juillet, honore les jeunes filles de 16 ans qui, pour la première fois, sont autorisées à porter le ruban d'arlésienne

(le costume). Après la messe, tous se rendent aux arènes pour assister aux jeux équestres et aux danses provençales, dans une ambiance chaleureuse et une débauche de magnifiques costumes.

Ils sont venus, ils sont tous là

Deux fois par an, les Saintes sont le rendez-vous des gens du voyage. Ils sont des milliers, venus de tous les pays d'Europe, à retrouver les routes du pèlerinage : les 24 et 25 mai pour célébrer sainte Sarah, et le dimanche le plus proche du 22 octobre pour l'anniversaire de sainte Marie Salomé. Après la messe, gardians à cheval et Arlésiennes en costume emmènent la barque des saintes jusqu'à la mer, où elle sera bénie.

Le Panorama du voyage★★
Route de Cacharel
☎ 04 90 97 52 85.
Ouv. t. l. j., 10 h-20 h ; hors saison, 10 h-17 h.
Accès payant.

À 10 km au nord des Saintes, une évocation de l'histoire tsigane. Des verdines (roulottes de nomades toujours prêts à repartir) sont là qui donnent à imaginer cet univers bien vivant des gens du voyage. Le Panorama du voyage est aussi une évocation du monde du cirque et de la fête foraine.

Les tellines

En septembre, c'est la fête des tellines, ces petits coquillages qui

ressemblent aux *vongole* italiennes. On les ramasse toute l'année du côté de Beauduc, et vous pourrez assister à la pêche au tellinier (cage grillagée que l'on traîne pour racler le sable) et en déguster lors des poêlées géantes organisées dans toute la ville. Préparées avec un peu d'ail et du persil, à la tomate ou à l'aïoli, c'est un délice.

Le massif de la Sainte-Baume : Provence avec vue

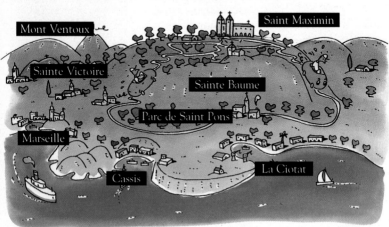

Mont Ventoux

Saint Maximin

Sainte Victoire

Sainte Baume

Parc de Saint Pons

Marseille

Cassis

La Ciotat

Sainte Marie-Madeleine s'y serait retirée dans une grotte (*baoumo* en provençal), qui a donné son nom à ce chaînon montagneux, le plus important de Provence. Haut de 300 m et long de 12 km, la crête de ce rocher culmine à 1 147 m et attire les regards et les défis : on l'escalade, on l'explore, on s'y rend même en pèlerinage.

Saint-Maximin-la-Sainte-Baume★★
☎ 04 94 59 84 59 (office de tourisme)
Basilique ouv. t. l. j., 8 h 30-18 h (jusqu'à 19 h en été).
Accès gratuit.
Couvent royal ouv. t. l. j., 9 h 30-18 h (jusqu'à 19 h en été).
Accès payant.

L'immense basilique (XIIIe s.), chef-d'œuvre du gothique provençal, rappelle l'ampleur des pèlerinages à la Sainte-Baume jusqu'à la Révolution. La crypte a conservé un crâne vénéré comme étant celui de Marie-Madeleine et la tribune supporte l'un des plus beaux orgues du monde (XVIIIe s.). Juste à côté, le couvent royal des Jacobins montre son cloître (XVe s.), orné d'un magnifique jardin.

Le Saint-Pilon★★★
Accès à pied à partir du lieu-dit L'Hôtellerie, 9 km S. de Nans-les-Pins.
Suivez le tracé du GR 9.
Durée aller-retour : 2 h.

C'est le plus beau panorama de la Provence verte, sur la crête rocheuse de la Sainte-Baume. À 994 m d'altitude, venez ici, comme Marie-Madeleine, écouter les « concerts du paradis »... Après 1 h de marche à travers la futaie millénaire, la vue est époustouflante : repérez à vos pieds le Ventoux, le Luberon, les Maures, La Ciotat, la montagne Sainte-Victoire, les Alpilles…

La Grotte★
Accès à pied, à partir du carrefour des Trois-Chênes, croisement D 80 et D 95, 8 km S. de Nans-les-Pins. Suivez le chemin des Rois. Durée aller-retour : 1 h 30.

Sainte Marie-Madeleine s'y serait retirée il y a 2 000 ans pour faire pénitence… Derrière l'autel, sa statue en

position allongée marque l'endroit présumé où elle se tenait. Après le carrefour de l'Oratoire, un escalier de 150 marches taillées dans le roc mène à la terrasse. À 886 m d'altitude, des centaines de pèlerins s'y retrouvent chaque lundi de Pentecôte.

Le parc de Saint-Pons★★
3 km E. de Gémenos par D 2

Un havre de fraîcheur au pied des hauteurs de la Sainte-Baume. Les hêtres, les frênes et les eaux de la Frauge composent un parc rescapé des incendies qui ont ravagé les collines voisines. Promenez-vous dans ce qui fut le décor inspiré d'une abbaye cistercienne (XIIIe s.). Si vous êtes courageux, le col de l'Espigoulier (728 m) offre une superbe vue sur Marseille.

Le parc du Moulin-Blanc★
Av. Gaston-de-Saporta, Saint-Zacharie, 17 km S.-O. de Saint-Maximin
☎ 04 42 62 71 30.
Ouv. t. l. j., juin-sept., 10 h-19 h ; hors saison, w.-e. et fêtes.
Accès payant.

Quand le miracle de la forêt de la Sainte-Baume prend l'accent… d'outre-Manche. Profitant du microclimat local, un marquis fit dessiner ici en 1851 un parc à l'anglaise, alliant eau et innombrables conifères. Cet enchantement végétal au cœur de la Provence offre comme un étonnant voyage sur les rivages anglais.

La confiserie Fouque★
2, rue Louis-Lumière, Signes, 37 km S. de Saint-Maximin
☎ 04 94 90 89 96.
Visite guidée. Accès gratuit.

Si l'évêque de Marseille avait su que sa résidence d'été deviendrait une fabrique de nougat ! Au pied de la Sainte-Baume, côté sud, Rolande Fouque et son époux fabriquent un nougat provençal unique, avec le miel

de montagne qu'ils récoltent eux-mêmes (de lavande, de romarin et de fleurs…). Recette de 1701, décor épiscopal, gestes ancestraux : le péché de gourmandise est tout aussi authentique…

De Salon-de-Provence à l'étang de Berre :
le pays de la Crau

Aux portes de Marseille, Salon est surtout connue pour sa patrouille de France et son école de l'air. Important centre de commerce au XIXe s., la ville s'offre aujourd'hui des allures nonchalantes avec ses cours ombragés de platanes. On y fabrique toujours du savon, on y honore encore Nostradamus et l'on y vend des friandises à l'effigie du célèbre médecin ésotérique. Pour tout cela et pour sa douceur provinciale, la ville mérite une halte.

Des musées tous azimuts

C'est dans les murs gothiques de la **collégiale Saint-Laurent** que vous pourrez voir le tombeau de Nostradamus. Au centre de Salon, le **musée de l'Empéri** vous initiera à l'histoire et à l'art militaire dans l'enceinte imposante d'une forteresse médiévale (☎ 04 90 56 22 36. Ouv. t. l. j. sf mar., 10 h-12 h et 14 h-18 h). Les arts et traditions populaires de la région sont à découvrir, quant à eux, au **musée de Salon et de la Crau** (av. Donnadieu, ☎ 04 90 56 28 37. Ouv. t. l. j. sf mar., 10 h-12 h et 14 h-18 h ; le w.-e. 14 h-18 h). Enfin, l'histoire mythique ou vécue de la Provence vous est racontée par les 18 personnages de cires du **musée Grévin** (pl. Centuries), à vrai dire un peu kitsch.

Le musée Nostradamus★★
11, rue Nostradamus

☎ **04 90 56 64 31.** Ouv. t. l. j., 9 h-12 h et 14 h-18 h ; hors saison et w.-e., 14 h-18 h. *Accès payant.*

C'est à 45 ans que Nostradamus se fixe à Salon et rien, pas même la

L'INDUSTRIE AU BORD DE LA MÉDITERRANÉE

Triste privilège, cette partie de la Provence possède un complexe industriel très imposant. Alors mieux vaut faire contre mauvaise fortune bon cœur. Même si vous n'êtes pas un aficionado de la sidérurgie, vous pouvez quand même aller jeter un œil sur l'aciérie Sollac (filiale d'Usinor-Sacilor) sur la raffinerie Esso et son musée de l'Énergie (visite de la salle de contrôle) ou sur le port autonome de Marseille-Fos (visite possible par bateau). Il faut en convenir, les visites sont passionnantes (office de tourisme, ☎ 04 91 13 89 00).

mort, n'a pu l'en arracher. Dans la rue qui porte son nom, un musée est consacré à ce médecin et astrologue, devenu célèbre pour ses nombreuses prophéties.

Les savonneries de Salon★

On le dit de Marseille mais Salon en fabrique aussi. Ce mélange naturel d'huile chaude et de matières alcalines d'origine végétale est toujours élaboré par les savonneries Fabre (usine et boutique : 148, av. Paul-Bourret, ☎ 04 90 53 24 77) et Rampal (71, rue Félix-Pyat, ☎ 04 90 56 07 28). Savez-vous que, pour qu'un savon soit déclaré pur huile d'olive, il faut 72 % d'huile vierge dans sa composition ? 5 F le savon de 100 g.

Miramas★

Son nom signifie « regard sur la mer ». La ville nouvelle, dans la plaine, date seulement du milieu du XIXe s., avec l'avènement du chemin de fer. Sur son piton, le vieux village continue de respirer la tranquillité (vestiges du château médiéval et église du XVe s.). Tout en haut, la mer aperçue est seulement d'eau douce : c'est l'étang de Berre, surnommé « mer de Martigue ».

Istre★★

Les 3 étangs qui l'entoure (Berre, l'Olivier et Entressen) voisinent avec les collines boisées et la mystérieuse plaine de Crau. Les marais salants couvrent 115 ha et produisent 50 000 t de sel par an. Le vieux centre médiéval, tout en rondeurs, et les très belles amphores du Musée

archéologique justifient à eux seuls une halte dans ce village.

Saint-Chamas★

En bordure de l'étang de Berre, le village est divisé en deux (le Delà et le Pertuis) par une colline percée de grottes qui servirent d'habitat troglodytique. On y flânera à la recherche des vestiges de sa muraille médiévale (dont la porte du Fort du XVe s.). Le pont Flavien (Ier s.), avec ses 2 arcs de triomphe, enjambe le Touloubre d'une seule arche longue de 21 m et large de 6 m. La spécialité de la ville, ce sont les pichoulines, friandises en forme d'olive à base de pâte d'amande, de pistaches et de chocolat blanc.

Sisteron : verrou de la Provence

Dans ce site à couper le souffle, les maisons montent à l'assaut d'une pente abrupte couronnée par la Citadelle tandis qu'en bas coule la Durance. Sur l'autre rive, le rocher de la Baume offre au regard les plis de son drapé de calcaire. La ville ancienne est pleine du charme de ses vieilles pierres tandis qu'au loin se dessine la barrière de Lure.

La vieille ville

Ruelles étroites en escaliers enjambées par des habitations (les andrônes), **passages couverts** menant aux maisons, **décors des façades**, ne soyez pas pressé pour découvrir la cité médiévale. Cette flânerie pourra être ponctuée de haltes dans les édifices majeurs de la cité : la **cathédrale romane** Notre-Dame-des-Pommiers, la **Citadelle**, les **5 tours** des anciens remparts aux noms évocateurs (Porte sauve, porte de la Médisance…).

La Citadelle : un travail de titan

☎ **04 92 61 27 57.**
Ouv. t. l. j. ,15 mars-11 nov., 9 h-17 h 30 ; juil.-août, 9 h-20 h 30. Fermeture des caisses 1 h avant.
Accès payant.

C'est un impressionnant ouvrage militaire dont la construction ne s'est pas faite en un jour : commencée au XIIIe s., elle a été perfectionnée par Jean Erard, ingénieur militaire d' Henri IV. Vauban admira le site mais voulut quand même y apporter son grain de sel en faisant construire notamment la poudrière. Du point le plus élevé, le regard porte à plus de 150 km. La forteresse sert chaque été de cadre au **Festival des nuits de la citadelle** (musique, théâtre et danse).

La montagne de Lure

Culminant à 1 826 m, la montagne de Lure s'étend sur une cinquantaine de kilomètres entre le plateau d'Albion et Sisteron. Le lieu ravira les amateurs de randonnées pédestres et de VTT. Les moins courageux pourront suivre en voiture la route touristique qui traverse le massif du sud au nord, jalonnée de paysages variés, et observer les changements progressifs de la végétation (landes, pelouses d'aromatiques, chênaies, hêtraies-sapinières, pinèdes).

La montagne de Lure.

Le pays du fromage

Au pied de la montagne de Lure, Banon a conservé son allure médiévale (vestiges de fortifications et magnifique portail du XIVe s.). Le village a donné son nom à une

délicieuse tomme de chèvre affinée à l'eau-de-vie et enrobée de feuilles de châtaignier. À goûter absolument ! Les amateurs de fromage seront conquis ! Sachez aussi que Banon fête son fromage en mai.

Château-Arnoux

Sur la rive droite du lac de l'Escale, Château-Arnoux renferme en son sein un prestigieux **château** Renaissance élevé par Pierre de Glandevès entre 1510 et 1515. Il abrite un **escalier à vis** monumental, décoré de bustes. À l'extérieur du village, la chapelle Saint-Jean domine un très beau panorama sur la Durance et la Bléone. Au pied de ce belvédère, la promenade sur les rives du **lac de l'Escale** est un agréable moment de fraîcheur.

Volonne

Sur la rive gauche de la Durance, ce village

typiquement provençal se niche au pied d'un tertre rocheux. L'ancienne **église Saint-Martin** reste un beau témoignage de l'art roman malgré des restaurations successives. Quant à l'ancien **château des seigneurs de Volonne** (actuel hôtel de ville), il est doté d'un très bel escalier orné de compositions sculptées.

Les Pénitents de Mées

Le petit bourg de Mées est surtout connu pour ses Pénitents, d'insolites aiguilles de poudingue (conglomérat de galets unis par un ciment naturel, la définition laisse rêveur…) s'élevant à près de 100 m de hauteur sur

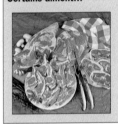
quelque 2 km 5. Selon la légende, ces pointes rocheuses seraient une procession de moines pétrifiés, punis pour être tombés amoureux de belles Mauresques ramenées par un seigneur du coin de sa campagne contre les infidèles.

Les silhouettes de poudingue des Pénitents de Mée.

Tarascon et la Montagnette : au pays de Tartarin

La silhouette massive du château de Tarascon, sur les rives du Rhône.

Entre Tarascon et Barbentane, la nature offre un spectacle incomparable. Tarascon, aux accents de Tarasque et aux couleurs des tissus Souleïado, en est la capitale. Autour, les charmants villages de Graveson et de Boulbon et l'abbaye Saint-Michel-de-Frigolet émaillent de leurs vieilles pierres les collines plantées de pins, d'oliviers ou de cyprès. Comme Tartarin, partez à l'assaut de la Montagnette.

Tarascon à l'ombre du château★★
☎ 04 90 91 01 93.
Ouv. t. l. j. sf mar., avr.-sept., 9 h-19 h ; hors saison, 9 h-12 h et 14 h-17 h.
Accès payant.

Le château des comtes de Toulouse, ce palais commencé en 1400 par Louis II d'Anjou et terminé par son fils le roi René, a de fières allures féodales. Exceptionnellement bien conservé, on peut le compter parmi les plus beaux châteaux forts de France. Mais son impressionnant système défensif cache en fait un intérieur élégant : cette forteresse était aussi une résidence princière.

Sainte Marthe et la Tarasque
Sainte Marthe a reçu les hommages des rois les plus puissants. Selon la légende, c'est elle qui, au 1er s., sauva la ville d'un monstre fabuleux, la Tarasque, qui réclamait chaque année son quota de jeunes gens à dévorer. Marthe réussit à lui passer sa ceinture au cou et la population put exterminer le terrible animal. Sainte Marthe est donc très honorée par les Tarasconnais, qui lui ont dédié une collégiale, à quelques mètres du château. Fondée au

La collégiale Sainte-Marthe.

XIIe s., elle est devenue un des sanctuaires les plus célèbres de Provence. La crypte romane renferme un sarcophage du IIIe s. Belle collection d'œuvres d'art et châsse de sainte Marthe offerte à l'église par Louis XI.

La vraie fausse maison de Tartarin★★
55 bis, bd Itam

☎ 04 90 91 05 08.
Ouv. t. l. j. sf dim., 15 sept.-14 déc. et 15 mars-14 avr., 10 h-12 h et 13 h 30-17 h ; hors saison, 10 h-12 h et 14 h-19 h.
Accès payant.

On en demandait sans cesse le chemin aux Tarasconnais, ils

l'ont créée de toutes pièces d'après les géniales descriptions de son créateur. Chaque salle reprend des scènes du roman : bureau de Tartarin, chambre et salon de Mme Bézuquet... Dans la serre trône une effigie de la Tarasque.

Graveson et son jardin de délices★
Mas La Chevêche, rte du Grès

☎ 04 90 95 81 55.
Ouv. t. l. j., 10 h-12 h et 14 h-18 h (10 h-18 h en juil-août).
Accès payant.

Dans un mas du XIXe s., un musée des Arômes et du Parfum vous offrira un voyage enchanteur dans le monde des senteurs (grand nombre de flacons, d'alambics et de cuves en cuivre). Dans la boutique, vous pourrez acquérir un diffuseur d'arômes (200 à 250 F). La visite se poursuit dans le carré des Simples, où sont cultivées biologiquement des plantes aromatiques (basilic, lavande, verveine, menthe...) destinées à la distillation et à la

fabrication d'huiles essentielles. En été, on peut aussi se rafraîchir au « bar à fruits », La Table potagère.

Saint-Michel-de-Frigolet★★
Au milieu des pins et des oliviers, cette abbaye fut fondée au XIIe s. De l'ancien monastère subsistent l'église Saint-Michel, restaurée au XIXe s., le cloître et la chapelle romane Notre-Dame-du-Bon-Secours. Les moines

prémontrés y perpétuent chaque nuit de Noël l'émouvante tradition du pastrage : procession de bergers portant des agneaux, symbole du sacrifice du Christ, suivis d'Arlésiens et d'Arlésiennes offrant les 13 desserts. Dans le magasin de l'abbaye, on peut acheter des liqueurs de plantes et du miel.

Boulbon★
Au pied de la Montagnette et sur les bords du Rhône,

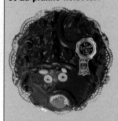
Boulbon est un village agricole dominé par les ruines imposantes de son château. Chaque 1er juin s'y déroule un pèlerinage étonnant : la procession des bouteilles, avec bénédiction des bouteilles et messe en provençal à la chapelle Saint-Marcellin, où seuls les hommes sont admis.

Le carré des Simples, au Mas de la Chevêche à Graveson.

Toulon :
la ville champignon

Au cœur d'une rade qui passe pour la plus belle d'Europe, Toulon s'est développée tous azimuts entre la mer et le mont Faron. Au premier abord, la ville semble défigurée par le béton, mais son vieux centre réserve de jolies surprises aux flâneurs. Adossé au mont Faron, le port a gardé son ambiance vive et chaude des cités méditerranéennes.

En haut
du mont Faron★

C'est de là que la ville se laisse le mieux contempler dans sa globalité. En haut de ce merveilleux belvédère, on se régale du spectacle de la rade et du port, de l'alignement des navires, des quais et des bassins de radoub… De là, les innombrables tours et barres de bétons perdent enfin un peu de leur relief. On peut atteindre le sommet du Faron par **téléphérique** (t. l. j. sf lun., 8 h-20 h ; hors saison, 9 h 30-12 h et 14 h-17 h. ☎ 04 94 92 68 25) ou en suivant une route très pittoresque qui offre de beaux points de vue (au départ du quartier Sainte-Anne).

Bain de foule★

En empruntant la **rue d'Alger**, toujours très animée, on arrive au **square Léon-Vérane**, avec sa statue du génie de la mer. Plus haut, la **place Puget** vous offre l'ombre délicieuse de ses

Connaissez-vous les chichi-frégi ? C'est la gourmandise préférée des Toulonnais ; il faut dire que ces longs beignets en ruban qui croustillent sous la langue sont merveilleux. Une seule adresse, toujours la même depuis les lustres : le kiosque de la place Paul-Conte, en haut du cours Lafayette. Autre spécialité qui se laisse agréablement dévorer sur le marché : la cade chaude, une galette de pois chiches vendue place du Murier ou rue Paul-Landrin. On s'en met un peu plein les doigts, mais c'est tellement bon…

platanes. De là, on peut redescendre vers le **port**, où trône l'ancien hôtel de ville qui porte sur sa façade les célèbres atlantes de Pierre Puget : des portefaix ployant sous la charge des sacs de céréales débarqués des navires. Sur le port, vous ne pourrez pas manquer les bateliers de la rade : le verbe haut, ils vous accrochent et vous vantent (sans mentir) les merveilles d'une découverte en bateau (40 F).

Le vieux Toulon à l'heure du marché★★

C'est le matin qu'il se laisse le mieux découvrir, à l'heure du marché qui occupe tous les jours le **cours La Fayette** et la **rue**

Paul-Landrin, surnommée par les Toulonnais « le petit cours Lafayette ». Le marché est l'un des plus célèbres de Provence, haut en couleur et très joyeux. L'occasion est bonne pour découvrir les vieilles ruelles avoisinantes, plus animées à cette heure de la journée.

Au bord de la corniche★

À mi-pente du mont Faron, la **corniche Marius-Escartefigue** qui relie Toulon et La Valette offre de belles échappées sur la rade à travers pins et jardins. Dans le quartier chic de la ville, la **corniche Frédéric-Mistral** est ourlée de palmiers et surplombe la **plage du Mourillon**. La promenade est des plus agréable très tôt le matin ou au coucher du soleil. Entre les Mourillons et la pointe de la Mître, où se dresse la tour Royale (XVIe s), le **fort Saint-Louis** surblombe un charmant petit port peuplé de barques et de minuscules bateaux. On dirait un coin de Bretagne égaré dans le Midi…

Les gars de la marine★
Pl. Monsenergue
☎ 04 94 02 02 01.
Ouv. t. l. j. sf mar. et j. fér.,
l'été 9 h-12 h 30 et 15 h-19 h, l'hiver 9 h 30-12 h et 14 h-18 h.

Au **musée de la Marine**, découvrez l'histoire de Toulon depuis la fin du XVe s. Les

nombreuses maquettes de navires et de frégates du siècle des Lumières, quelques figures de proue, des peintures et des réductions de canons de marine évoquent une des activités principales de la ville, tout entière tournée vers la mer.

Le Musée municipal★★★
113, bd du Maréchal-Leclerc
☎ 04 94 93 15 54.
Ouv. t. l. j. sf j. fér.,
13 h-19 h.
Accès gratuit.

Musée municipal.

On peut y admirer un fonds important de peinture ancienne (dont une collection d'art provençal des XVIIe-XXe s.) mais aussi des œuvres modernes impressionnantes. Car Toulon possède l'une des plus importantes collections d'art contemporain des années 1960-1986 : Arman, César, Niki de Saint-Phalle, Klein, Fontana… les grands noms y ont trouvé leur place.

Vaison-la-Romaine et le haut Vaucluse :
la Provence des vins

Dans un terroir qui fleure bon le vin et l'histoire ancienne, on ira de Vaison, certes romaine mais aussi romane, à Séguret, nichée à flanc de coteau ; des vignobles réputés de Gigondas la bien nommée (*jocunditas* en latin signifie joie) à ceux de Vacqueyras, dans un pays de dentelles tendre et chaleureux.

Vaison, joyau de la Provence romaine

Dans un paysage de collines, Vaison veille jalousement sur ses vestiges découverts au début du siècle. Ses premiers habitants, les Voconces, vaincus par les soldats romains, abandonnèrent leur village perché au profit de la plaine. Une cité rattachée à Rome se développe alors sur les rives de l'Ouvèze : thermes, villas, théâtre, portiques… Il faudra attendre le Moyen Âge pour voir la ville haute se repeupler : les guerres incessantes obligent les habitants de la plaine à trouver refuge au pied du château des comtes de Toulouse.

Les vestiges de la perle romaine
Collines de Puymin et de la Villasse
☎ 04 90 36 02 11.
Ouv. 10 h-12 h 30 et 14 h-18 h (jusqu'à 19 h en été).
Accès payant.

L'essentiel des vestiges datent des Ier-IIe s. ap. J.-C. Adossé à la colline de Puymin, le **théâtre antique** pouvait accueillir 5 000 à 6 000 spectateurs. Vous pourrez voir la **maison des Messii** (du nom des

Le château des comtes de Toulouse.

LES DENTELLES DE MONTMIRAIL

Au sud de Vaison, laissez-vous prendre au spectacle extraordinaire des dentelles de Montmirail. Ces hautes falaises de calcaire blanc délicatement ciselées par l'érosion en aiguilles de pierres argentées s'étirent de Prébayon à Montmirail sur 8 km. Jadis postes de guet, elles sont devenues le paradis des grimpeurs et des promeneurs.

propriétaires retrouvé sur une inscription), la **maison du buste en argent** (dans le quartier de La Villasse), le **portique de Pompée**, une partie des **thermes**… Mais le centre de la cité antique, encore enseveli sous la ville actuelle, reste à imaginer. Le **musée Théo-Desplans** (☎ 04 90 36 50 00) expose aussi des objets retrouvés lors des fouilles.

Dans les ruelles de la ville haute

Après un détour par la **cathédrale** Notre-Dame-de-Nazareth (XIe-XIIe s.) et son très beau **cloître roman**, rejoignez le **pont romain** qui franchit l'Ouvèze et permet d'accéder à la ville médiévale. Celle-ci est

nichée dans son enceinte du XIVe s., construite en partie avec des pierres prélevées sur les ruines de la ville romaine. Au pied du château des comtes de Toulouse, les **calades** (ruelles étroites pavées de galets), abandonnées au début de ce siècle, retrouvent doucement vie sous les mains d'artistes et d'artisans amoureux de leurs vieilles maisons. Mais Vaison, c'est aussi chaque été le chant choral qui se mêle à celui des cigales au moment des **festivals** et, en novembre, les **Journées gourmandes** et leurs nombreuses animations (office de tourisme, ☎ 04 90 36 02 11).

Gigondas

Au détour d'un virage, Gigondas surgit, couronné d'un fier château. Ses remparts défient le temps depuis sept siècles et ses abords sont agrémentés d'un cheminement de sculptures contemporaines. Le vin de Gigondas est un des plus fameux côtes-du-rhône, avec ceux de Vacqueyras et de Châteauneuf-du-Pape. Ce fleuron de notre patrimoine gastronomique ne demande qu'à être dégusté dans les nombreux caveaux du village.

Sablet et Séguret

Sablet est un village typiquement provençal avec ses rues concentriques assemblées autour de son église. Tout autour, les vignes donnent un vin puissant et noble au bouquet riche et corsé. Plus loin, le petit bourg de Séguret ressemble

à une crèche. Ce qu'il devient d'ailleurs chaque année en décembre, lorsque tous ses habitants revêtent les costumes traditionnels provençaux pour jouer les pastorales de Noël.

Vacqueyras

Le village vit à l'heure du vignoble implanté ici de longue date. Dégustez son vin au **caveau des Dentelles**. À proximité, sur une colline dominée par la chapelle Notre-Dame-de-Pitié, l'**espace botanique de Coste de Coa** vous propose une promenade à travers 13 ha sillonnés de sentiers où plus de 100 espèces de la flore provençale ont été étiquetées (accès gratuit).

L'abus d'alcool est dangereux pour la santé.

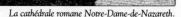

La cathédrale romane Notre-Dame-de-Nazareth.

Vallauris : la cité des potiers

Dans les collines avoisinantes plantées d'oliviers, des fumées signalent les ateliers de poterie. Car depuis les années 50, Vallauris a recélébré ses épousailles avec la terre et fait renaître une tradition presque agonisante. Il faut dire que Picasso était passé par là. Son génie devait ouvrir la voie à une nouvelle production complètement tournée vers l'art décoratif. Aujourd'hui, près de 200 potiers tentent de résister à la crise mais attention, il faut savoir slalomer entre création artistique et matraquage touristique. Méfiez-vous des céramistes du dimanche…

Flâner dans la ville

Dévastée par la peste, Vallauris est entièrement rasée au XIVe s. Son visage actuel est un héritage du XVIe s., avec un plan en damier qui ménage peu de surprises. Reste que la **place Paul-Isnard**, le cœur vivant de la cité où se tient tous les matins le **marché**, s'enorgueillit à juste titre d'une belle statue en bronze de Picasso, *L'Homme au mouton*, que l'artiste offrit à la ville qui l'avait accueilli et dont il était citoyen d'honneur.

Trois musées en un★★
Pl. de la Libération
☎ 04 93 64 16 05.
Ouv. t. l. j. sf mar., 10 h-12 h et 14 h-18 h.
Accès payant.

Le château de Vallauris, ancien prieuré de Lérins reconstruit au XVIe s., est l'un des rares édifices Renaissance de la région. Les 3 grands musées de la ville y ont trouvé leur place. Il y a (c'était inévitable) le **musée national Picasso** et sa gigantesque œuvre *La Guerre et la Paix* (125 m2). Picasso encore et toujours au **musée de la Céramique**, au milieu d'autres créations du début du XXe s. ou plus récentes (dont les pièces primées lors des Biennales internationales de

DES FLEURS EN POTS

Coopérative agricole du Nérolium, 12, av. Georges-Clemenceau
☎ 04 93 64 27 54.
Ouv. t. l. j. sf dim., 8 h-12 h et 14 h-18h ; lun. ouv. 9h., sam ap.-m. 15 h.

Du vase à la fleur, il n'y a qu'un pas. Car Vallauris est aussi un important centre de distillation et de production de fleurs. On y traite la fleur d'oranger, la rose ou le jasmin. La récolte, la première, donne à la distillation la fameuse essence de néroli, qui est employée dans les eaux de Cologne réputées. Profitez de votre séjour pour découvrir le Nérolium, une coopérative agricole datant 1904. Vous pourrez y acheter eau de toilette, eau de fleurs d'oranger à 23 F le litre (pour jouer les apprentis parfumeurs ou pour ensoleiller vos pâtisseries).

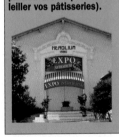

céramique d'art). Le troisième musée est consacré au peintre **Alberto Magnelli** (1888-1971).

La galerie Madoura★
Av. des Anciens-Combattants-d'Afrique-du-Nord
☎ 04 93 64 66 39.
Ouv. t. l. j. sf w.-e., 10 h-12 h 30 et 14 h 30-18 h (jusqu'à 19 h en été).

On s'y rend pour découvrir de très belles céramiques. Mais

La céramique de la galerie Madoura, sous le signe de Picasso.

aussi parce que c'est là que Picasso s'initia à l'art de la céramique, avec le sculpteur Prinnier et les potiers Suzanne et Georges, qui dirigeaient à l'époque la fabrique Ramier. Aujourd'hui, l'atelier, outre sa propre production, édite les céramiques de Picasso.

Le musée de la Poterie★
Rue Sicard
☎ 04 93 64 66 51.
Ouv. t. l. j., 9 h-12 h et 14 h-18 h ; dim. sur r.-v.

En sortant de ce lieu qui offre une reconstitution fidèle d'un atelier du début du siècle, vous connaîtrez parfaitement les différentes phases de fabrication d'une poterie : extraction de la terre, préparation des argiles et des vernis, tournage, cuisson, décoration… Un Picasso en cire plus vrai que nature, le geste en moins pourtant, décore une céramique.

En douceurs
Patisserie La Griotte, 7, bd Maurice-Rouvier
☎ 04 93 64 52 65.

Connaissez-vous les pignatines ? Ne manquez pas ces douceurs au chocolat praliné, aux pignons et aux écorces d'orange, parfumées à la fleur d'oranger de Vallauris.

Une perle noire veloutée à offrir dans son écrin, une céramique signée Jean Marais (260 F ou 420 F la pièce ; 290 F le kg en vrac).

Pour devenir potier
École des Beaux-Arts, espace Grandjean, bd des Deux-Vallons
☎ 04 93 63 07 61.

L'école propose pour la période estivale et les vacances scolaires des stages de poterie ou de céramique. Laissez-vous tenter et apprenez, en 5 jours, les bases du métier. Pour les initiés, il est toujours possible de se perfectionner dans la décoration, le moulage, le tournage…

Les arts de la terre et du feu

L'histoire d'une région et de sa culture peut se lire dans le travail de ses potiers. C'est le cas en Provence, où céramistes et artisans perpétuent aujourd'hui la très

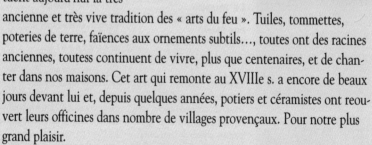

ancienne et très vive tradition des « arts du feu ». Tuiles, tommettes, poteries de terre, faïences aux ornements subtils…, toutes ont des racines anciennes, toutess continuent de vivre, plus que centenaires, et de chanter dans nos maisons. Cet art qui remonte au XVIIIe s. a encore de beaux jours devant lui et, depuis quelques années, potiers et céramistes ont reouvert leurs officines dans nombre de villages provençaux. Pour notre plus grand plaisir.

Potier depuis 150 ans

Poterie Ravel, av. des Goums, Aubagne
☎ 04 42 03 05 59.
Ouv. t. l. j. sf dim., 8 h-12 h et 14 h-18 h.
Accès payant.

Depuis plusieurs générations, cette maison s'est spécialisée dans les poteries de jardin en terre cuite naturelle. Sa grande vedette reste la **jarre provençale** (1 800 F le grand modèle, soit 80 cm de hauteur), mais elle continue d'élaborer de très jolis services de table, des poteries culinaires et traditionnelles ainsi qu'une grande variété de pièces décoratives et d'intérieur. Parmi les incontournables de la tradition culinaire, vous trouverez ici **tians et daubières** à des prix intéressants : 140 F le tian (diam. 40 cm) et 360 F la daubière (grand modèle, haut 20 cm).

La reine de Salernes

Carrelages Basset, quartier des Arnauds, Salernes-en-Provence
☎ 04 94 70 67 90.
Ouv. t. l. j. sf dim., 8 h-12 h et 14 h-18 h.

Depuis le siècle dernier, l'industrie de la tommette fait

de Salernes la capitale du carrelage traditionnel provençal. Autour du village, les sols renferment une argile très riche en oxyde de fer qui permet de fabriquer des carreaux très robustes. On trouvera aussi ici vasques (de 1 100 à 1 400 F) et accessoires de salle de bains.

Faïencerie fine
Éts Figuères et Fils, 10-12, av. Lauzier, Marseille (8e arr.).
☎ 04 91 73 06 79.
Magasin et atelier ouv. lun.-ven., 8 h 30-12 h et 13 h-18 h 30 ; sam., 8 h 30-12 h 30.

Cette faïencerie née en 1952 présente une très belle collection de **trompe-l'œil naturalistes.** Près de 80 modèles mettent en scène fruits et légumes du cru. On y découvre également des objets de table aux délicats décors de fleurs et de poissons peints à la main. Envie de pomme en toute saison ? Il vous en coûtera 90 F… Un petit potiron pour orner le buffet de Grand-Mère ? Entre 300 et 800 F.

Des carreaux qui tiennent
Éts Vernin, le Pont-Julien, Bonnieux, sur RN 100
☎ 04 90 04 63 04.
Hall d'exposition ouv. t. l. j. sf dim., 9 h-12 h et 13 h 30-18 h 30. Ateliers de fabrication ouv. en sem., 8 h-12 h et 13 h 30-17 h 30.

Après leur façonnage et la cuisson qui dure des heures, certains carreaux subissent un émaillage. C'est le cas d'une partie de la production des établissement Vernin-Carreaux d'Apt, qui fabriquent de façon traditionnelle des pièces d'argiles depuis 1885. Émaillés ou en terre cuite brute, tous les carreaux sont façonnés et décorés à la main (12 F pièce pour un carreau de 10,5 cm de côté).

Casser sa pipe
Faïencerie d'art Jean-Michel Coquet, quartier Les Jas, Vernègues
☎ 04 90 59 30 85.
Ouv. t. l. j., 9 h-12 h et 14 h-19 h ; dim. 15 h-19 h.

Autrefois, les amateurs de tabac rare fumaient dans des pipes en céramique pour mieux profiter des arômes. Une fabri-

cation devenue rare mais que maintient Jean-Michel Coquet dans son atelier près de Marseille. Spécialisé dans des pièces de faïence décorées à la main, des créations personnelles ou inspirées d'objets du

XVIIIe s., cet artisan connaît son métier sur le bout des doigts et sait vous faire partager sa passion (pipes de 150 à 950 F).

Au cœur du haut Var : Aups, Salernes, Tourtour et Lorgues

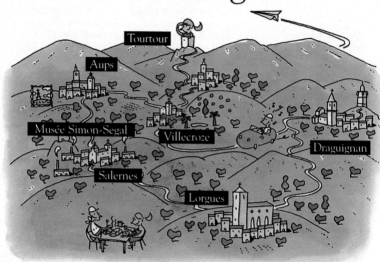

Une halte gourmande dans cette campagne s'impose absolument. Ses vignobles produisent des vins à l'humeur joyeuse dont le bouquet se marie agréablement aux herbes aromatiques des garrigues. Huile d'olive de Salernes, truffes d'Aups, toutes les occasions sont bonnes pour s'abandonner ici aux plaisirs de la table, dans ces villages où le temps semble s'être arrêté.

Aups

Au milieu des vestiges des remparts, les ruelles médiévales offrent leur allure agréablement sinueuse. De la tour de l'Horloge avec son campanile aux cadrans solaires qui ornent les façades, des lavoirs aux fontaines, tout est resté pareil aux cartes postales du début du siècle. Entre novembre et mars, le bourg s'anime sérieusement : le **marché aux truffes** (jeu. mat.) attire immanquablement vendeurs et gourmands.

Le musée Simon-Segal
Rue Albert-Ier
☎ **04 94 70 01 95.**
Ouv. t. l. j., 15 juin-15 sept., 10 h 30-12 h et 16 h-19 h.
Accès payant.
Dans l'ancienne chapelle d'un couvent d'ursulines, voici un agréable petit musée d'art moderne consacré à des artistes du début du XXe s., notamment aux peintres de l'école de Paris.

Villecrozes

… c'est-à-dire « ville creuse ». Au pied d'une impressionnante falaise percée de grottes, le village porte bien son nom. On peut flâner à loisir dans ses vieilles ruelles, on peut surtout s'abandonner au plaisir de ne rien faire dans son **joli parc** verdoyant. Un seigneur du pays y fit construire une

SOUVENIRS GASTRONOMIQUES

Si vous n'avez pas pu profiter de la saison des truffes à Aups, rattrapez-vous en y achetant votre huile d'olive (un vrai régal...) au vieux moulin à huile du village (montée des Moulins, ☎ 04 94 70 04 66. Env. 72 F la bouteille d'1 l). Sur la route de Villecroze, la ferme de Tourtour (☎ 04 94 70 56 18) vous propose ses merveilleuses conserves traditionnelles : terrines de sanglier, de lapin ou de chevreuil (26 à 28 F le pot de 180 g), foies gras entiers en conserve et semi-conserve (environ 90 F les 100 g), tape-nades et anchoïades (22 F le pot de 125 g)...

résidence troglodytique. La cascade qui s'effondre à côté alimente les bassins de ce petit paradis. Les grottes se visitent (☎ 04 94 70 63 06. Accès payant).

Salernes

Salernes est un gros bourg qui s'abreuve aux sources de la Bresque. On aimera son église singulière dotée d'un clocher à chaque extrémité et ses ruelles où se succèdent de jolies maisons du XVIIe s. Mais

Salernes est surtout un important centre de fabrication des célèbres **tommettes provençales** depuis le début du XVIIIe s. Aujourd'hui, les fabriques ont dû varier leur production en remplaçant pro-gressivement la tommette par des carreaux contemporains.

Le goût de la terre

Que les amateurs de tommettes se rassurent pourtant : il reste aujourd'hui encore une quinzaine de fabriques artisanales qui continuent de produire des carreaux de terre cuite dans la plus pure tradition provençale. Nous avons sélectionné quelques

adresses : les **carrelages Boutal** (rte de Draguignan, ☎ 04 94 70 62 12. Salle d'exposition ouv. t.l.j. sf sam.-dim., 8 h 30-12 h et 14 h-18 h), Les **Terres cuites de Launes** (quartier des Launes, ☎ 04 94 70 62 72), l'**atelier Pierre Basset** (rte de Draguignan, quartier des Arnauds, ☎ 04 94 70 76 72) et, enfin, l'**atelier Alain Vagh**

(rte d'Entrecasteaux, ☎ 04 94 70 61 85. De 360 à 660 F le carreau fait main en 13 x 13 cm).

Tourtour

Le bourg se dresse sur son rocher, au milieu d'une région fraîche et boisée dont le calme apaise et repose. Il a conservé son allure médiévale : fortifica-tions, maisons anciennes, passages voûtés... À environ 1 km, la **tour Grimaldi** (XIIe s.) est un joli but de pro-menade : depuis sa table

d'orientation, vous pouvez contempler la Sainte-Victoire, le massif des Bessillons, la chaîne des Maures et le massif du Luberon.

Lorgues

Au milieu des oliveraies et des vignobles, Lorgues s'étend à flanc de coteau et expose au soleil son cours planté de magnifiques platanes. Cette petite localité mérite une halte pour ses jolies fontaines, ses maisons ornées de balcons en fer forgé et, surtout, son imposante collégiale Saint-Martin. On peut ne pas aimer son architecture classique et son riche mobilier, mais son ampleur reste impres-sionnante.

L'église romane de Salernes (XIIIe s.).

Les hautes vallées du Var et du Verdon : à deux pas des Alpes

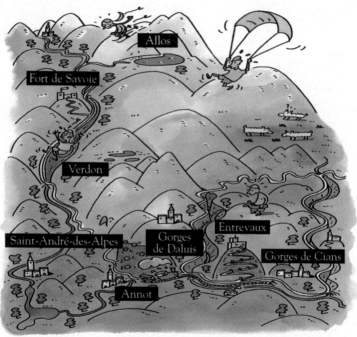

Au pied du Mercantour, le pays de la Roudoule est celui des gorges flamboyantes. Descendant de la montagne, les torrents fougueux s'y sont frayé des chemins magnifiques à travers le schiste rouge… En contrebas, baignées par le Var, les cités historiques d'Entrevaux et de Puget-Théniers conservent les souvenirs de ce pays qui fut longtemps la frontière entre la France et le comté de Nice…

Entrevaux★★
68 km N.-O. de Nice par N 202

Adossée à son rocher, cette cité fortifiée est couronnée par une citadelle incroyablement haut perchée… Pénétrez dans ce décor militaire intact du XVIIIe s. et passez en revue la cathédrale (XVIIe s.), l'enceinte à créneaux de Vauban, les ruelles médiévales (rue du Marché,

rue Basse) et… le château !
L'ascension est digne d'un parcours du combattant, mais la
vue sur le Var, 200 m plus bas,
est i-nou-bli-able.

Le moulin à huile et à farine★
Pl. Moreau, *extra-muros*
☎ 04 93 05 46 73 (office de tourisme).

Dans ce moulin du XVe s., tous
les producteurs viennent à tour
de rôle presser leurs olives.

Regardez-les faire :
après avoir rempli
12 couffins de leurs
fruits, ils les
empilent et
pressent
doucement l'en-
semble afin
d'obtenir la pre-
mière huile,
pressée « à
froid », extra-
vierge… À la
fin, ils
conservent le
« grignon » (la
peau et les noyaux)
pour la fabrication du savon de
Marseille… Plus loin, on
écrase le grain pour fabriquer
la farine.

Les gorges de Daluis★★
15 km N. d'Entrevaux

On les appelle aussi les
« gorges rouges » tant les
schistes qui les tapissent offrent
un spectacle magnifique…
Sillonnez ces couloirs
somptueux à partir du village
de Daluis, perché à 800 m au-
dessus du Var, en suivant
l'étroite D 2202 qui parcourt le
site en corniche. Après le pont
de Berthéon, remarquez le
rocher dit Tête-de-Femme,
laquelle semble avoir choisi ces
gorges comme décolleté,
rehaussé 3 km plus loin par
une superbe cascade (de
diamants).

Le canyoning en famille★★★
Accès par D 28 vers
Guillaumes, puis rte de
Tirebœuf à droite (parking).
Arrivée au pont Durandy
(parking), 5 km plus bas.
Durée : 3 h.
Si vous êtes néophyte,
renseignez-vous au
☎ 04 93 02 51 20
(Valberg Pulsion).
Ouv. 15 juin-15 sept. sur
réservation.

Idéales pour débuter, les gorges
de Daluis offrent une **splendide**

randonnée aquatique, où la
combinaison en Néoprène est
jugée inutile par les professionnels… Profitez-en : sur ce
parcours balisé, en pente
douce, vous traversez le lit du
cours d'eau une trentaine de
fois et vous vous baignez à mi-
chemin dans la vasque des cascades de la clue d'Amen…
Marche paradisiaque en plein
Colorado niçois, avec le merle
bleu en fond sonore (il ne
chante qu'ici…).

Les gorges du Cians★★★
Beuil : 30 km N.-E. de Puget-Théniers

Le torrent impétueux dévale
1 300 m de dénivelé en moins
de 25 km. Suivez sa course

folle à partir de Beuil (D 28) :
prodigieux décor où, à deux
reprises, la roche rouge
surplombe entièrement la
route (très impressionnant) !
Ne manquez pas, au
croisement vers Pierlas, la vue

Le petit train des Pignes★★★
Entre Puget-Théniers et Annot via Entrevaux, très occasionnellement jusqu'à Nice ou Digne
Circule mai-oct. Horaires :
☎ 04 93 88 18 78.

Accrochez-vous. Ce train historique remorqué par une locomotive à vapeur de 1909 (classée monument historique) circule sur les hauteurs les plus infréquentables (pour un train) de l'arrière-pays provençal...
Émotions garanties :
il

cahote, se dandine, il « boulègue », comme on dit ici, et s'arrête partout. Mais surtout, il offre les paysages les plus beaux des Alpes du Sud, dans une ambiance inoubliable.
Durée du trajet Annot-Puget (20 km) : 1 h 05 !
Tarif aller-retour : 110 F.

Annot★
13 km O. d'Entrevaux

Ce village semi-alpin (700 m) est sans cesse bombardé... par les énormes blocs de grès qui tombent de la falaise voisine. Allez les voir de plus près, ils

vous étonneront. On les a dotés de jolis surnoms : la chambre du Roi (sentier balisé derrière la gare) ou le chameau des Lumières (rte du Fugeret). À l'entrée du village, les habitations troglodytiques précèdent, dans le vieux village, de superbes maisons des XVIe-XVIIe s. et une jolie église romano-gothique.

La grotte des Méailles★
**10 km N.-O. d'Annot.
Accès en voiture jusqu'au ravin des Louvrettes (1 500 m N de Méailles), puis 3 km de sentier (380 m de dénivèlement). 2 h 30 aller-retour.**
Accès gratuit.

Dans cette grotte que l'on rejoint à pied, une galerie de 400 m s'enfonce dans la falaise calcaire. Attention, son ouverture est très basse, mais elle s'élargit assez vite et devient spacieuse... À l'intérieur, de très belles stalactites ainsi qu'une couche épaisse de tuf calcaire profitent de la fraîcheur humide et de l'obscurité... intégrale. Réservé aux courageux.

Le fort de Savoie★★
Colmars, 40 km N.-E. de Barrême. Altitude : 1 270 m

☎ 04 92 83 41 92.
Ouv. t. l. j. en été, visites guidées 9 h 30-12 h ; hors saison, t. l. j. à 10 h, sur demande au
☎ 04 92 83 46 88.

Au nord du vieux village entouré de fortifications,

générale, et montez au village de Lieuche (route sinueuse), dont l'église possède une œuvre digne du Louvre, le **polyptyque de l'Annonciation** de Louis Bréa (XVe s.).

Puget-Théniers★
7 km E. d'Entrevaux

Au pied des ruines d'un vieux château, autrefois propriété des Grimaldi, ce joli village cumule les attraits de la moyenne montagne et ceux de la Provence. Promenez-vous dans le vieux quartier médiéval, aux maisons anciennes, et contemplez sans fin les trésors de l'église gothique (XIIIe s.) : extraordinaire **retable de la Passion** à l'entrée, et **polyptyque de Notre-Dame de Secours** au chevet.

LA RANDONNÉE AQUATIQUE

**Pro-Verdon activités,
J. Raoust, rue Basse,
Saint-André-des-Alpes
☎ 04 92 89 04 19.
Mai-oct.**

**Descendez les gorges de
Fontgaillarde en flottant
sur le Verdon... et
empruntez les chemins
réservés jusqu'alors aux
pêcheurs sportifs. Il suffit
d'enfiler une combinaison
en Néoprène et un gilet
et de se laisser porter
par les eaux calmes du
torrent (en été)...
Pendant ces 2 h de
dérive, savourez les
plaisirs du plongeon
dans les trous d'eau, de
la marche sur les rives
et de l'observation des
cincles plongeurs,
magnifiques oiseaux
aquatiques. Il faut
absolument savoir nager
et avoir au moins 14 ans.
Tarif : 120 à 150 F la
demi-journée.**

Allos★
**36 km N. de Saint-André-
des-Alpes
Accès au lac par D 226,
puis 1 km à pied (sentier)**

À 1 420 m d'altitude, ce bourg
de haute montagne devient
station de ski en hiver. Montez
au lac d'Allos (2 225 m),
énorme réserve naturelle d'eau
d'où partent (en été) de très
nombreuses promenades. Faites
le tour complet du lac ou bien
rejoignez, en un peu plus de
2 h au départ du refuge, le
mont Pelat (3 051 m). Un
généreux panorama sur les
environs vous y attend.

Le baptême en parapente★★
**☎ 04 92 83 02 81 ou
☎ 04 92 83 80 70 (office
de tourisme d'Allos).**
Ouv. juil.-août et déc.-mars.
Tarif du baptême : 200 F.

Élancez-vous des hauteurs de
la vallée du haut Verdon, site
des championnats du monde
de la discipline. Pour votre
baptême de l'air en parapente,
un pilote professionnel vous
initie aux joies du décollage en
duo... et de l'atterrissage.
Ensuite, il suffit de recommencer : quelques kilos de toile, à
déplier et à gonfler en courant
dans la pente...

imaginez l'ambiance qui
régnait dans ce fort très
musclé, chargé de protéger
la Savoie des attaques
piémontaises au XVIIe s.
De salle en salle, les passages
bas et voûtés sont conçus pour
empêcher l'ennemi de
progresser, s'il arrive à entrer...
La tour de guet possède
une superbe charpente
en mélèze rouge et le
chemin de ronde plonge
directement sur le Verdon...
Impressionnant.

Loisirs sportifs au fil de l'air et de l'eau

Bien sûr, il y a la randonnée et les balades à vélo… Mais la Provence est surtout le terrain idéal pour pratiquer les loisirs sportifs dans des décors de rêve. Canoë-kayak sur les côtes ou les rivières, rafting, tubing, floating sur les torrents fougueux… Parapente et deltaplane du haut des corniches et des falaises, et canyoning au fond des gorges ou dans les clues…

Rafting et Cie

Du printemps à l'automne, la descente des torrents offre des sensations en « ing ». Choisissez entre le **rafting**, radeau de 8 personnes dirigé par un guide, le **tubing**, grande bouée monoplace avec une double pagaie, ou le **hot-dog**, duo sur canoë avec guide à proximité… Pour les nageurs, l'**hydrospeed** permet de glisser sur l'eau à l'aide de palmes et d'une combinaison intégrale (avec flotteurs). Rejoignez les parcours les plus grisants : le Var, le Verdon, la Vésubie, l'Ubaye et la Roya.

LE GRAND DÉFI

Latitude Challenge, ☎ 04 91 09 04 10. Rejoignez la tribu des sauteurs à l'élastique. Pas n'importe où : sur le plus haut pont d'Europe, le pont de l'Artuby (182 m de haut), au milieu des gorges du Verdon. Scénario du défi : élancez-vous dans le vide et faites intensément confiance à la ficelle accrochée à vos pieds... Un conseil d'ami, ouvrez les yeux et admirez le torrent vert émeraude qui, en bas, se rapproche, s'éloigne... puis se rapproche à nouveau... Vous en parlerez pendant des semaines ! Vous payerez 590 F pour avoir la peur de votre vie (et peut-être recommencer !), avec en prime un tee-shirt et un certificat de saut...

Le canoë-kayak

Moins remuantes que sur les torrents, même si le courant varie souvent, les descentes de rivières en canoë allient les sensations fines et les émotions brutes, sur des embarcations heureusement insubmersibles. Rejoignez notamment les cours d'eau du Var : Argens, Caramy, Siagne... Ou bien les côtes méditerranéennes, où se pratiquent les « randonnées de mer » : à Bandol et à Saint-Raphaël, entre autres.

Le canyoning

Pour les tempéraments sportifs. Très en vogue, cette activité venue des États-Unis combine

escalade, descente en rappel, nage en eau vive et marche en rivière, dans le cadre enchanteur des clues (vallées étroites) et des canyons... Indispensable : initiez-vous, notamment dans les nombreux sites pré-équipés des Alpes-Maritimes. Commencez par exemple par la clue de la Cerise (facile), sur l'Estéron, et visez celle du Riolan, mythique, en amont... Mais, surtout, ne partez jamais seul.

Le parapente et le deltaplane

Envol de Provence : à Signes (☎ 04 94 90 86 13) ou à Montclar (☎ 04 92 35 15 24).

Les conditions climatiques et aérologiques (courants d'air) de Provence sont idéales pour s'élancer d'une corniche ou d'une montagne. Devenez « libériste » (adepte du vol libre) sous ses 2 formes : le parapente, où quelques kilos de toile dans un sac à dos se gonflent en courant dans la pente, ou l'aile delta, renforcée par une ossature métallique. Baptême parapente (avec guide) : à partir de 300 F. Stage et premier vol en solo : à partir de 1 500 F (3 j.).

Vence : une ville où il fait bon vivre

L a ville se dresse en plein ciel, cernée par deux ravins. Au pays des roses, des mimosas et des citronniers, elle s'offre tout en douceur et en tranquillité, à l'écart des remous du littoral. Pendant l'entre-deux-guerres puis dans les années 50, peintres et écrivains s'y donnent rendez-vous. Et Vence, comme Saint-Paul, reste aujourd'hui un des lieux phares de l'histoire de l'art moderne.

Le château★★

Dans l'ancien château des barons de Villeneuve (XIIIe s.), rivaux célèbres des évêques de Vence pendant tout le Moyen Âge, on a ouvert les portes à la modernité. Ce haut lieu de l'histoire locale accueille la **fondation Émile-Hugues** et ses expositions temporaires consacrées aux œuvres réalisées par les grands noms de l'art moderne lors de leurs séjours vençois : Matisse, Dubuffet, Dufy, Chagall voisinent avec des créations plus récentes encore.

La cathédrale★

Commencée à l'époque romane, la cathédrale semble avoir picoré dans chaque siècle des éléments variés : pierres à très beau décor carolingien,

nefs romanes, retable baroque, façade néorococo du XIXe s., etc. L'ensemble est un peu décevant mais il cache de grands trésors : entre autres, les très belles stalles de la tribune sculptées de scènes pleines de verve (XVe s.) et une mosaïque dessinée par le peintre Marc Chagall figurant Moïse sauvé des eaux.

La chapelle du Rosaire★★
Av. Henri-Matisse

☎ 04 93 58 03 26.
Ouv. déc.-oct., mar. et jeu., 10 h-11 h 30 et 14 h 30-17 h 30 et vac. scol. 14 h 30-17 h 30 sf dim. et lun.
Accès payant.

De l'extérieur, rien ne la signale à votre attention. Mais cette bâtisse un peu banale possède une décoration exceptionnelle signée par Henri

Matisse. Pour remercier les dominicaines qui l'avaient soigné pendant la Seconde Guerre mondiale, l'artiste fit reconstruire la chapelle. Les vitraux au décor floral

éclairent 2 nefs convergentes. Autour, de grands dessins muraux sur céramique blanche dispensent l'éclat de leur couleur dans ce lieu si sobre. Matisse disait qu'il avait signé là son chef-d'œuvre et l'on ne peut que lui donner raison.

Le vertige de la côte★
7 km de Vence par D 2

À 970 m d'altitude, le col de Vence offre un des panoramas les plus étendus de la région. Cœur fragile s'abstenir. Les yeux rivés à la table d'orientation, on distingue la rive gauche du Var jusqu'au mont Agel, puis la côte où se dessinent, par grand beau temps, le cap Ferrat, la Baie des Anges, le cap d'Antibes, l'île Sainte-Marguerite et, enfin, l'Estérel. Allez-y de bon matin ou le soir au coucher du soleil : les grands paysages demandent un peu de tranquillité.

Notre-Dame-des-Fleurs★
2,5 km N.-O. de Vence par D 2210
☎ 04 93 24 52 00.
Ouv. t. l. j. sf mar.,
11 h-19 h.

Le château, reconstruit au XIXe s. sur les vestiges d'une abbaye, a longtemps abrité un musée des Arômes. Aujourd'hui, les anciens propriétaires de la galerie Beaubourg à Paris y ont installé leurs pénates, ouvertes aux amateurs d'**expositions d'art moderne**. Si ces créations vous laissent de marbre, réfugiez-vous dans le magnifique **jardin** (planté de sculptures) et admirez, depuis la terrasse, la très ample vue qui s'étend du cap Ferrat à l'Estérel.

Coursegoules★★
15 km de Vence par D 2.

Accroché à la montagne sur son piton au pied du Cheiron, on se croirait au bout du monde, à la fin d'une route

magique. Suspendus au bord du Foussa, ses remparts surplombent le vide peuplé de nids de merles ou d'aigles perchés. Dans sa petite église face au terrain de boules, on trouvera un joli retable attribué au peintre niçois Louis Bréa.

Le mont Ventoux :
le toit de la Provence

Exposé à tous les vents, auxquels il doit sans doute son nom, le Ventoux domine fièrement tout le département de ses 1 909 m d'altitude. Sur toutes ses faces ou du haut de son dôme calcaire nu comme un vaste désert lunaire, il n'en finit pas de changer de visage. S'étirant d'ouest en est sur environ 24 km et du nord au sud sur 15 km, il acceuille une flore variée qui fait le bonheur des promeneurs et des scientifiques.

Ventoux contrasté

Dans l'atmosphère florentine du Comtat Venaissin, le Ventoux est un monde singulier. Aux alentours, les

sauvages **gorges de la Nesque**, la **vallée du Toulourenc**, le **plateau de Sault**, les villages paisiblement perchés d'Aurel ou d'Entrechaux, ceux du Barroux, dominé par son château féodal, et de Malaucène, où coule la délicieuse source du Groseau, sont autant de paysages que le promeneur aura plaisir à découvrir. Quant au mont lui-même, dont le spectacle laissa Pétrarque « immobile de stupeur », pourquoi ne pas en faire l'ascension ? (Office de tourisme de Malaucène, ☎ 04 90 65 22 59. Ascensions nocturnes les ven. en juil.-août, accès payant.)

Sault,
terre de lumière

Posée sur un éperon rocheux à 766 m d'altitude, la ville domine une vallée où l'or des blés se mêle au bleu de la

lavande fine, dans une atmosphère paisible. Le climat de montagne tempéré et tonique en fait une station agréable où il fait bon prendre le temps de flâner dans la vieille ville renfermant une belle église classée et des **ruelles pittoresques** bordées de maisons anciennes. Du château, il ne reste que les vestiges des remparts.

Un marché séculaire

Fondé en 1515, le marché du mercredi est l'occasion de faire connaissance avec les spécialités locales : miel de lavande, fromages de chèvre,

agneau du pays et épeautre. Ce « blé des Gaulois », avec lequel on cuisine une fameuse soupe, accompagne aussi les viandes ou sert à fabriquer pains et galettes. Mais c'est chez **André Boyer** (☎ 04 90 64 00 23) que vous dégusterez d'extraordinaires macarons, moelleux à souhait, et le meilleur nougat au miel et aux amandes de Provence. Blanc ou noir, à vous d'apprécier.

Lavande en fête, en fleur ou en parfum

Au pays de la lavande, il est normal qu'elle soit fêtée. Chaque année, au 15 août, le public afflue pour ces 2 jours

dédiés à la lavande : coupe manuelle, microdistillation, défilés de chars, calèches et véhicules anciens fleuris, exposition et vente de produits locaux. Mais si vous n'étiez pas à Sault au 15 août, rattrapez-vous en allant découvrir les belles collections du **jardin des Lavandes** (Sault, Route de la lavande, ☎ 04 90 64 14 97. Ouv. t. l. j., juil.-août, 10 h-13 h et 14 h-19 h ; hors saison, sur r.-v. au ☎ 04 90 64 10 74. Accès gratuit) . Profitez de l'occasion pour rapporter un pied de lavande qui embaumera votre jardin (vente sur place d'une grande variété de plants et de produits dérivés). Et pour tout savoir sur l'essence de lavande, rendez-vous à la **Distillerie du Vallon** (☎ 04 90 64 02 16. Ouv. mi-juil. à fin août).

LES ANDES AU VENTOUX

☎ 04 90 65 25 46.
Visite guidée le mat. sur r.-v., durée 1h30. Accès payant.

Non loin du village du Barroux, visitez la ferme expérimentale d'élevage de lamas de monsieur Sherrer. Vous découvrirez le mode de vie de ces animaux fort serviables, loués par l'armée pour le débroussaillage, et vous pourrez voir l'atelier où l'on confectionne tissages et tapisseries avec leur laine.

Les gorges de la Nesque

Le long de la D 942 en direction de Sault, entre Monieux et Villes-sur-Auzon, les gorges de la Nesque s'étirent en un profond canyon encaissé dont la route épouse tous les tours et détours. Points de vue étourdissants, notamment depuis le belvédère situé face au rocher du Cire. Si l'envie vous prend de cheminer dans les gorges du plan d'eau de Monieux (baignade interdite mais aire de détente), un sentier balisé vous conduira à la chapelle Saint-Michel (1 h 30 aller-retour).

Les gorges du Verdon : du lac Sainte-Croix au point Sublime

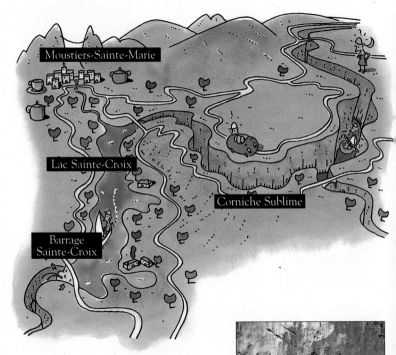

Moustiers-Sainte-Marie

Lac Sainte-Croix

Corniche Sublime

Barrage Sainte-Croix

Jean Giono a chanté le pays de Moustiers, son site extraordinaire, son climat vivifiant, ses senteurs de lavande et ses trois cents jours de « pure lumière »… À proximité, l'immense lac de Sainte-Croix et les gorges du Verdon font de cette région de haute Provence un domaine enchanteur, où tout est précieux… comme la faïence.

Moustiers-Sainte-Marie★★

Dans un écrin de pierre ocre, ce village est un défi. Assis au bord d'une crevasse, il encadre un torrent qui descend en cascade... Arpentez le dédale de ses ruelles et passages

voûtés, franchissez ses ponts, et visitez son église du XIIe s. qui possède de belles stalles sculptées. Une immense chaîne dorée (227 m) relie les deux bords du ravin, au-dessus du vieux monastère (vous ne pouvez pas la manquer)... Faites-vous raconter son histoire.

Le musée de la Faïence★
Dans la mairie

☎ 04 92 74 61 64.
Ouv. t. l. j. sf mar., 9 h-12 h et 14 h-18 h (jusqu'à 19 h en été) . F. nov.-mars (sf vac. scol., 14 h-17 h).
Accès payant.

Dans la salle voûtée d'un ancien monastère, on célèbre ici l'art local : des premières pièces aux dernières réalisations contemporaines,

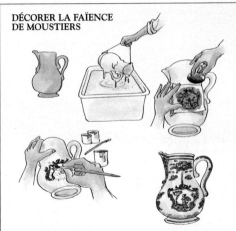

DÉCORER LA FAÏENCE DE MOUSTIERS

La pièce façonnée est cuite une première fois à 1050 ° C . On obtient ainsi un «biscuit» nu d'aspect mat et blanchâtre. La pièce est ensuite plongée dans un bain d'émail, puis mise à sécher avant de recevoir le tracé du motif. Le décor sera ensuite peint à la main, et la pièce prendra le chemin du four où elle sera cuite à 950 ° C.

découvrez l'histoire prestigieuse de la faïence et ses techniques de réalisation. Avec deux

coups de chapeau : l'un à Marcel Provence, maître ès céramiques (1930), et l'autre à Louis XIV qui, en obligeant la noblesse à fondre sa vaisselle d'or fit au XVIIe s. la fortune de Moustiers.

La fabrique de céramiques★
Rte de Riez
(10 km avant Moustiers)

☎ 04 92 74 66 69.
Boutique ouv. t. l. j. en été, 10 h-19 h ; hors saison, 8 h 30-12 h 30 et 13 h 30-17 h 30 du lun. au ven.
Visite gratuite sur r.-v., sf w.-e.

Dans l'atelier Ségriès, les céramiques sont travaillées « au grand feu », comme autrefois. La fabrication de ces petits chefs-d'œuvre, réputés dans le monde entier, passe par le modelage, le retouchage, la cuisson, et – vous en resterez

Moustiers-Sainte-Marie, l'église romane.

Les rives du lac Sainte-Croix.

bouch bée – le travail du décorateur, qui peint « à cru » des dessins toujours originaux... Définition d'une belle faïence : dureté, légèreté et... belle sonorité. À partir de 150 F l'assiette.

Le lac Sainte-Croix★★

Ce magnifique plan d'eau a vu le jour avec la retenue du barrage sur le Verdon, en 1972. Les anciens villages perchés qui dominaient le cours du Verdon ont désormais les pieds à fleur d'eau, tandis que celui de Salle-sur-Verdon gît au fond du lac. Un nouveau village a été construit sur la rive gauche. Ce site, tout ce qu'il y a de plus artificiel, reste un agréable lieu de séjour et un excellent point de départ pour découvrir les sentiers alentours.

Multiple Verdon

Les hommes ont longtemps évité ces gorges au franchissement quasi impossible, mais aujourd'hui le fond du canyon a

LA CENTRALE HYDROÉLECTRIQUE

Sainte-Croix-du-Verdon, barrage (D 111) Renseignements aux offices de tourisme des environs Visite guidée sur r.-v., uniquement juil.-août, sf sam.-dim. et j. fér. Accès gratuit.

Au pays de l'énergie, la tension monte tout au long du parcours : après la visite des énormes installations de l'usine EDF de Sainte-Croix au pied du barrage (turbo-alternateurs et « piézomètres » en action), rejoignez le sommet de l'édifice pour un spectacle inoubliable : d'un côté, les gorges du Verdon qui se perdent dans les entrailles de la Terre, et de l'autre, le lac qui repose à perte de vue (2 500 ha)... Méga (voire giga).

cessé d'être un désert. Domestiqué (5 barrages sur son cours), aménagé, vanté tant et plus, il offre sur tout son

parcours un nombre impressionnant de sites propices aux activités nautiques les plus variées (office de tourisme de Castellane, ☎ 04 92 83 61 14).

Le grand canyon du Verdon★★★

C'est le plus grand canyon d'Europe, un « prodigieux mélange de rochers et d'abîmes » (Jean Giono). Pour une première vue d'ensemble, rendez-vous sur la rive nord, au bas du village de **Rougon**.

Gagnez ensuite le **point Sublime** par le sentier qui part du chalet-restaurant (D 952), et admirez de ce belvédère l'à-pic extraordinaire sur le lit du Verdon : 183 m ! Enfin, montez au village (D 17) pour une vue inouïe sur les environs.

Au fond des gorges★★★
GR 4 balisé, rive nord du Verdon. Départ : chalet de La Maline (D 23)

Durée : 8 h jusqu'au point Sublime (14 km).

Suivez à pied le **sentier Martel**, qui longe le fond du ravin. Parcours sensationnel, agrémenté d'un franchissement de brèche par un escalier de 240 marches en fer (déconseillé aux « vertigeux »). Autre sensation : le couloir de Samson, qui traverse l'énorme bloc obstruant l'entrée du canyon (munissez-vous d'une torche, il y fait sombre...). Surtout, ne partez jamais seul(e) et sans un minimum d'équipement.

La route des crêtes★★★
Accès : par D 23, à gauche avant La Palud, en venant de Rougon

Un festival de **points de vue** vertigineux sur les gorges sans fond... Suivez la D 23 qui rejoint La Palud-sur-Verdon et arrêtez-vous à tous les belvédères, les yeux écarquillés : le premier surplombe 300 m de falaises polies, le troisième accompagne un impressionnant méandre, et... le dernier fait face à la corniche sublime. Évitez cette route en hiver.

Le Verdon en kayak★
**Aqua-Viva Est,
☎ 04 92 83 75 74.**

Les descentes se font obligatoirement avec un accompagnateur, au départ de Castellane et en direction du point Sublime. Quelque 19 km en classes 2, 3 et 4, voilà qui réjouira les amateurs. Du point Sublime au lac Sainte-Croix, le canyon reste réservé aux confirmés (35 km en classes 4 et 5). Plus tranquille, la descente des basses gorges du Verdon (au départ de Quinson, 10 km en aval du lac Sainte-Croix) peut être faite par tous (4 h aller-retour. Loisirs Aventure Kayak, ☎ 04 92 74 09 05).

NE SE JETTE PAS À L'EAU QUI VEUT

Les adeptes des sports d'eau vive ont fait du canyon du Verdon leur royaume. Avec ses noms évocateurs (le Niagara, le Tourniquet, le Cyclope, le Styx, la Souricière, l'Imbut, les Molosses, les Assomoirs...), il offre aux sportifs la possibilité de goûter aux plaisirs du rafting, du canyoning, de la nage en eau vive ou du kayak. Mais attention, pour descendre le canyon, vous devez posséder un très haut niveau technique ! Et puis, ne partez jamais sans vous être renseigné sur le débit des eaux et les conditions météo (répondeur EDF, ☎ 04 92 83 62 68 ; météo, ☎ 08 36 68 12 34).

La vallée de la Vésubie : gorges et cascades

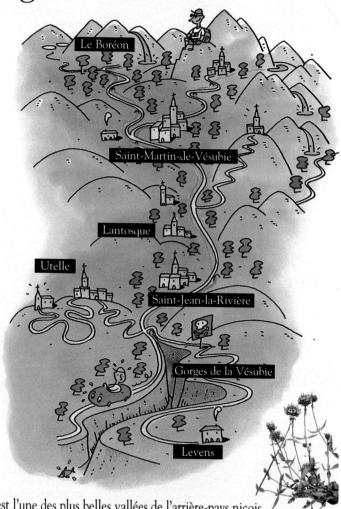

Le Boréon

Saint-Martin-de-Vésubie

Lantosque

Utelle

Saint-Jean-la-Rivière

Gorges de la Vésubie

Levens

C'est l'une des plus belles vallées de l'arrière-pays niçois. De Saint-Martin-de-Vésubie à Saint-Jean-la-Rivière, le torrent dévale les hauts sommets montagneux, puis s'évanouit au fond de gorges profondes avant de rejoindre le Var, qui le conduit directement à la mer. Chemin naturel entre les hauteurs alpines et la Méditerranée, cette vallée offre une incroyable palette de végétation, de climats et de promenades…

Saint-Martin-de-Vésubie★
60 km N. de Nice.

À 960 m d'altitude, c'est le point de départ de splendides excursions estivales en montagne (voir encadré). Le village médiéval possède de

jolies maisons gothiques. Remarquez, rue du Docteur-Cagnoli, le petit canal au milieu, qui sert à laver les rues en été et à charrier la neige en hiver… Dans l'église (XVIIe s.) joliment décorée, une Vierge noire en bois (XIVe s.), assise et habillée de dentelles, rejoint chaque été son sanctuaire montagnard : c'est la très vénérée Madone de Fenestre.

Le fronton de la mairie, à Saint-Martin-de-Vésubie.

Le vallon de la Madone de Fenestre★★
13 km N.-E. de Saint-Martin-de-Vésubie par D 94.

À 1 900 m d'altitude, c'est ici que la vierge de Saint-Martin-de-Vésubie prend ses quartiers d'été, entre le dernier samedi de juin et le deuxième dimanche de septembre. Rejoignez ce sanctuaire en voiture, puis partez à pied à l'assaut de **la cime du Gélas (3 143 m)**. Si vous ne disposez pas de bonnes chaussures, parcourez à pied les pâturages qui entourent ce cirque splendide, empli de pèlerins les 15 août et 8 septembre.

Les lacs de Prals★★
Au départ du vallon de la Madone de Fenestre. Boucle de 4 h, facile. Période conseillée : mai-nov. Suivre les balises 361 à 367, puis 359 à 361.

Pénétrez au cœur du Mercantour en reliant à pied les lacs. Véri-

table enchantement, les alpages fleuris traversés par un torrent fougueux vous conduisent 500 m plus haut, au bord d'une eau à 13 °C… Garez-vous avant le sanctuaire, à hauteur de la balise 361, et empruntez le large chemin horizontal qui s'enfonce dans la forêt de mélèzes… N'oubliez pas, en route, d'acheter du fromage de pays aux vacheries de Fenestre !

Le Boréon★★
8 km N. de Saint-Martin-de-Vésubie par D 89

Toujours plus haut. À 1 473 m, ce site alpestre de toute beauté se trouve en plein milieu d'une forêt de pins, de sapins, d'épicéas et de mélèzes. Admirez la **magnifique cascade** qui tombe de 40 m de hauteur dans une gorge étroite, et le petit lac de retenue qui reflète la couleur du ciel. Autour, la flore très

Cadran solaire dessiné par Jean Cocteau, à Coaraze.

variée est riche de plantes rares. D'ici partent d'extraordinaires promenades alpestres (voir encadré).

Les lacs Besson★★
Au départ du parking supérieur du Boréon, par D 189. Durée : 5 h 30 aller-retour. Période conseillée : juin-nov. Suivre les balises 420 à 424 (aller).

Randonnée légèrement sportive, mais inoubliable. Rejoignez, à plus de 2 500 m d'altitude, les lacs « jumeaux » (*bessons*) qui abritent dans leurs eaux claires les truites les plus haut perchées de la région.

Au bout de la D 189, à l'est du Boréon, garez votre voiture (balise 420) et prenez le large chemin qui remonte la rive gauche du vallon… Un

conseil, partez le matin et munissez-vous de bonnes jumelles pour surprendre quelques chamois ou mouflons…

Le musée des Traditions
Z. A. du Pra d'Agout, Saint-Martin-de-Vésubie
☎ 04 93 03 32 72.
Ouv. été et vac. scol., sf mar., 14 h 30-18 h.
Accès payant.

Dans les locaux du vieux moulin communal et de la première usine électrique, feuilletez les pages de l'histoire locale : la vie quotidienne en haute montagne au XIXe s., les croyances religieuses, l'habitat rural, les productions agricoles et jusqu'à l'arrivée du tramway… Dans ce musée vivant, l'une des meules du moulin fonctionne encore et les turbines viennent d'être restaurées.

Roquebillière et Belvédère★
Sur la rive droite de la Vésubie, l'église gothique de Roquebillière (1533) possède un riche mobilier et 2 retables sculptés du XVIIIe s. En face, plus haut sur la rive gauche, le bien nommé bourg de

Belvédère surplombe la rivière et débouche sur la splendide **vallée de Gordolasque**. Empruntez la très pittoresque D 171 jusqu'à la cascade du Ray (à 7 km) et, tout au bout de la route, rejoignez à pied (1 km de sentier) la **cascade de l'Estrech**, qui descend d'un cirque magnifique.

Lantosque★
En dessous des 500 m, la vallée devient ici plus accessible, plus riche et plus verdoyante. Sur son piton rocheux, le vieux bourg est

À Lantosque, l'Épicerie propose viandes séchées et fromages qui ont fait la réputation du lieu.

peuplé d'Otto, prénom importé par les soldats autrichiens au XVIIIe s., puis par les ouvriers de même nationalité venus creuser le canal de la Vésubie au XIXe s.! Faites le test de l'Otto-stop dans la rue… vous verrez. Dans l'église Saint-Sulpice (XVIIe s.), un cuir repoussé représente la naissance de la Vierge (rarissime !).

Les gorges de la Vésubie★★★

Quand un torrent rencontre de la roche calcaire, il creuse… sans aucune retenue. Suivez la D 2565, entre Saint-Jean-la-Rivière et Pont-Durandy, qui longe le fond de ces gorges extraordinaires, et levez les yeux : la couleur des parois varie sur des centaines de mètres de hauteur entre le blanc et mille et un gris striés de couleurs végétales, rougeoyantes en automne. Mais ne lâchez pas le volant pour autant : par endroits, la route se retrécit dangereusement.

Utelle★
9 km O. de Saint-Jean-la-Rivière par D 32.
Altitude : 800 m

À l'écart des voies de communication, ce village de montagne constitue un ensemble médiéval superbement préservé par son isolement. Comptez les lacets très serrés qui parsèment la route d'accès et goûtez progressivement le prodigieux panorama qui domine la vallée. Non loin de l'**église Saint-Véran** (retable en bois sculpté du XVIIe s.), le GR 5 rejoint le **Brec d'Utelle** (1 606 m), sur les traces de Masséna à la poursuite de l'armée autrichienne…

Le sanctuaire d'Utelle★★★
6 km S.-O. d'Utelle par D 132

Vue sur la mer, à 1 200 m d'altitude. Notre-Dame des Miracles reçoit depuis plus de 1 000 ans la dévotion de ses fidèles dans un décor divin. De la chapelle qui l'abrite, contemplez l'incroyable panorama sur une mer de monts et de vallées (les Alpes enneigées au nord, l'Estérel au sud-ouest) avec, tout au fond, la Méditerranée ! Attention, la route d'accès est terriblement raide et bourrée d'épingles à cheveux… Mais cet enfer mène directement au paradis.

Le Saut-des-Français
5 km S. de Saint-Jean-la-Rivière par D 19

À Duranus, sur la rive gauche des gorges de la Vésubie, un belvédère splendide fut le théâtre d'un terrible drame en 1793. Au lieu-dit Le Saut-des-Français, une plaque commémorative rappelle l'acte des barbets (jeunes gens réfractaires à leur incorporation dans l'armée révolutionnaire), qui précipitèrent les soldats républicains qu'ils avaient capturés au fond du gouffre (300 m de dénivelé). Juste en face, la Madonne d'Utelle n'a pas cillé…

LES OUTILS ARTISTIQUES

Levens, 13 km S. de Saint-Jean-la-Rivière par D 19
Atelier, ☎ 04 93 79 73 62 (visites sur r.-v.).
Exposition à la maison du Portal,
1, pl. V.-Masseglia,
☎ 04 93 79 85 84. Ouv. sam.-dim. et j. fér., 14 h 30-17 h 30.

Mettez un soc de charrue camouflé dans votre salon ! Jean-Pierre Augier collectionne depuis 25 ans les outils du terroir provençal et les métamorphose en de jolies sculptures figuratives. Visitez son étonnant atelier-musée où la dissimulation artistique donne lieu à d'incroyables découvertes…

AVIS

Votre partenaire loisirs : la carte AVIS Club

Leader de la location de voitures en France, AVIS est à votre service pour vous proposer la solution la mieux adaptée à vos besoins.

Informations et réservations

Paris : **01 46 10 60 60**

Province : **0 800 325 325**
(appel gratuit)

Minitel : **3615 AVIS**
(1,29 F/mn)

Opel Omega

AVIS RECOMMANDE OPEL

Index

Crédit Photographique

Intérieur

Toutes les photographies de cet ouvrage ont été réalisées par Patrick SORDOILLET, à l'exception de :

Éric Guillot : p. 6 (c.d.) ; p. 7 ; p. 8 (ht.g., c.g.) ; p. 10 (ht.d., c.c.) ; p. 14 (b.g.) ; p. 18 (c.d.) ; p. 19 (c.c.) ; p. 23 (c.g.) ; p. 27 (b.g.) ; p. 32 (c.d.) ; p. 40 (ht.g.) ; p. 42 (ht.d.) ; p. 43 (c.c., b.d., b.g.) ; p. 45 (ht.d.) ; p. 52 (b.c.) ; p. 53 (ht.g., c.d.) ; p. 55 (c.d.) ; p. 58 (b.g.) ; p. 82 ; p. 83 (ht.d., ht.c., c.c., c.d.) ; p. 85 (b.d.) ; p. 86 (c.g.) ; p. 97 (c.d.) ; p. 104 (c.d.) ; p. 105 (ht.c.) ; p. 110 (ht.d.) ; p. 111 (b.c.) ; p. 112 (ht.d.) ; p. 113 (b.c.) ; p. 114 ; p. 115 (ht.d., c.g., c.d.) ; p. 120 (ht.) ; p. 121 (c.g., c.c.) ; p. 136 (b.g.) ; p. 137 ; p. 141 (c.c.) ; p. 142 ; p. 143 ; p. 144 ; p. 145 (c.c., c.d., b.g.) ; p. 146 ; p. 147 (c.c., b.g., b.d.) ; p. 152 (b.d.) ; p. 153 (ht.g.) ; p. 156 (ht.d., b.g.) ; p. 157 (c.g.) ; p. 159 (b.g.) ; p. 169 (c.g.) ; p. 170 ; p. 171 ; p. 173 (b.d.) ; p. 174 ; p. 175 ; p. 176 (ht.g., c.d., b.g.) ; p. 177 (ht.c., c.d.) ; p. 190 (c.d.) ; p. 195 (b.g.) ; p. 212 (b.g.) ; p. 218 (b.c.) ; p. 219 (ht.g., c.g.) ; p. 220 ; p. 221 (c.g., c.d.) ; p. 222 ; p. 223 (b.) ; p. 224 (b.c.) ; p. 225 (ht.g., b.d.) ; p. 226 (ht.d., ht.g., b.g.) ; p. 227 (ht., c.c., b.d.) ; p. 228 ; p. 229 (ht.g., b.) ; p. 235 (ht.g., c.d., b.c.) ; p. 240 (b.d.) ; p. 243 (b.d.) ; p. 244 (b.c.) ; p. 245 (c.g., c.d., b.d.) ; p. 246 ; p. 247 ; p. 248 (b.d.) ; p. 249 ; p. 250 ; p. 252 (b.g.) ; p. 253 (c.g., c.c., c.g., b.g.) ; p. 264 (b.c.) ; p. 265 (ht.g., ht.c., c.g.) ; p. 269 (c.d.) ; p. 274 (c.d.) ; p. 288 (c.g.) ; p. 290 (ht.g., ht.d., c.c.) ; p. 293 (b.) ; p. 297 (c.c.) ; p. 301 (ht.g., c.g., c.d., b.g.) ; p. 302 (ht.c., c.d., b.g.).

Jacques Debru : p. 6 (b.g.) ; p. 19 (c.g.) ; p. 20 (ht.d.) ; p. 21 (c.g.) ; p. 41 (b.) ; p. 54 ; p. 55 (c.g.) ; p. 81 (ht.g.) ; p. 113 (c.c.) ; p. 115 (b.c., b.d.) ; p. 116 (c.g.) ; p. 136 (ht.d.) ; p. 139 (ht.c., c.g.) ; p. 147 (c. d.) ; p. 153 (c.d.) ; p. 165 (b.d.) ; p. 178 (b.g.) ; p. 179 (c.d.) ; p. 195 (ht.g.) ; p. 209 (b.g.) ; p. 217 (c.g.) ; p. 221 (ht.d., c.c.) ; p. 223 (ht.g., c.c.) ; p. 225 (c.g.) ; p. 237 (c.d.) ; p. 239 (c.c.) ; p. 240 (b.g.) ; p. 255 (c.g.) ; p. 256 (c.d.) ; p. 257 (c.d.) ; p. 264 (c.d.) ; p. 265 (b.d.) ; p. 270 (c.d.) ; p. 273 (c.d.) ; p. 291 (ht.g.)

Christian Sarramon : p. 15 (b.) ; p. 17 (4e photo en partant du haut) ; p. 28 (b.g.) ; p. 29 (b.d.) ; p. 64 (ht.d.) ; p. 68 (c.d.) ; p. 81 (c.g.) ; p. 109 (ht.c.) ; p. 119 (b.g.) ; p. 129 (b.) ; p. 145 (b.c.) ; p. 154 (b.g.) ; p. 172 (ht.g., b.) ; p. 173 (b.g.) ; p. 179 (b.d.) ; p. 181 (ht.d.) ; p. 235 (c.g.) ; p. 238 (c.g.) ; p. 245 (c.c.) ; p. 252 (c.d.) ; p. 256 (ht.d.) ; p. 261 (ht.g.) ; p. 269 (b.) ; p. 281 (ht.d.).

Frédéric Pauvarel : p. 35 (ht.g., b.g.) ; p. 37 (c.g., b.g.) ; p. 105 (c.c.) ; p. 169 (c.c.) ; p. 176 (b.d.) ; p. 286 ; p. 287 (ht.d.) ; p. 289 (b.d.) ; p. 290 (planeur : ht.c., c.d.) ; p. 291 (b.d.) ; p. 303 (ht.g.).

Laurent Parrault : p. 18 (ht.d.) ; p. 30 (c.d., b.c.) ; p. 31 (c.g., c.c., c.d.) ; p. 32 (ht.d.) ; p. 40 (c.d.) ; p. 121 (ht.c.) ; p. 227 (c.g.).

Philippe Barret : p. 32 (b.d.) ; p. 33 (ht., c.c., c.d.).

Olivier Pétri : p. 34 (ht.) ; p. 35 (c.c.) ; p. 37 (ht.d.) ; p. 287 (b.d.) ; p. 290 (b.d.) ; p. 297 (ht.g., b.).

Pierre Gilloux : p. 104 (c.g., b.g., b.c.) ; p. 105 (c.d., b.) ; p. 289 (c.g.).

B. Bonnefoy : p. 168 ; p. 169 (ht.g., b.d.) ; p. 299 (ht.g., b.d.).

Alex Cholet : p. 181 (ht.g.) ; p. 186 (ht.d.) ; p. 262 (c.d.) ;

B. Stabile : p. 145 (c.g.).

Jacana, René Volot : p. 42 (ht.g.). Jacana, Rudolf Konig : p. 43 (ht.d.) ; p. 158 (ht.d.). Phototèque Hachette (droits réservés): p. 34 (b.c.) ; p. 44 (ht.) ; p. 45 (ht.c., b.d., c.d.) ; p. 60 ; p. 61 (ht.g., ht.c., c.c.) ; p. 115 (c.c.) ; p. 157 (ht.c.) ; p. 161 (b.g.) ; p. 211 (b.d.) ; p. 226 (c.d.) ; p. 251 (b.g.) ;

Musée Océanographique : p. 10 (b.). Office de Tourisme, Marseille : Wilfried Louvet p. 12 (ht.d.) ; J. Bouthillier p. 12 (c.d.). Office de Tourisme, Forcalquier : p. 15 (ht.c.). Grand Hôtel Cap-Ferrat: p. 17 (3e photo à partir du haut) ; p. 84 (c.g.). Distillerie Forcalquier : p. 21 (ht.d., b.d.). Museon Arlaten, Arles : p. 35 (ht.d., b.c.). Maison du Tourisme, Antibes : p. 36 (c.c.). Festival danse à Aix, Robert le Héros : p. 37 (ht.c.). Marineland Antibes : p. 41 (ens. page sf. b.). Musée Ziem, Martigues : p. 44 (b.c.). Musée Angladon, Avignon : p. 45 (c.g.). Ville d'Aix-en-Provence : p. 49 (ht.g.). Atelier Laffanour : p. 62 (b.). Mélodie Mauve, Josyane Marsal : p. 63 (c.c.). Office de Tourisme, Maussane-les-Alpilles : p. 77 (c.c.). Office de Tourisme, Fontvieille : p. 77 (c.g.). La Petite Provence du Paradou : p. 77 (c.d.). Hôtel Hermitage, SBM/Lacroix : p. 85 (ht.c., c.c.). Hôtel Byblos : p. 85 (c.d.). Hôtel du Cap, Eden Roc : p. 85 (c.g.). Parc Mini-france : p. 91 (c.g.). Museon Arlaten, B. Delgado : p. 94 (b.g.). Festival d'Avignon : p. 99 (c.d.). Musée Angladon, C. Loury : p. 101 (ht.c.). Arboretum : p. 108 (b.d.). Office de Tourisme, Carpentras : p. 124 (ht.). Espace Raimu, Cogolin : p. 126 (b.g.). Office de Tourisme, Cavaillon : p. 128 (b.g.) ; p. 130 (ht.). Office de Tourisme, Aix-en-Provence : p. 148 (b.c.). Office de Tourisme, Forcalquier: p. 151 (c.c.). CNRS/OHP : p. 151 (b.d.). Parfums Christian Dior : p. 159 (c.d.). Mairie Hyères : p. 162 (ht.) ; p. 163 (b.d.). Souleiado: p. 167 (b.c.). Office de Tourisme, Oppèdes-le-Vieux : p. 172 (ht.d.). Office de Tourisme, Cavaillon : p. 178 (b.d.) ; J. Courbon p. 179 (ht.d.). SARL Miramar : p. 189 (c.d.). Office de Tourisme, Marseille : p. 189 (b.) ; J. Bouthillier, p. 191 (b.g.), p. 197 (c.g.); Wilfried Louvet, p. 196 (ht) ; Jean Belvisi, p. 193 (b.g.) ; A.Chêne/Seuil, p.193 (ht.g.), p. 251 (b.d.); Heliflash, p. 192 (b.). Musée d'Arts Africains, O.T. Marseille : p. 190 (c.c.) ; G. Bonnet, p. 190 (ht.c.). Musée d'Histoire, Marseille : p. 192 (ht.). Galerie La Poutre : p. 193 (ht.d., b.d.). Adidas: p. 195 (b.d.). Musée Ziem : p. 198 (ht.d.). SOPTOM, le village des Tortues : p. 201 (c.g.). Palais Carnolés : p. 205 (ht.g.). Musée Cocteau : p. 205 (c.g.). Office de Tourisme, Menton, M. Ajuria : p. 207 (b.g.). Office de Tourisme, Monaco, ZIRAH Communication : p. 213 (ht.g.), p. 214 (ht.d.). Musée anthropologie : p. 214 (c.c.). Musée Océanographique, Berard : p. 214 (b.). Casino Monte-Carlo, SBM/Coiron : p. 217 (ht.g.), p. 219 (c.d.) ; SBM/Nike : p. 219 (b.). Office de Tourisme et des congrès de Nice : p. 230 (b.g., b.d.) ; p. 231. Musée des Maîtres Vignerons : p. 233 (c.c.). Le Petit Duc, Jérôme Rey : p. 259 (c.c.). Rondini : p. 261 (c.c.). Office de Tourisme, Saintes-Maries : p. 266 (c.d.) ; p. 267 (c.g.). Office de Tourisme, Tarascon : p. 274 (b.d.). Musée des arômes et des parfums : p. 275 (b.d.). Musée de la Marine, Palais de Chaillot : p. 277 (ht.d.). Poterie Ravel : p. 281 (b.d.) ; Henri del Olmo, p. 282 (c.d.). J.M Coquet : p. 282 (c.c.c.) ; p. 283 (b.c., b.d.). Musée d'Apt : p. 282 (b.c.). Faïencerie Figuères : p. 283 (c.g.). Atelier Alain Voght, Periot : p. 285 (ht.c.). Grottes de Thouzou : p. 288 (ht.d.).

Ce *guide Vacances* a été établi par **Catherine Bézard, Pascal de Cugnac** et **Virginie Motte**, avec la collaboration d'Élisabeth Boyer, Caroline Comte, Hélène Firquet, Bernadette Massin, Frédérique Pélissier et Françoise Picon.

Aussi soigneusement qu'il ait été établi, ce guide n'est pas à l'abri des changements de dernière heure, des erreurs ou omissions. Ne manquez pas de nous faire part de vos remarques. Informez-nous aussi de vos découvertes personnelles, nous accordons la plus grande importance au courrier de nos lecteurs.

Guides Vacances, Hachette Tourisme, 43, quai de Grenelle 75905, Paris cedex 15

Illustrations
François Lachèze

Cartographie illustrée
Philippe Doro

Conformément à une jurisprudence constante (Toulouse 14-01-1887), les erreurs ou omissions involontaires qui auraient pu subsister dans ce guide, malgré nos soins et les contrôles de l'équipe de rédaction, ne sauraient engager la responsabilité de l'éditeur.

Régie exclusive de publicité : Hachette Tourisme, 43, quai de Grenelle 75905, Paris Cedex 15. Contact : Muriel Bauchau ☎ 01 43 92 36 82. Le contenu des annonces publicitaires insérées dans ce guide n'engage en rien la responsabilité de l'éditeur.

Imprimé en France par I.M.E., à Beaume-les-Dames
Dépôt légal 7522 - Mars 1998
ISBN : 201242715-4 - 24/2715-1

Vous trouverez dans les pages suivantes une liste de plus de trois cents adresses de restaurants qui couvrent l'ensemble des localités citées dans le guide. Entre deux balades, après une matinée au marché, une journée à la plage ou une visite de château, n'hésitez pas à vous y arrêter pour goûter la cuisine de la région et ses spécialités.

La liste est classée par ordre alphabétique de localité. Vous y trouverez des établissements adaptés à tous les goûts et à tous les budgets.

Le nombre d'étoiles donne une indication du prix du menu, vin non compris.
★ : moins de 100 F
★★ : de 100 à 150 F
★★★ : plus de 150 F
Bonnes visites et bon appétit !

RESTAURANTS

Aix-en-Provence

* Le Grill
centre commercial
Le Géant, Aix ouest
☎ 04 42 59 19 88
F. dim.

* Le Capitol
45, av. Victor-Hugo
☎ 04 42 26 06 23
F. fin déc. et début jan.
F. 2 sem. en août. F. dim.

* Le Tire-Bouchon
7, rue Félibre-Gaut
☎ 04 42 27 19 99
F. dim.

*** Brasserie
Le Mondial**
1, cours Mirabeau
☎ 04 42 26 05 44
F. à Noël

** Le Club House
chemin des Infirmeries
☎ 04 42 26 85 93
Ouv. t.l.j.

** Le Village
31, rue de la Couronne
☎ 04 42 26 07 71
Ouv. t.l.j. le soir

** Bleu Marine
42, rte de Galice
☎ 04 42 95 04 41
Ouv. t.l.j.

** Chez Féraud
8, rue du Puits-Juif
☎ 04 42 63 07 27
F. en août.
F. dim. et lun. midi

** Petit Bouchon
16, rue Victor-Leydet
☎ 04 42 27 52 91
F. en août.
F. sam. midi et dim.

***** Mas
de Vaureilles**
1555, chemin
des Cruyes
☎ 04 42 92 10 38
Ouv. t.l.j.

Allos

**** Hôtel-Restaurant
Chez Franz**
Le Seignus
☎ 04 92 83 01 06
Ouv. t.l.j. de mi-déc.
à mi-avr., en juil. et août

**** Hôtel-Restaurant
La Source**
rue Principale
*Ouv. t.l.j. de déc. à début
mars*

**** Hôtel-Restaurant
du Hameau**
hameau de la Foux
☎ 04 92 83 82 26
*Ouv. t.l.j. de début déc.
à fin avr. et de début juin
à fin sept.*

Ansouis

**** Ferme Auberge
La Louane**
quartier l'Étang
☎ 04 90 09 84 08
*F. en oct. et de déc.
à mi-jan.*

Antibe
Juan-les-Pins

*** Hôtel-Restaurant
Apogia**
les Terriers Nord
87, allée Bellevue
☎ 04 93 74 46 36
F. dim. en hiver

* Brasserie Nouvelle
1, rue Niquet
☎ 04 93 34 10 07
F. dim.

**** Brasserie
Le Gaugin**
50-52, chemin
des Sables
☎ 04 93 67 82 15
Ouv. t.l.j.

** Le Brulot
3, rue Frédéric-Isnard
☎ 04 93 34 17 76
F. en août et en déc.
F. dim. et lun. midi

** L'Amiral
7, av. de l'Amiral-
Courbet
☎ 04 93 67 34 61
F. en nov. F. lun.

Apt

* Pizzeria O'Grill
42, rue Saint-Élzéar
☎ 04 90 74 55 57
F. 15 jours en nov. F. mer.

**** Relais
de Roquefure**
Domaine de Roquefure
☎ 04 90 04 88 88
*Ouv. le soir
de mi-fév. à déc.*

**** Plaisirs
Gourmands**
17, pl. de la Bouquerie
☎ 04 90 74 28 54
F. fin déc. et début jan.
F. 1 sem. en été. F. lun.

**** Le Chat
qui Pêche**
237, cours Lauze-
de-Perret
☎ 04 90 74 66 00
F. 15 jours en jan.-fév.
F. dim.

***** Peuzin, Auberge
du Lubéron**
8, pl. du Faubourg-
du-Ballet
☎ 04 90 74 12 50
*F. dim. soir et lun.
hors saison.*
F. lun. midi en saison

Arles

* Campanile
rue Charlie-Chaplin
☎ 04 90 49 99 99
Ouv. t.l.j.

* Bogeda la cueva
13, rue de la Tour-
du-Fabre
☎ 04 90 93 91 11
F. dim. midi et lun.

* Café La Nuit
11, pl. du Forum
☎ 04 90 96 44 56
Ouv. t.l.j.

*** La Charcuterie
arlésienne**
51, rue des Arènes
☎ 04 90 96 31 66
F. dim. et lun.

** La Grignotte
6, rue Favorin
☎ 04 90 93 10 43
F. fin fév. F. mer.

** La Giraudière
53-55, rue Condorcet
☎ 04 90 93 27 52
F. en jan. F. mar.

Aups

** Lou Zaou
rte de Salernes
☎ 04 94 70 10 10
F. 15 jours en oct.
F. dim. soir

**** Hôtel-Restaurant
Le Provencal**
pl. Martin-Bidauré
☎ 04 94 70 00 24
F. 3 sem. en jan. Ouv. t.l.j.

***** Ferme Lou
Cascaveou**
rte de Moissac
☎ 04 94 84 01 14
Ouv. t.l.j. sur réservation

Avignon

* Doucitel
8, bd Saint-Dominique
☎ 04 90 82 08 08
F. ven. soir, sam. et dim.
en hiver

* Pause Gourmande
14, pl. des Châtaignes
☎ 04 90 86 10 84
F. dim. et jours fériés
sf. à Noël

* La Tache d'Encre
22, rue des Teinturiers
☎ 04 90 85 81 03
F. dim. midi

* La Régence
32, cours Jean-Jaurès
☎ 04 90 82 67 16
Ouv. t.l.j.

*** Grande Brasserie
Le Cintra**
44, cours Jean-Jaurès
☎ 04 90 82 29 80
Ouv. t.l.j.

*** Brasserie
Le Palais**
36, cours Jean-Jaurès
☎ 04 90 82 53 42
Ouv. t.l.j.

* Le Gigognan
41, rue des Rémouleurs,
ZI Courtine
☎ 04 90 14 26 68
F. en août. F. sam. et dim.

* Le Jujubier
1, rue Pétramale
☎ 04 90 86 64 08
F. fin déc. et début jan.
F. en août.
F. le soir, sam. et dim.

**** Restaurant
du Plan d'Eau,
L'Oasis**
rte du Confluent,
ZI Courtine
☎ 04 90 86 80 50
F. dim. F. le soir en hiver

** Lou Mistrau
14, pl. de l'Horloge
☎ 04 90 82 40 98
F. en jan.

**** L'Entrée
des Artistes**
1, pl. des Carmes
☎ 04 90 82 46 90
F. fin août-début sept.
F. à Noël.
F. sam. midi et dim.

** Le Pichet
2, pl. des Carmes
☎ 04 90 82 93 23
F. dim. midi et lun.
hors saison

** Le Bain Marie
5, rue Pétramale
☎ 04 90 85 21 37
F. sam. midi et dim.

**** Le Bistrot
Lyonnais**
154, rue Carreterie
☎ 04 90 85 17 41
F. en août. F. les jours
fériés. F. sam. midi et dim.

*** Davico
67, rue Saint-Pierre
☎ 04 90 39 11 02
F. fin août, fin déc. et début
jan. F. sam. midi et dim.

Barcelonnette

** La Mangeoire
pl. des-Quatre-Vents
☎ 04 92 81 01 61
F. de mi-nov. à fin déc.
F. dim. soir et lun.

**** Hôtel-Restaurant
La Grande Épervière**
18, rue des Trois-Frères-
Arnaud
☎ 04 92 81 00 70
F. en nov. F. lun.

** Hôtel-Restaurant du Cheval Blanc
12, rue Grenette
☎ 04 92 81 00 19
F. d'oct. à déc. F. dim.

Beaume-de-Venise

** La Grappe d'Or
bd Raspail
☎ 04 90 65 04 16
F. le soir sf. sam. et dim.

Biot

** L'Agora
495, rte de la mer
☎ 04 93 65 19 06
F. dim.

** Auberge de la Vallée verte
3400, rte de Valbonne
☎ 04 93 65 10 93
Ouv. t.l.j.

Bonnieux

** La Flambée
pl. du 4-Septembre
☎ 04 90 75 82 20
F. de mi-jan. à mi-fév. F. lun.

** Relais de la Rivière
Domaine de la Tour,
RD 943
☎ 04 90 04 47 00
F. jan.-fév.
F. lun. midi et mar.

*** Hostellerie Le Prieuré
rue Jean-Baptiste-Aurard
☎ 04 90 75 80 78
F. de nov. à fév.
F. mer. et jeu. midi de mars à juin.
F. à midi mar., mer. et jeu. de juil. à sept.

Bormes-les-Mimosas

** La Terrasse
19, pl. Gambetta
☎ 04 94 71 15 22
Ouv. t.l.j. de jan. à oct.

Cagnes

* Poulet à gogo, à emporter
7, av. des Oliviers
☎ 04 93 07 35 22
F. début juin et en oct.
F. lun.

** Le Grimaldi
6, pl. du Château
☎ 04 93 20 60 24
Ouv. t.l.j.

Cannes

* Auberge du Freesbea
90, av. Francis-Tonner
☎ 04 93 90 82 80
Ouv. t.l.j.

* Caffè Roma
1, sq. Mérimée
☎ 04 93 38 05 04
Ouv. t.l.j.

* Le Bistrot Casanova
8, rue Hoche
☎ 04 93 38 30 06
F. dim.

* La Claire Fontaine
4, pl. Gambetta
☎ 04 93 39 99 30
F. à Noël. F. dim.

* Côte d'Azur
3, rue Jean-Daumas
☎ 04 93 38 60 02
F. dim.

Carpentras

* Cafétéria Royaldine
57, chemin de Saint-Labre
☎ 04 90 60 38 80
Ouv. t.l.j.

* Pizza Boeuf
59, chemin de Saint-Labre,
parking Intermarché
☎ 04 90 60 17 19
F. mar. soir en hiver

** Hôtel-Restaurant Safari
av. Jean-Henri-Fabre
☎ 04 90 63 35 35
F. en jan.-fév.
F. dim. en hiver

Cassis

* L'Annexe
12, quai Baux
☎ 04 42 01 23 23
F. 15 jours en déc.
F. dim. soir et lun. en hiver

* La Boîte à Moules
6, rue Séverin-Icard
☎ 04 42 01 09 93
F. mer.

* Le Rétro
6, rue Séverin-Icard
☎ 04 42 01 09 93
F. mer.

** L'Escale Gourmande
5, rue Séverin-Icard
☎ 04 42 01 21 21
F. mer.

** Bistro des Arts
8, av. de l'Amiral-Ganteaume
☎ 04 42 01 07 59
Ouv. t.l.j.

Castellane

** Hôtel-Restaurant La Forge
pl. de l'église
☎ 04 92 83 62 61
F. de fin déc. à fin jan.
F. sam. hors saison

Cavaillon

** Côté Jardin
49, rue Lamartine
☎ 04 90 71 33 58
F. lun. soir et mar.

** Fin de Siècle
46, pl. du Clos
☎ 04 90 71 12 27
F. fin août-début sept.
F. mar. soir et mer.

** Hôtel-Restaurant Toppin
70, cours Gambetta
☎ 04 90 71 30 42
F. fin déc. et début jan.
F. sam. midi et dim.
Ouv. le dim. soir en saison

** Le Pantagruel
5, pl. Philippe-de-Cabassole
☎ 04 90 76 11 30
F. dim. et lun. midi

*** Le Prévot
353, av. de Verdun
☎ 04 90 71 32 43
F. dim. soir et lun.

BEAUME-DE-VENISE / DRAGUIGNAN

Château-Arnoux

**** Hôtel-Restaurant
du Lac**
12-14, allée des Érables
☎ 04 92 64 04 32
F. à Noël. F. dim.

**** Hôtel-Restaurant
La Taverne Jarlandin**
montée de l'Oratoire
☎ 04 92 64 04 49
F. ven. soir et sam. midi

**** Hôtel-Restaurant
du Château**
pl. Jean-Jaurès
☎ 04 92 64 00 26
F. ven.

Châteauneuf-du-Pape

**** La Mère
Germaine**
pl. de la Fontaine
☎ 04 90 83 54 37
*F. en jan. F. mar. soir et mer.
de nov. à mars.
Ouv. t.l.j. d'avr. à oct.*

** Le Pistou
15, rue Joseph-Ducros
☎ 04 90 83 71 75
F. fin fév. F. dim. soir et lun.

***** Hôtel-
Restaurant
La Somellerie**
rte de Roquemare
☎ 04 90 83 50 00
*F. 15 jours en fév. F. dim.
soir et lun. hors saison*

***** Château
des Fines Roches**
rte d'Avignon
☎ 04 90 83 70 23
F. dim. soir et lun.

Digne-les-Bains

** Le Tampinet
pl. du Tampinet
☎ 04 92 32 08 02
F. lun.

*** Hôtel-Restaurant
Le Campanile**
quartier Saint-Christophe
☎ 04 92 32 36 50
Ouv. t.l.j.

**** Hôtel-Restaurant
Tonic Hôtel**
rte des Thermes,
le Vallon-des-Sources
☎ 04 92 32 20 31
Ouv. t.l.j. d'avr. à fin oct.

**** Hôtel-Restaurant
Villa Gaïa**
rte de Nice
☎ 04 92 31 21 60
Ouv. t.l.j. d'avr. à oct.

**** Hôtel-Restaurant
Le Petit Saint Jean**
14, cours des Arès
☎ 04 92 31 30 04
F. fin déc.-début jan.

**** Hôtel-Restaurant
Saint Michel**
2, rue des Alpilles
☎ 04 92 31 45 66
F. dim. en hiver

**** Hôtel-Restaurant
Le Coin Fleuri**
9, bd Victor-Hugo
☎ 04 92 31 04 51
*F. en nov. ou en déc.
F. dim. soir et lun.*

** Le Bourgogne
3, av. de Verdun
☎ 04 92 31 0019
F. fin déc. F. dim. soir et lun.

** L'Origan
6, rue du Pied-de-Ville
☎ 04 92 31 62 13
F. à Noël. F. dim.

*** Le Grand Paris
19, bd Thiers
☎ 04 92 31 11 15
*F. dim. soir et lun. hors sai-
son. Ouv. t.l.j. de juin à sept.*

Draguignan

* L'aile et la cuisse
386, av. Paul-Brossolette
☎ 04 94 67 45 43
F. dim.

* Les Alizés
patio du dragon,
centre Hermès
☎ 04 94 68 36 59
F. dim.

*** Le Buffet
Gourmand**
bd de la République
☎ 04 94 67 31 21
F. dim.

* La Mangeoire
18, rue Pierre-Clément
☎ 04 94 68 08 05
F. sam. midi et dim.

** Le Fruit défendu
21 bis, bd de la Liberté
☎ 04 94 68 85 66
F. de mi-juil. à mi-août.
F. dim.

** Le Baron
42, Grande-Rue
☎ 04 94 67 31 76
F. lun.

Èze

* Le Bélèze
pl. de la Colette
☎ 04 93 41 19 09
F. en jan.

** Le Golf
pl. de la Colette
☎ 04 93 41 18 50
F. à Noël

Fontaine-de-Vaucluse

** Hostellerie
du Château
quartier Petite-Place
☎ 04 90 20 31 54
F. mar. hors saison. F. mar.
soir et mer. soir en saison

** Lou Fanau
pl. de la Colonne
☎ 04 90 20 31 90
F. de mi-nov. à mi-déc.

** Vanne Marel
rue des Bourgades
☎ 04 90 20 32 56
F. en jan.-fév. F. mar.

Fontvieille

* Le Barbagiuan
6, av. des Papalins
☎ 00 377 92 05 39 83
F. en août. F. dim.

* Ship and Castle
42, quai des Sanbardani
☎ 00 377 92 05 76 72
F. sam. midi

Forcalquier

*** L'Hostellerie
des deux Lions
11, pl. Bourget
☎ 04 92 75 25 30
F. en jan. et fév. F. dim. soir
et lun. hors saison

Fréjus

* Le Troquet
Z.I. La Palud
☎ 04 94 40 15 93
F. dim.

** Le Grand Bleu
485, av. de Provence
☎ 04 94 40 12 19
F. fin déc.-début jan.
F. sam.

** La Farigoule
319, rue Henri-Vadon
☎ 04 94 51 54 49
F. de fin déc. à début jan.

** La Farfouillette
1702, av. de la Corniche-
d'Azur, Saint-Aygulf
☎ 04 94 81 20 23
F. en nov. et en jan. F. mar.

** Resto Cave
pl. des Tambourinaires
☎ 04 94 17 21 22
Ouv. t.l.j.

** Les Thermes
av. du 8-mai-1945,
à côté du Géant Casino
☎ 04 94 44 24 24
Ouv. t.l.j.

Giens

** Les Pieds
dans l'Eau
plage de la Badine
☎ 04 94 58 96 01
F. fin déc. et début jan.
F. le soir, sf. ven. et sam.
soir en hiver.
Ouv. midi et soir en été

Gigondas

*** Florets
rte des Dentelles
☎ 04 90 65 85 01
F. en jan. et fév. F. mer.

Gordes

** Hostellerie
Provençale
3, pl. du Château
☎ 04 90 72 10 01
F. fin déc. et début jan.
F. mer. hors saison

** La Farigoule
Les Imberts,
quartier Les Graveliers
☎ 04 90 76 92 76
F. jeu.

*** Gacholle
rte de Murs
☎ 04 90 72 01 36
Ouv. t.l.j. de mi-mars
à mi-nov.

Grasse

** Hôtel-Restaurant
Les Mouliniers
92, chemin
de Masseboeuf
☎ 04 93 60 10 37
F. lun.

** Hôtel-Restaurant
de la Paix
45, av. des Carmes
☎ 04 93 75 65 30
F. dim. soir

Grillon

*** Auberge des Papes
rte de Grignan
☎ 04 90 37 43 67
F. en sept. Ouv. sam., dim. et jours fériés en hiver. Ouv. t.l.j. en juil. et août

Grimaud

* Lou Faitou
camping La Pinède, D14
☎ 04 94 56 50 27
F. fin déc-début jan. Ouv. à midi du lun. au ven. en hiver. Ouv. t.l.j. en été

* Crêperie L'Hippocampe
pl. des artisans
☎ 04 94 56 06 94
Ouv. t.l.j. de Pâques à oct.

Hyères

* Le Mercure
19, av. Ambroise-Thomas
☎ 04 94 65 03 04
Ouv. t.l.j.

* La Paella
760, bd de la Marine
☎ 04 94 57 42 14
Ouv. t.l.j.

* Le Monte Carlo
20, av. Gambetta
☎ 04 94 65 04 69
F. dim.

** L'Italia
6, av. Ambroise-Thomas
☎ 04 94 65 77 10
Ouv. t.l.j.

La Ciotat

* Lavandes
38, bd de la République
☎ 04 42 08 42 81
Ouv. t.l.j.

* Crêperie Ty Mad
13, bd Beaurivage
☎ 04 42 83 30 65
Ouv. t.l.j.

** Café de l'Univers
3, quai François-Mittérand
☎ 04 42 08 32 67
F. fin nov. et début mai.

** Le Golfe
14, quai Anatole-France
☎ 04 42 08 42 59
F. fin nov.-début déc. F. mar.

** Rose Thé
4, bd Beaurivage
☎ 04 42 83 09 23
Ouv. t.l.j.

Le Bar-sur-Loup

** Pizzeria Le Michel Angelo
av. Amiral-de-Grasse
☎ 04 93 42 91 95
F. de fin déc. à fin mars. F. mar.

** Restaurant-Pizzeria L'École des Filles
av. Amiral-de-Grasse
☎ 04 93 09 40 20
F. de fin nov. à mi-déc. F. dim. soir et lun. en hiver

*** La Jarrerie
av. Amiral-de-Grasse
☎ 04 93 42 92 92
F. en jan. F. lun. soir et mar. de mi-sept. à mi-juin. F. mar. et mer. midi de mi-juin à mi-sept.

Le Castellet

** Hôtel-Restaurant Le Grand Pré
quartier Combe-Croix
☎ 04 92 79 81 91
F. dim. soir

Les Baux-de-Provence

* L'Aiglon
rue Frédéric-Mistral
☎ 04 90 54 33 59
F. de mi-nov. à mi-déc. F. mer.

L'Isle-sur-la-Sorgue

* Pizzeria Le Cheval Blanc
quartier Saint-Antoine
☎ 04 90 20 63 03
F. mer. et jeu. hors saison. F. mer. et jeu. midi en saison

* L'Étape
136, rte de Carpentras
☎ 04 90 38 60 04
F. lun.

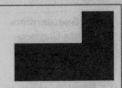

ÉZE / L'ISLE-SUR-LA-SORGUE

★★ La Gueulardière
1, av. Jean-Charmasson
☎ 04 90 38 10 52
F. en nov. F. mer.

★★ Hôtel-Restaurant Le Pescador
le Partage des Eaux
☎ 04 90 38 09 69
F. en jan.
F. lun. hors saison.

★★ Le Saigon
16, rte d'Apt
☎ 04 90 20 83 78
F. lun.

★★ Hôtel-Restaurant Table de l'Araxe
rte d'Apt
☎ 04 90 38 40 00
F. en jan.

★★ Le Trident
8, av. Julien-Guigue,
quartier de la Gare
☎ 04 90 38 01 97
F. fin juil. F. fin déc. et début jan. F. lun. et dim. soir

★★ Le Carré d'Herbes
13, av. des 4-Otages
☎ 04 90 38 62 95
F. en jan. F. mar. et mer.

★★★ Mas de Cure Bourse
carrefour de Velorgues
☎ 04 90 38 16 58
F. 3 sem. en nov. F. mi-jan.
F. lun. et mar. midi

★★ Chez Lulu
« Les Dauphins »,
av. Vincent-Auriol
☎ 04 94 64 95 23
Ouv. t.l.j. de juin à sept.

★★ Hôtel-Restaurant Relais de la Bastide Blanche
D4, Dabisse
☎ 04 92 34 05 92
F. fin déc. et début jan.

★★★ Le Vieux Colombier
Dabisse, La Bastide Blanche
☎ 04 92 34 32 32
F. la 1re sem. de jan.
F. dim. soir et mer.

★ Hôtel-Restaurant Le Mont d'Or
pl. de l'Hôtel-de-Ville
☎ 04 92 72 13 94
F. dim.

★ Hôtel-Resaurant Le Campanile
carrefour de Sisteron
☎ 04 92 87 59 00
F. à Noël

★★ Hôtel-Restaurant Le Sud
av. du Général-de-Gaulle
☎ 04 92 87 78 58
Ouv. t.l.j.

★★ Hôtel-Restaurant Le Provence
rte de la Durance
☎ 04 92 72 39 38
F. dim. soir

★★ La Source
rte de Dauphin
☎ 04 92 72 12 79
F. à Noël.
F. sam. midi et lun.

★★ La Rôtisserie
43, bd des Tilleuls
☎ 04 92 72 32 28
F. de mi-juil. à mi-août.
F. dim. et mer. soir sf. jours fériés

★★ Hôtel-Restaurant Les Quintrands
rte de Sisteron
☎ 04 92 72 08 86
F. de mi-déc. à mi-fév.
F. dim. soir et lun.

★ Crêperie Le Nostradamus
31, av. de la Pointe-Rouge, le Mistral
☎ 04 91 73 44 69
Ouv. t.l.j.

★ Le Café Crème
19-21, rue Pavillon
☎ 04 91 33 78 66
F. dim.

★ Crêperie Le Temps Perdu
27, cours Julien
☎ 04 91 47 83 73
Ouv. t.l.j.

★ Le Café Leffe
7, quai de Rive-Neuve
☎ 04 91 33 11 01
F. lun.

★ Bar Le Marigny
7, bd Notre-Dame
☎ 04 91 33 21 83
F. dim.

★ La Rôtissoire
8, rue Bussy l'Indien
☎ 04 91 42 43 00
F. fin déc. et début jan.
F. en août.
F. sam. midi et dim.

★ Le Nénuphar
21, promenade Pompidou
☎ 04 91 22 52 03
F. fin déc. F. dim.

★ L'Espace Snooker-L'Endroit
148, av. Pierre-Mendès-France, l'Escale Borély
☎ 04 91 71 24 12
F. lun. en hiver

★★ Le Quai des Pastas
15, quai de Rive-Neuve
☎ 04 91 33 46 69
F. à Noël. F. sam. midi et dim. midi

★★ Bar Les Mille Colonnes
1, av. Cantini
☎ 04 91 78 18 10
F. 15 jours en août. F. dim.

★★ Côté Grill
27, rue Saint-Saëns
☎ 04 91 55 02 63
Ouv. t.l.j.

★★★ Chez Fonfon
140, vallon des Auffes
☎ 04 91 52 14 38
F. début jan. F. dim. soir

*** Le Calypso
3, rue des Catalans
☎ 04 91 52 40 60
F. dim. soir et lun.

Martigues

* Campanile
bd de Tholon
☎ 04 42 80 14 00
F. à Noël. Ouv. t.l.j.

** Brasero
25, cours
du 4-Septembre
☎ 04 42 07 02 33
F. fin juil. et début août.
F. sam. midi et dim.

Menton

* La Galetière
30, rue Saint-Michel
☎ 04 93 35 79 58
*F. en nov. F. mar. soir
et mer.*

* L'Embuscade
camping du Plateau-
Saint-Michel
☎ 04 93 57 22 95
*Ouv. t.l.j. de mi-mars
à mi-oct.*

* Imperial Plage
5, promenade de la Mer
☎ 04 93 28 29 65
*Ouv. t.l.j. de fin mai
à fin sept.*

* Eden Bar
29, rue Saint-Michel
☎ 04 93 35 86 73
Ouv. t.l.j.

* Crêperie
de l'Atlantique
16, av. Édouard-VII
☎ 04 93 41 41 83
F. 1 sem. fin juin-début juil.
F. dim.

Monte-Carlo

* L'Ariston
39, av. Princesse-Grace
☎ 00 377 93 30 99 89
F. dim.

* Snack Flashman's
7, av. Princesse-Alice
☎ 00 377 93 30 09 03
Ouv. t.l.j.

* Des Moulins
46, bd des Moulins
☎ 00 377 93 50 66 39
F. dim.

* Au Salon du Café
17, av. des Spélugues
☎ 00 377 93 50 30 80
F. dim. en hiver

* Scala Green Café
1, av. Henry-Dunant,
Palais de la Scala
☎ 00 377 93 25 16 50
F. sam. et dim.

** La Table
Alsacienne
33, av. Saint-Charles
☎ 00 377 93 50 63 19
F. sam. midi et dim.

** Costa Coffee
31, bd Princesse-
Charlotte
☎ 00 377 93 50 66 24
F. fin déc.-début jan. F. dim.

** L'Olivier
3, av. Saint-Laurent
☎ 00 377 93 25 65 66
F. sam. midi et dim.

Mougins

* La Clé de sol
1485, chemin
de la Plaine
☎ 04 92 28 04 38
F. 1 sem. en juil. et en août.
F. le soir et le dim.

** Le Stanislas
405, av. du Maréchal-
Juin
☎ 04 92 92 22 55
F. le dim. de nov. à mars.

** L'Auberge
de Mougins
12, rue du Maréchal-
Foch
☎ 04 93 75 54 25
F. fin nov. F. dim. soir et lun.

** Les Pins
de Mougins
2308, av. du Maréchal-
Juin
☎ 04 93 45 25 96
F. en jan. F. lun.

**LE LAVANDOU /
MOUGINS**

Nice

*** Balladins-
Saint-Isidore**
av. Auguste-Vérola
☎ 04 92 29 56 56
Ouv. t.l.j.

* Le Bounty
26, quai Lunel,
Port de Nice
☎ 04 93 55 09 35
F. début déc. F. lun.

* Buffeteria
28, av. Notre-Dame
☎ 04 93 92 30 54
Ouv. t.l.j.

*** Hôtel-Restaurant
Les Camélias**
3, rue Spitaliéri
☎ 04 93 62 15 54
F. en nov.

* Curinga
4, pl. Auguste-Blanqui
☎ 04 93 55 09 15
*F. de mi-août à mi-sept.,
fin déc. et début jan.
F. les jours fériés*

*** Hôtel-Restaurant
Le Genève**
1, rue Cassini
☎ 04 93 56 73 73
F. dim.

*** Brasserie
La Fontaine**
2, pl. Magenta
☎ 04 93 16 15 59
Ouv. t.l.j.

* La Grignote
24, av. Jean-Médecin,
centre commercial
Nice Étoile
☎ 04 93 85 31 35
F. dim.

* Nissa La Bella
6, rue Réparate
☎ 04 93 62 10 20
*F. mer. et dim. midi en hiver.
F. mar., mer. et dim. midi
en été*

* Le Roosevelt
16, rue du Maréchal-
Joffre
☎ 04 93 88 48 74
F. fin juin. F. dim.

* Sportmen
4, rue Barbéris
☎ 04 93 89 27 18
F. sam. et dim.

** La Soupière
58-60, av. de la
Californie
☎ 04 93 44 41 01
Ouv. t.l.j.

Oppède-le-Vieux

***** Mas
des Capelans**
N 100
☎ 04 90 76 99 04
*F. de mi-nov. à mi-fév.
F. dim. et lun.*

Orange

* Le Français
24, rue des Lilas
☎ 04 90 34 18 30
F. en fév. F. dim.

* La Fringale
10, rue de la Tourre
☎ 04 90 34 62 78
*F. mer., sam. midi et dim.
midi*

**** Jardins
de l'Orangeraie**
89, av. Frédéric-Mistral
☎ 04 90 34 74 32
*F. en jan.
F. sam. toute l'année.
F. sam. et mer. hors saison*

** Le Parvis
3, cours Pourtoules
☎ 04 90 34 82 00
*F. fin nov.
F. dim. soir et lun.
hors saison*

** L'Oliveraie
rte de Caderousse
☎ 04 90 34 24 10
Ouv. t.l.j.

** Le Provencal
27, rue de la République
☎ 04 90 34 01 89
*F. à Noël.
F. mar. soir et mer.*

Pernes-les-Fontaines

** Le Palepoli
967, rte de Carpentras
☎ 04 90 61 34 00
*F. fin déc.-fin jan.
F. sam. midi*

** Prato Plage
rte de Carpentras
☎ 04 90 61 31 72
F. sam. midi

** Le Troubadour
56, rue Troubadour-
Durand
☎ 04 90 61 62 43
F. lun.

Pertuis

* My Cup of Tea
132, bd Ledru-Rollin
☎ 04 90 79 40 05
F. dim.

** Le Boulevard
50, bd Pécout
☎ 04 90 09 69 31
*F. 15 jours en fév.
F. mer. et dim. soir*

Port-Cros

**** L'Anse de Port-
Cros**
☎ 04 94 05 90 97
Ouv. t.l.j.

*** Le Manoir
☎ 04 94 05 90 52
Ouv. t.l.j. de mai à fin sept.

Roquebrune-
sur-Argens

* Pizz'Burg
les 4-Chemins
☎ 04 94 45 41 75
*F. sam. midi, dim. et lun.
hors saison.
F. lun. en saison*

* Lou Croustet
centre commercial
☎ 04 94 40 06 31
Ouv. t.l.j.

**** Le Mas
d'Alexandra**
1, av. de la Bouverie
☎ 04 94 81 60 62
Ouv. t.l.j.

Roussillon

** La Treille
rue du Four
☎ 04 90 05 64 47
F. en nov. et déc. F. lun.

*** Le David
pl. de la Poste
☎ 04 90 05 60 13
F. de mi-nov. à mi-mars.
F. lun.

Sablet

** Les Remparts
pl. du Village
☎ 04 90 46 96 17
Ouv. t.l.j.

Sainte-Maxime-sur-Mer

* Castellamar
12, av. Georges-Pompidou
☎ 04 94 96 19 97
F. de mi-oct. à mi-jan.

* Miam-Miam
25, rue Paul-Bert
☎ 04 94 96 02 32
F. en jan. F. dim. soir et lun.

* Le Carillon
1, bd Frédéric-Mistral
☎ 04 94 96 07 42
Ouv. t.l.j.

* La Treille Muscate
3 bis, bd Frédéric-Mistral
☎ 04 94 96 50 10
Ouv. t.l.j.

* Pub et crêperie Big Bierrot's
24, rue d'Alsace
☎ 04 94 49 16 65
Ouv. t.l.j.

* Brasserie Le Wafou
pl. Victor-Hugo
☎ 04 94 96 15 74
Ouv. t.l.j.

Saintes-Maries-de-la-Mer

* Les Montilles
2, rue Paul-Peyron
☎ 04 90 97 73 83
F. en jan.

* Le Félibre
17, pl. de l'Église
☎ 04 90 97 82 18
F. en jan. F. lun. hors saison

* Bar L'Escapade
38 bis, av. Théodore-Aubanel
☎ 04 90 97 82 29
F. ven. hors saison

** Les Launes
38, av. Théodore-Aubanel
☎ 04 90 97 80 42
F. ven.

** Khalua
8, rue de la République
☎ 04 90 97 98 56
F. en jan.-fév. F. mer.

** Hôtel-Restaurant Les Vagues
12, av. Théodore-Aubanel
☎ 04 90 97 84 40
F. mar. hors saison

Saint-Michel L'Observatoire

* Hôtel-Restaurant de l'Observatoire
pl. de la Fontaine
☎ 04 92 76 63 62
F. fin déc. et début jan.

Saint-Paul-de-Vence

* Le Pontis
61, rue Grande
☎ 04 93 32 71 94
F. ven. hors saison

* La Voûte
remparts ouest
☎ 04 93 32 09 47
F. mer. et jeu. midi en hiver.
Ouv. le soir en été.

Saint-Raphaël

* Pizzeria Marius
12, rue Charabois
☎ 04 94 95 07 81
Ouv. t.l.j.

** Les Écrevisses
29, rue Pierre-Aublé
☎ 04 94 95 48 18
F. début jan.
F. dim. soir et lun.

** Le Bateau Ivre
14, cours Jean-Bart
☎ 04 94 40 42 80
F. en jan.-fév. F. mer.

** La Sarriette
45, rue de la République
☎ 04 94 19 28 13
F. dim. soir et lun.

O-S

NICE / SAINT-RAPHAËL

** Le Sémillon
21, pl. Carnot et
12, rue de la République
☎ 04 94 40 56 77
F. dim. soir et lun.

** L'Autre Saison
133, rue Jean-Aicard
☎ 04 94 82 38 39
F. lun.

** Le Bel Azur
247, bd de Provence
☎ 04 94 95 14 08
F. fin déc. et début jan.
F. sam. et dim. soir
hors saison

** Le Grillardin
42, rue Thiers
☎ 04 94 19 03 20
F. dim. midi et lun.

Saint-Rémy-de-Provence

* Le Roma
33, bd Marceau
☎ 04 90 92 14 33
F. en jan.-fév. F. mar.

* Brasserie du Commerce
pl. de la République
☎ 04 90 92 09 95
Ouv. t.l.j.

* Le Saint-Rémy-de-Provence
48, av. Durand-Maillane
☎ 04 90 92 13 61
F. en fév. F. lun. soir

** Lou Saint-Roumie
2, av. de la Libération
☎ 04 90 92 13 61
Ouv. t.l.j.

** Bistrot des Alpilles
15, bd Mirabeau
☎ 04 90 92 09 17
F. en nov et de mi-jan.
à mi-fév. F. dim.

Saint-Tropez

* Le Bistrot du Phare
1, quai de l'Épi
☎ 04 94 97 46 00
F. de mi-nov. à mi-déc.
et de début jan. à mi-fév.

** La Bogeda du Papagayo
résidence du Port
☎ 04 94 97 76 70
F. de fin jan. à mi-fév.

** La Table du Marché
38, rue Georges-Clémenceau
☎ 04 94 97 85 20
Ouv. t.l.j.

** La Maison de Marie
26, rue des Charrons
☎ 04 94 97 09 99
F. en jan. F. lun.

** Restaurant du Port
26, rue du Général-Allard
☎ 04 94 97 60 18
F. de mi-nov. à mi-déc.

Salernes

** Le Don Camillo
quartier Saint-Romain
☎ 04 94 67 54 11
F. dim. et lun. soir

** La Framboisine
pl. de l'église
☎ 04 94 70 73 14
F. dim. soir et lun.

Salon-de-Provence

* Crêperie « On s'la fait caramel »
32, rue du Bourg-Neuf
☎ 04 90 56 18 51
F. dim. soir

* Le Café des Arts
pl. Crousillat
☎ 04 90 56 00 07
F. 1 sem. en nov.
F. sam. hors saison

* Le Terminus
111, av. Émile-Zola
☎ 04 90 56 00 92
F. fin déc. F dim.

* La Fabrique
75, rue de l'Horloge
☎ 04 90 56 07 39
F. dim.

** Roquerousse
rte d'Avignon
☎ 04 90 59 50 11
F. à Noël.
F. dim. soir en hiver

** Le Craponne
146, allées de Craponne
☎ 04 90 53 23 92
F. en juil.
F. fin déc. et début jan.

Sanary-sur-Mer

* Mac Sym's Café
10, quai Charles-de-Gaulle
☎ 04 94 74 45 34
F. à Noël

* Chez Mico
18, rue Barthélémy-de-Don
☎ 04 94 74 16 73
F. en jan. F. lun. soir et mar.

* Muscade
5, quai Esmenard
☎ 04 94 74 08 45
F. en oct. F. lun.

** Le Provencal
23, rue Jean-Jaurès
☎ 04 94 74 11 93
F. en oct., et fin déc.-début
jan. F. mer.

** Le Mas de la Frigoulette
130, av. des Mimosas,
quartier Portissol
☎ 04 94 74 13 46
Ouv. t.l.j. de Pâques à fin
sept.

Séguret

** La Bastide Bleue
rte de Sablet
☎ 04 90 46 83 43
F. mer. de nov. à fév.

*** La Table du Comtat
Le Village
☎ 04 90 46 91 49
F. fin nov.-début déc.
F. en fév. F. mar. soir et mer.
sf. à Noël et en saison

*** La Cabasse
Domaine de Cabasse,
rte de Sablet
☎ 04 90 46 91 12
F. de nov. à avr.
F. à midi lun., mar. et jeu.
sf. en juil.-août

SAINT-RÉMY-DE-PROVENCE / S-T
TOULON

Sisteron

* Hôtel-Restaurant des Andrônes
32, av. Jean-Moulin
☎ 04 92 61 01 68
Ouv. t.l.j.

* Hôtel-Restaurant Select' Hôtel
pl. de la République
☎ 04 92 61 12 50
Ouv. t.l.j.

** Hôtel-Restaurant La Potinière
18, av. de la Libération
☎ 04 92 61 00 42
F. ven. soir et dim. soir

** Hôtel-Restaurant Le Tivoli
pl. du Tivoli
☎ 04 92 61 15 16
Ouv. t.l.j.

** Hôtel-Restaurant Touring Napoléon
22, av. de la Libération
☎ 04 92 61 00 06
F. en nov. F. dim. soir

** Hôtel-Restaurant Les Chênes
rte de Gap
☎ 04 92 61 15 08
F. en jan. F. dim.

*** Les Becs Fins
16, rue Saunerie
☎ 04 92 61 12 04
F. fin juin et fin nov.-début déc. F. mer. et dim. soir hors saison

Sorgues

** Shangai
45, av. Gentilly
☎ 04 90 39 22 94
F. début sept.

** Virginia d'Ouvèze
410, av. d'Orange
☎ 04 90 83 31 82
F. fin déc. et début jan.

** Côté Jardin
rte de Carpentras
☎ 04 90 31 16 43
Ouv. t.l.j.

** Le Cézanne
pl. Charles-de-Gaulle
☎ 04 90 83 41 52
F. lun. soir et sam. midi

Tarascon

* La Clef des Champs
quartier Saint-Gabriel, rte d'Arles
☎ 04 90 91 19 94
F. à Noël. F. en août. F. sam. et dim.

* Brasserie de la Paix
1, pl. du Colonel-Bérrurier
☎ 04 90 91 00 62
Ouv. t.l.j.

* Saigon
2, av. de la République
☎ 04 90 91 10 72
F. sam. midi

* Hôtel-Restaurant du Roy René
13, rue André-Perrot
☎ 04 90 91 05 34
F. 1 sem. à Noël. F. ven. soir et sam. midi

** Restaurant du Midi
1, bd Victor-Hugo
☎ 04 90 91 02 42
F. de fin déc. à fin jan. F. sam. soir et dim. soir

Toulon

* Bar-Restaurant L'Escaillon
2, rue Chateaubriand
☎ 04 94 24 21 02
F. fin août. F. sam. soir et dim. soir

* Le Flora
quartier Sainte-Christine, Sollies-Pont
☎ 04 94 28 83 64
F. sam. soir et dim.

* Le Machon
2, rue de la Paix
☎ 04 94 93 46 13
F. dim. en hiver

* Bistro Caraïbes
2, rue Jean-Jaurès
☎ 04 94 93 06 12
F. le soir. F. dim.

* Cafétéria du Centre
29, rue Gimelli
☎ 04 94 92 68 57
F. dim. et jours fériés

* **Grand Café
de la Rade**
224, av. de la
République
☎ 04 94 24 87 02
Ouv. t.l.j.

** **Au Bouchon**
65, bd Sainte-Anne
☎ 04 94 62 70 89
*F. fin août.
F dim. soir et lun.*

Tourrettes-sur-Loup

** **Hôtel-Résidence
Les Pins**
Domaine Le Chevalier
☎ 04 94 76 06 36
Ouv. t.l.j.

Tourtour

*** **La Ferme
de Tourtour**
rte de Villecroze
☎ 04 94 70 56 18
*F. de oct. à mars.
F. dim. soir et lun. d'avr.
à sept.*

Vacqueyras

** **Hôtel-Restaurant
Les Dentelles**
pl. de la Mairie
☎ 04 980 65 80 27
F. fin déc. et début jan.

** **Auberge
des Lecques**
Domaine de l'Austou-
des-Lecques
☎ 04 90 65 84 51
Ouv. d'avr. à oct. à midi

Vaison-la-Romaine

** **Le Théâtre
Romain**
pl. de l'Abbé-Sautel
☎ 04 90 28 71 98
*F. fin déc. et début jan.
F. dim.*

Vallauris
Golfe Juan

* **Pizza Del Arte**
2720, chemin
de Saint-Bernard
☎ 04 92 96 09 08
F. à Noël

** **Chez Claude**
162, av. de la Liberté
☎ 04 93 63 71 30
Ouv. t.l.j.

** **Auberge
Siou Aou Miou**
105, chemin
des Fumades
☎ 04 93 64 39 89
Ouv. t.l.j. sur réservation.

** **Le Golfe**
Port Camille-Rayon
☎ 04 93 63 12 12
*Ouv. à midi et le sam. soir
en hiver*

*** **Auberge
du Relais Impérial**
21, rue Louis-Chabrier
☎ 04 93 63 70 36
*F. de nov. à début déc.
F. dim. soir et lun. hors saison. F. lun. midi en juil.-août*

Venasque

** **Bistro
de la Fontaine**
pl. de la Fontaine
☎ 04 90 66 02 96
*F. de mi-nov. à mi-déc.
F. dim. soir et lun.*

*** **Auberge-
Restaurant
La Fontaine,**
pl. de la Fontaine
☎ 04 90 66 02 96
*F. de mi-nov. à mi-déc.
F. mer.*

Vence

** **Au Poivre d'âne**
12, rue du Marché
☎ 04 93 58 04 25
*F. en oct.-nov.
F. dim. soir et lun.*

Volonne

*** **Auberge
des deux Tours**
rue Baume
☎ 04 92 62 60 11
F. fin déc.-début jan.

T-V

TOURRETTES-SUR-LOUP /
VOLONNE